KU-107-732

Marta Osa

Owce, barany i gminne szykany

MILTON KEYNES LIBRARIES

DON

POL OSA

ZYSK I S-KA
WYDAWNICTWO

Copyright © by Ewa Rosolska, 2013
All rights reserved

Projekt okładki
Ewa Beniak-Haremska

Skład i łamanie
Jarosław Szumski

Wydanie I

ISBN 978-83-7785-123-4

Zysk i S-ka Wydawnictwo
ul. Wielka 10, 61-774 Poznań
tel. 61 853 27 51, 61 853 27 67
Dział handlowy, tel./faks 61 855 06 90
sklep@zysk.com.pl
www.zysk.com.pl

Wcale nie tak dawno temu w krainie, której mieszkańcy lubią czekoladę, rządził zły król. Brzmi jak bajka? Niestety, to nie bajka.

Jestem Ola. Kiedyś byłam nauczycielką sztuki w miejskim gimnazjum. Ale ileż można wytrzymać w szkole, no i wkurzyłam się trochę na księdza katechetę. Weszłam mu w drogę, kiedy nie spodobało mi się, jak traktował jedną z naszych koleżanek. Wywołałam konflikt, nie chciałam… jednak nie czułam się z tym najlepiej. Poszłam na zasłużony (zdaniem lekarza) urlop dla poratowania zdrowia. Żeby do końca nie zwariować, postanowiłam wyremontować mój ogród za domem i tak mi się to spodobało, że do szkoły już nie wróciłam. I dobrze. Bo wierzcie mi… złorzeczenie: „obyś cudze dzieci uczył", jest jednym z paskudniejszych. Szczególnie w dzisiejszych czasach i w obecnych szkołach.

Tak więc postanowiłam, że zachowam resztki równowagi psychicznej, i rzuciłam się w wir nowego życia. Od roku remontuję miejskie podwórka z ekipą, która odnawiała moje własne. Ale to zupełnie inna historia.

O bibliotekarce Luci, jej rudym kocie i o tym, jak łatwo zabrać komuś pracę

Kiedy weszłam na podwórko i z przeraźliwym skrzypnięciem zamknęłam za sobą furtkę, zobaczyłam Lukrecję siedzącą na klocku drewna, który od dziesiątków lat był miejscem kaźni dla podwórkowego drobiu. Wbita w niego siekiera uwierała ją w plecy. Zastanawiała się pewnie, co dalej robić.

— Hej, Lucia! Coś taka zamyślona? — przywitałam ją pytaniem, choć domyślałam się, co ją trapi. Parę dni temu pochowała swoją ciocię Florę, którą się opiekowała przez ostatnie miesiące jej życia.

— Cześć, Ola — przerzuciła spojrzenie z domu na moją skromną osobę. Westchnęła, wstała powoli, chwytając się za plecy. — Starość to się Panu Bogu nie udała. Ależ mnie plecy bolą.

— Nie ma na to rady?

— A jest, owszem. Tylko gdzieś się to rude stworzenie schowało. — Lucia rozglądała się po podwórku. — Kici, kici…

— Po co ci kot? — nie rozumiałam jej nagłego zainteresowania rudym potworem, który często leżał rozciągnięty na parapecie kuchennego okna i wygrzewał się we wschodzącym słońcu, czekając, aż dostanie coś do jedzenia. Lukrecja nie lubiła kocura i zawsze przeganiała go z drogi. To ona tak go ochrzciła.

— Wy, mieszczuchy, to jednak o medycynie naturalnej pojęcia nie macie — skierowała się do domu. — Skóra z kota na plecach to najlepszy sposób na korzonki. Nie wiedziałaś? — zaśmiała się demonicznie. — A z tego rudzielca to pewnie starczyłoby jeszcze i na twoje plecy.

— No, wiesz! — oburzyłam się.

— A wiem, wiem — westchnęła. — Nie mam niestety nikogo, kto by mi zdjął z niego skórę — pokiwała głową szczerze zmartwiona i spojrzała na siekierę. — Chodź na kawę. Przykleisz mi plaster rozgrzewający. Sama nie dosięgnę. Lukrecja jest bibliotekarką w gminnej bibliotece. A właściwie jej kierowniczką. Kieruje biblioteką i jeszcze dwoma bibliotekarkami. I świetnie sobie radzą. Dobrze wyposażona biblioteka jest miejscem spotkań mieszkańców, ale zdecydowanie płci słabej (słabej?... zabawne!) i dzieci, które przychodzą tam nie tylko po książki. Panie organizują dzieciom wycieczki, zajęcia artystyczne i bawią się z nimi. Lucia jest z nich najstarsza. Zostało jej jeszcze pięć lat do emerytury, na którą z utęsknieniem czeka. Mówi, że ma jeszcze mnóstwo planów na życie i musi ze wszystkim zdążyć. Jak ja jej tego zazdroszczę.

— I co, Lucia? Już wiesz, co zrobisz z tym gmaszyskiem? — spytałam, bo wiem, że to ją strasznie męczyło.

Mieszkała wraz z ciotką Florą w starym budynku, który kiedyś służył jako szkoła, ale od ponad dwudziestu lat już nią nie jest. Z zewnątrz wygląda ponuro, ale monumentalnie. Zbudowano go z dobrze wypalonej czerwonej cegły, od frontu wstawiono wielkie dwuskrzydłowe drzwi, a wysokie okna wykończono łukami. Dzięki temu nadal prezentuje się okazale, ale tylko nieliczni mogą to dostrzec, bo ukryty jest wśród porastających ogródek rozłożystych drzew iglastych. Dach z szarej dachówki wygląda wciąż bardzo solidnie, a spatynowane miedziane rynny, zakończone rzygaczami w postaci smoczych łbów z rogami (a może to diabły?), dodają domowi majestatu. Niestety, smoczyska plują deszczówką bezpośrednio pod drzewa i prawie ich nie widać.

— Nie wiem. Rozmawiałam z dziewczętami, ale… one już się zadomowiły w rodzinnym gnieździe i gdzie ja teraz mam się im wciskać? A poza tym wiesz… babcia na miejscu nie ma lekkiego życia — pokiwała głową na znak, że wie, co mówi.

Obie jej córki, wraz z dziećmi i mężami, mieszkały w domu zbudowanym przez jej zmarłego tragicznie męża. Magda zajmowała dół, Ewa górę. Lukrecja zamieszkała z ciocią, kiedy ta zaczęła wymagać stałej opieki. Staruszka nie miała innej rodziny i siostrzenica musiała zmienić swoje życie, dopasowując je do potrzeb ciotki.

— Masz jakieś prawa do tego domu?

— Jestem tu zameldowana, ale budynek jest w zasobach gminnych, nie jest moją własnością. Ciocia była głównym najemcą. Kiedy się tu wprowadzałam, obiecano mi wykup tej starej szkoły. Ówczesny wójt chciał mi to nawet ułatwić i rozłożyć płatności na raty, ale wiesz… wtedy jeszcze o tym nie myślałam — postawiła na stole przede mną kubek z kawą. — Nikt mnie stąd nie wygania. Jednak z drugiej strony… zobacz, w jakim stanie jest ten dom. Na gwałt trzeba go remontować.

— A nie powinna tego zrobić gmina? — ciekawiło mnie. Bo skoro nie była to jej własność i płaciła czynsz?

— Powinna. Pewnie, że powinna. I co z tego? Jeszcze kiedy ciocia żyła, zwróciłyśmy się z wnioskiem do urzędu.

— I co?

— I nic. Pechowo trafiłyśmy — rozłożyła ręce. — Akurat toczyła się kampania wyborcza i władze walczyły z wiatrakami. Wiesz, z elektrowniami wiatrowymi. Jedni byli za, inni przeciw, bo wiatraki miały stać nie na ich polu i nic by z tego nie mieli. Jeszcze innym nie podobał się krajobraz ze śmigłami w tle. Nasza polska zawiść. Ja nie mam, to ty też nie będziesz miał — tłumaczyła. — Aż strach było wchodzić w ten wir.

— A teraz? Są przecież nowe władze. Próbowałaś?

— Jakoś jeszcze nie miałam czasu — popijała kawę małymi łyczkami. — A może odwagi.

— Odwagi? Co tu ma do rzeczy odwaga?

Lucia patrzyła w okno, jak biegające po podwórku kury drapały pazurami w piachu, wskakiwały na klocek i w nosie, a raczej w dziobie miały tkwiącą w nim siekierę. Kiedyś trzymała te kury głównie dla cioci, która uznawała rosół tylko z własnych kokoszek. Teraz rozlazły się po okolicy, drapały na podwórku, w ogródku i wszędzie, gdzie udało im się przeleźć. Jednak tak się już do nich przyzwyczaiła, że nie wyobraża sobie podwórka bez nich.

— Nie wiem. Ale te nowe władze nie budzą we mnie zaufania. I nie wiem czemu. Coś mi się nie podoba — zerknęła na mnie. — A zobacz tylko, ile tu trzeba zrobić.

— Tak właściwie to ja jeszcze całości nie widziałam — przypomniałam jej.

— No tak, nie pokazywałam ci, bo ciocia zajmowała część domu — wstała od stołu. — Chodź, sama się przekonaj.

Kumpluję się z Lukrecją od nie tak dawna. Poznałyśmy się na babskim spotkaniu, na którym specjalistka od sprzedaży bezpośredniej próbowała sprzedać nam drogie kosmetyki. Znalazłam się tam przypadkiem, miałam robić tłum. Prezenterka miała „gadane"... i do tego kremowała nas, pudrowała i malowała. Z makijażem zrobionym przez nią wyglądałam jak panienka spod latarni. Koszmar. Tylko jedna Lucia powiedziała mi to prosto w twarz, a właściwie prosto w lustro. Pani się obraziła, pozbierała manatki i tyle było z interesu.

Jakoś tak... bardzo wrażliwa na krytykę była. Zresztą kosmetyki miała niemiłosiernie drogie. Ale z Lukrecją zaczęłyśmy się umawiać na zakupy i takie tam łażenie po mieście.

— O cholera! — nie wytrzymałam. Lucia otworzyła drzwi do niezagospodarowanej jeszcze klasy, która okazała się wielkim pomieszczeniem z wysokimi łukowatymi oknami i wyjściem do ogrodu zimowego. Olbrzymie drzwi do niego zdobiły stare witraże. Trochę wybrakowane, ale i tak ładne. Ogród zimowy to mała szklana dobudówka z wyjściem na boisko szkolne, dochodzące aż do zarośniętego krzakami porzeczek ogrodu.

— Robi wrażenie, co? — zaśmiała się. — A zobacz to — i wskazała przepiękny piec kaflowy. Kafle koloru butelkowej zieleni ze żłobionymi wzorami składały się na wysoki piec zakończony ozdobnym gzymsem. Ciemna zieleń nie straciła ani odrobiny intensywności, a piękne szkliwo na kaflach lśniło, jakby dopiero co było polerowane.

— Cudo! Taki... pałacowy — dotykałam kafli, były gładkie, błyszczące i szkliste. — To pewnie ręczna robota. Nie widziałam takiego pieca — wciąż go głaskałam. — Działa jeszcze?

— Pojęcia nie mam. Ale podobno kiedyś nieźle grzał.

— Pewnie tak, skoro ogrzewał całą klasę... — rozglądałam się po pomieszczeniu. — Masz na to jakiś pomysł?

— Olka, pomysł? Najpierw muszę pomyśleć o łazience, remoncie kuchni, obejrzeć strych. Nie wiem, jak wygląda więźba dachowa. Ta szkoła ma przecież ze sto lat.

— Ale całość jest warta zachodu — westchnęłam. Mieć taką chatę na własność, poprzerabiać, uporządkować obejście... wybić kury. Zazdrościłam jej, zawsze chciałam mieszkać na wsi.

Oprócz auli szkolnej były jeszcze pomieszczenia mieszkalne. W końcu kiedyś rezydował tu z rodziną kierownik szkoły i nauczyciel w jednej osobie — dziadek Lukrecji. Do jego mieszkania wchodziło się od podwórza, bezpośrednio do kuchni, z kuchni do pokoju, a z niego do drugiego, gdzie mieszkała ciocia Flora. Teraz miała tam być sypialnia Lukrecji. Drugie drzwi z kuchni prowadziły na korytarz. Z korytarza wchodziło się do łazienki, auli i do jeszcze jednej klasy, jednak znacznie mniejszej. Wszędzie były piece, tylko u siebie Lucia z pieca zrobiła kominek z wkładem. Wykorzystała jednak kafle na obłożenie kominka. Wyszło tak... „piecowato", ale ciekawie.

— Wielki ten dom — przyznałam. — Co tu będziesz sama robiła?

— Jeszcze nie wiem. Zresztą nie jestem sama. Najpierw muszę się pozbyć tej rudej paskudy, potem będę się martwić o resztę.

Zastanawiałam się długo, za co Lucia nie lubi tego rudego kota. Nie jest uciążliwy, leży na parapecie i zadowala się byle czym. Pewnie i pożytek z niego jakiś jest, w końcu to kot, więc istnieje prawdopodobieństwo, że łapie myszy. Jeśli nie lubi kotów, to nie musi go przecież ściskać ani całować. Na szczęście ani jej to w głowie, zresztą całowanie kota może źle się skończyć z powodu różnych chorób. Dla człowieka, rzecz jasna. Chociaż przy Lucinym podejściu do rudzielca to nie wiadomo, kto by bardziej ucierpiał. Może nawet kot?

*

Lukrecja i ciocia Flora, która niedawno zmarła, mieszkały w tym domu od ponad pięciu lat. Od zawsze wszyscy nazywali Florę Panią Ja. Była nauczycielką, jak jej ojciec, i jak on mieszkała w tej szkole. Nie miała swojej rodziny, nigdy nie wyszła za mąż. Kochała dzieci ponad wszystko i nie znosiła, kiedy działa się im krzywda. „Chodź, ja cię przytulę", mówiła, „ja dam ci jabłko", „ja się pobawię z tobą". Po prostu Pani Ja. Nawet na klepsydrze Lukrecja kazała napisać „kochana ciocia i Pani Ja". Panienka w drukarni nie mogła zrozumieć, o co klientce chodzi. Musiała jej to napisać. No, ale cóż... Pani Ja była znana tylko w swojej wsi i kilku sąsiednich.

Tydzień temu pochowała ciocię Florę i Panią Ja. Na pogrzebie była cała wieś i mnóstwo ludzi z okolic. Kochali ją tak, jak ona ich kochała. Lukrecji został teraz do remontu wielki dom, który nie był jej własnością. Postanowiła ponowić próbę i zwróciła się do władz gminnych z prośbą o remont starej szkoły. Napisała uprzejme pismo z uzasadnieniem niezbędnych zabiegów remontowych i zawiozła je do urzędu. Nie musiała długo czekać na reakcję. Biblioteka gminna znajduje się nieopodal urzędu gminy i już wkrótce nastąpiły niespodziewane odwiedziny.

W drzwiach wypożyczalni stanął sam wójt gminy ze swoim zastępcą. Lukrecja zdziwiła się, bo nigdy nie przychodził do biblioteki. Pomyślała nawet, że może wreszcie zaczął coś czytać. „Ale ile tych książek chcą, że przyszli we dwóch?" — przemknęło jej przez myśl. Siedziała za biurkiem z kartami czytelników, a oni stanęli nad nią. Dwóch facetów, jeden mały i chudy, drugi wielki z groźną miną... można się wystraszyć. No i była tam zupełnie sama. A oni zawsze chodzili we dwóch.

— Pani Lukrecjo — wójt zaczął dość poważnie. — Czytałem pani wniosek o remont domu, w którym pani mieszka.

— Ten dom jest dla pani za duży — nie czekając na to, aż szef weźmie oddech na drugą część wypowiedzi, zastępca już go wyręczył.

— Jak to za duży? Nie rozumiem — zrobiła wielkie oczy. Z nerwów poderwała się na równe nogi. „Jak za duży? — pomyślała. — Wójt sam mieszka w domu, w którym mogłoby się mieścić jeszcze gminne przedszkole, a stara szkoła, w której od zawsze mieszkała jedna rodzina, jest nagle dla mnie za duża?"

— Nie musi pani mieszkać w tym domu — kontynuował wójt.

— A gdzie?

— Przecież ma pani własny dom — zastępca nie pozwalał mu chyba samodzielnie się wypowiadać. — Może pani w nim mieszkać — patrzył groźnie spod siwej grzywy na kierowniczkę biblioteki.

— Ale co to ma do rzeczy? Od lat mieszkam w tym budynku, a mój dom rodzinny zamieszkują moje dzieci. Dla mnie nie ma tam już miejsca. A poza tym jestem zameldowana w tej starej szkole i po śmierci cioci to ja miałam być głównym najemcą. Tak mi obiecano — zakomunikowała dość odważnie, choć gardło ściskało jej się ze strachu.

— To się zobaczy — słowa wójta zabrzmiały jak groźba. Panowie poszli i został tylko niesmak i niepokój. Lukrecja zaczęła nerwowo przekładać karty biblioteczne. „O co im chodzi? — zaniepokoiła się. — Jeśli nie mają środków na remont, to wystarczyło powiedzieć. Głupia nie jestem… zrozumiałabym".

*

— Rany, Lucia. Co się stało? — zobaczyłam ją zapłakaną na kanapie. — Dlaczego płaczesz?

— Przeczytaj — podsunęła mi pismo pod nos. Siedziała na kanapie z twarzą ukrytą w dłoniach. Sama pewnie nie rozumiała, co się stało.

— Rozwiązuję z panią umowę o pracę zawartą... Lucia! Co to jest? — nerwowo czytałam pismo. Do spokojnej emerytury zostało jej przecież tylko pięć lat... i to niecałe. Wkrótce weszłaby w okres ochronny i żaden kaprys władz nie mógłby jej ruszyć. Mogłaby spokojnie pracować do emerytury, robiąc to, co uwielbiała. Choć nie była nauczycielką, to naprawdę niewiele różniła się od dziadka i cioci Flory. Kochała dzieci i one o tym doskonale wiedziały. Stąd brało się to powodzenie zajęć bibliotecznych.

— Przyczyną wypowiedzenia umowy o pracę jest... utrata zaufania? — aż usiadłam z wrażenia. — Ja pierniczę! Co tu jest grane?

— Wylali mnie — pociągała nosem. — Utracili do mnie zaufanie... Jakby je kiedyś mieli — zaśmiała się gorzko. — Od kiedy tu nastali, nie podobało im się, że tyle dzieciaków przychodzi do nas, że rodzice zaglądają i pytają o swoje pociechy. W czym ja im zawiniłam?

— Może nie chodzi o bibliotekę? — zastanawiałam się głośno.

— Może. Wczoraj byli u mnie w związku z moim wnioskiem o remont domu — zawiesiła głos. — Sugerowali, że ten dom jest dla mnie za duży.

— Myślisz, że chodzi o dom? — zaniepokoiłam się.

— Nie wiem. Wójt ma wielką posiadłość. Po co mu taki stary budynek?

— A zastępca? — drążyłam.

— No tak. Może on ma ochotę na mój dom? — spojrzała na mnie i chwilę nic nie mówiła, jakby się zastanawiała. Potem pokiwała głową, potakując chyba swoim myślom. — Choćby się wściekli, to go nie dostaną. Za nic! Będę walczyć! — zaczęła chodzić wielkimi krokami po pokoju. Od kominka do okna i z powrotem. Wymachiwała pismem i powoli wracała do siebie. Z kroku na krok stawała się tą Lukrecją, która tak łatwo się nie poddaje. Nagle stanęła. — Tylko co ja zrobię bez pracy? Kto mnie teraz zatrudni? Gdzie ja znajdę pracę, mając tyle lat? Wszędzie tylko młodzi i ładni.

— Co ty gadasz, kobieto? — zaprzeczyłam. — Z twoim doświadczeniem i osiągnięciami? A nasza miejska biblioteka? Można by spróbować. Znam szefową — mówiłam gorączkowo, ale tak naprawdę nie miałam pojęcia, jak mogłabym jej pomóc. Czułam się trochę winna, bo to przecież ja namawiałam ją na ten remont… i żeby wystąpić z wnioskiem do gminy. Cholera! Po diabła wciąż próbuję wszystkim dokoła pomagać? Kto mi każe?

— Mam trzy miesiące, żeby coś wymyślić. Jakiś pomysł na nowe życie — znów usiadła na kanapie.

— Mówiłaś już dziewczynom?

— Nie. Najpierw chciałam się wypłakać i nabrać dystansu — wstała i poszła do kuchni zaparzyć kawę. — Potem im powiem. Jeszcze mam czas.

Siadłyśmy na drewnianych ławach przy długim stole w kuchni, gdzie spokojnie mogłaby się najeść bardzo, ale to bardzo wielodzietna rodzina. Kawa u Luci zawsze smakowała jakoś inaczej. Nie wiem dlaczego. Może to kwestia wody, może klimatu jej domu. Może jednego i drugiego.

— Wiesz, Ola? Nigdy mi nawet nie przeszło przez myśl, że mogłabym w życiu robić coś innego — kiwała głową nad kubkiem w różyczki. — Ale teraz chyba zacznę myśleć.

— Co chciałabyś robić? — przyglądałam się jej opuchniętej od płaczu twarzy i zaraz pomyślałam o swoim „nowym" życiu.

— Pracować z dziećmi w bibliotece — powiedziała bez zastanowienia. — Nie pytaj głupio, jeszcze nie wiem

— wzruszyła ramionami. — Przecież nie miałam niczego w zanadrzu. Lubię książki i dzieci.

— To napisz książkę. I nawet może być dla dzieci — palnęłam bez zastanowienia. Mam przyjaciela, który pisze, i całkiem nieźle mu się powodzi.

— Kiedyś chciałam. Dawno temu, ale nie myślałam o pisaniu dla dzieci — jakby się rozmarzyła. Zapatrzyła się w okno, gdzie na parapecie od strony podwórza leżał pręgowany, rudy potwór i wygrzewał się w słońcu.

— Serio? To na co czekałaś?

— Nie wiedziałam, o czym mam pisać. Do tego trzeba dorosnąć. Nie wystarczy tylko mieć czas. Trzeba jeszcze wiedzieć coś niecoś o życiu, no i wtedy dziewczynki były jeszcze małe i potrzebowały rodziców, a miały tylko mnie — westchnęła. — Kiedy zginął Krzysztof, musiałam radzić sobie sama. Ciocia Flora bardzo mi wtedy pomagała. Finansowo też. To dzięki niej Magda i Ewa pokończyły studia… sama nie dałabym rady. Potem to już ciocia wymagała zabiegów i mojej stałej obecności i znów nie miałam czasu ani głowy do pisania — mówiła o tym wszystkim bez większych emocji, jakby tłumaczyła się sama przed sobą z nieodrobionego zadania. Ale tu się akurat z nią zgadzałam. Żeby pisać, trzeba mieć o czym. Co o życiu może wiedzieć młoda kobieta? No, może coś tam wie, może nie mam racji.

Lukrecja podniosła się z ławy, podeszła do lodówki i wyjęła z niej resztkę pasztetu. Rozsmarowała ją na kromce chleba, pokroiła w kostkę i wyszła na podwórko. Wsypała te kawałki do miski stojącej obok żółtych kaloszy w czarne grochy.

— Tylko niech ci się nie zdaje, że możesz się czuć bezpiecznie — usłyszałam, jak mówi do kota. Wróciła do kawy, masując ręką plecy.

— Plaster nie pomógł? — zatroszczyłam się.

— Wiem, co by pomogło — spojrzała przez okno na klocek z siekierą. — Ale jeszcze spróbuję masażu. Na razie kocisko ma odroczony wyrok. Podtuczę go, żeby miał ładniejsze futro — zaśmiała się.

Nie mówiła poważnie. Przynajmniej... taką miałam nadzieję. Nie lubiła kocura, ale mieszkał tutaj od lat. Jego dzieci wałęsało się po wsi bez liku... no, raczej jego, bo skąd wzięłoby się aż tyle pręgowanych rudzielców?

— I co z tym zrobisz? — ruchem głowy wskazałam na pismo.

— Niewiele mogę, ale mam siedem dni na odwołanie się do sądu pracy — wydęła policzki i prychnęła. — Nie wiem, czy to coś pomoże.

— Ale spróbujesz? — patrzyłam na jej minę, pod którą — byłam pewna — krył się już jakiś pomysł.

— A owszem — bawiła się pismem, a w jej oczach zobaczyłam błysk czegoś nieokreślonego, jakby buntu. — Nie omieszkam.

*

Pod koniec tygodnia Lukrecja już się nieco uspokoiła. Jak zwykle w niedzielę zaprosiła swoje córki z rodzinami na rosół z kury. To już była tradycja. Uwielbiali maminy rosół. Z mnóstwem warzyw, z czosnkiem, z przypalaną na ogniu cebulą i natką pietruszki. Koniecznie z lubczykiem, którego wielki pióropusz rósł za chlewikami. Dawno już nie było tam inwentarza, ale kiedyś dziadek, a potem Pani Ja, karmili dwie świnki, które zawsze kończyły żywot w okolicach świąt. Wszyscy z rozrzewnieniem wspominali śliskie od tłuszczu klamki, kiedy poproszony do domu rzeźnik przerabiał mięso na szynki, kiełbasy, kaszanki, salcesony, wątrobianki i kręcił się od pomieszczenia do pomieszczenia, chrzcząc tłuszczem z dłoni każdą klamkę. Niektóre wyroby lądowały w słoikach, inne wędrowały do wędzarni na stryszku, skąd rozchodził się boski zapach wędzonych wędlin. Było z tym masę roboty... ale członkowie rodziny zgodnie twierdzili, że warto było.

Tęsknili za tymi czasami, jednak chętnych do codziennego karmienia wieprzków jakoś nie było. Chlewik stał opustoszały, obok niego pomieszczenie gospodarcze, gdzie Lukrecja przechowywała wszystko, co nie mieściło się już w domu. No i kurnik. Pełen gdaczących, dobrze wykarmionych kur. Z tego Lukrecja nie chciała rezygnować. Świeże jaja każdego dnia... i ten rytuał ich zbierania. Zawsze z przyjemnością wkładała żółte kalosze w czarne grochy i maszerowała karmić ten gdaczący inwentarz. Potem szła z koszyczkiem, wybierała jajka z gniazd i układała je ostrożnie w tekturowych, wytłaczanych pojemnikach. Kiedy dziewczyny zaglądały do mamy, zawsze na odchodne dostawały pudełka z jajkami.

— Mamo... i co teraz zrobisz? — Ewa, która już usłyszała ostatnie wieści, martwiła się razem z nią. Spoglądała na matkę znad talerza z rosołem. — Masz jakiś pomysł?

— Póki co mam do wykorzystania urlop. A tak w ogóle nie muszę już iść do pracy, bo dostałam wypowiedzenie bez konieczności świadczenia pracy — wyrecytowała jednym tchem, nalewając z parującego garnka złocistą zupę. — A potem mogę jeszcze pochorować. Zawsze byłam zdrowa jak rzepa, to chyba najwyższy czas.

— Co ma znaczyć to nieświadczenie pracy, mamo? — Maciej, mąż Ewy, nie do końca rozumiał intencje pracodawcy... albo raczej „pracobiorcy".

— To znaczy, że boją się, że im książki zjem — zaśmiała

się ze ściśniętym gardłem. W tym samym momencie zreflektowała się, bo uświadomiła sobie obecność wnuków przy stole, ale pomyślała, że na szczęście nie rozumieją jeszcze, o czym mówi. — Nie muszę już pracować — westchnęła. — Nie wiem, czego się boją. Może, że będę rozmawiać z ludźmi i opowiem im o tym, co chcą mi zrobić. Może boją się jakiegoś protestu? Nie mam zielonego pojęcia.

— Mamuś, coś sobie znajdziesz. — Magda zawsze była optymistką. Zresztą Ewa też nie demonizowała sprawy. — Jesteś świetna i ludzie o tym wiedzą.

— A nawet jeśli nie… — odezwał się Andrzej znad talerza rosołu, sięgając po miseczkę z siekaną natką pietruszki — to zawsze może się mama zająć naszymi dziećmi. — Dosypał tyle natki, że rosół zrobił się zielony, zupełnie jak szczawiowa. — Po diabła mamy szukać niani, wozić do niej dzieci i płacić obcej kobiecie, kiedy ty, mamo, możesz to robić. My będziemy spokojni i zapłacimy ci jak opiekunce za zajmowanie się Kasią i Kacprem — mówił to jak coś oczywistego. — Będziesz miała kasy prawie tyle co w bibliotece — spojrzał na współbiesiadników, których lekko zatkało. — No co? I tak komuś trzeba zapłacić. Dlaczego nie mamie?

— O matko! Czemu ja tego nie wymyśliłam? — Magda patrzyła na Andrzeja, a potem na matkę, wyraźnie zmieszana.

— Bo od tego masz mnie — zaśmiał się jej mąż i poczochrał ją po krótkiej fryzurce, czego nie znosiła.

„No, jasne! — pomyślała Lukrecja i ciężko westchnęła. — A tego właśnie chciałam uniknąć". Wciąż jeszcze nie czuła się babcią na emeryturze, nie chciała siedzieć zamknięta w domu i niańczyć wnuki. Mogła przecież tyle jeszcze zrobić! Ale miło jej się zrobiło, że dzieci chciały jej pomóc. Trochę się uspokoiła. „Da Bóg… a raczej moje dzieci, to nie umrę z głodu pod płotem" — uśmiechnęła się do swoich myśli.

*

Siedziałyśmy nad kubkami z kawą i zastanawiałyśmy się, co dalej. Lucia oddała już sprawę swojego zwolnienia do sądu pracy i czekała na datę rozprawy. Niespecjalnie wyobrażała sobie powrót do biblioteki, bo wójt pewnie już nie dałby jej spokoju. Więc zażądała odszkodowania. Za straty moralne, bezpodstawne zwolnienie i utratę zarobków. Bo przecież niczego nie mogli jej zarzucić. Co to w ogóle znaczy „utrata zaufania"? Że co? Dopisywała coś w książkach? Zmieniała im zakończenia na gorsze? Czy może szerzyła złowrogą propagandę wśród dzieci?

— Ja wiem, o co im chodzi, Olka — stała na środku kuchni, mrużąc oczy.

— No, o co? — zaciekawiłam się, w jaki sposób nadwyrężyła zaufanie władz.

— Jesienią, kiedy toczyła się kampania wyborcza, pomagałam dyrektorowi ośrodka kultury redagować gazetkę. On już nie pracuje, wylali go pierwszego. I jeśli się nie mylę, to powód był taki sam — utrata zaufania. Wiesz, był człowiekiem poprzedniej władzy.

— Czego teraz się bali? — zastanawiałam się głośno. — Przecież nikt nie jest głupi, żeby na urzędującą władzę donosić.

— No, moja droga... wójt stracił do niego zaufanie — Lucia rozłożyła ręce w geście bezradności. — I wystarczy. Matko kochana, ale co ja im zrobiłam?

— Daj spokój. Już o tym nie myśl, nic ci to nie pomoże, a tylko będziesz się czuła gorzej.

— Wiesz, przez co czuję się gorzej? — zapytała, patrząc mi głęboko w oczy. — Dzieci mi brakuje.

— Ale przecież możesz bawić wnuki — przypomniałam jej.

— Nie o wnuki mi chodzi — żachnęła się. — To znaczy kocham moje wnuki, ale brakuje mi tych szkolnych, które przychodziły do biblioteki po lekcjach — kręciła się bez celu po kuchni, odwracała wzrok, jakby wstydziła się swoich uczuć. — Lubiłam czytać im książki, odrabiać z nimi lekcje, bawić się — westchnęła. — Tego mi brakuje.

— To daj ogłoszenie w sklepie, że tego i tego dnia dzieci mogą przychodzić do ciebie do domu — wydało mi się to takie proste. — Kuchnię masz olbrzymią, stół jak prezydencki... miejsca od cholery. A może jeszcze pomogą ogarnąć ci ten busz za chlewami, bo ogrodem to tego nazywać już się nie godzi. Wierz mi. Diabli wiedzą, czy nie zagnieździły ci się tam wilki albo inne drapieżniki — zaśmiałam się.

Stała z garnuszkiem w ręku i zastanawiała się z trudną do odgadnięcia miną. Sama już nie wiedziałam, o czym myśli. Nagle palnęła:

— Muszę iść do księdza. I to jak najszybciej.

— No, masz! — zmartwiłam się nieco, bo wcale mnie nie słuchała, a i zamiar rozmowy z osobą duchowną budził we mnie raczej mieszane uczucia. — Idziesz zamówić egzorcyzmy?

— Jak chcesz, to chodź ze mną — kiwnęła ręką zachęcająco. — Wierz mi, ten ksiądz ci się spodoba.

— Wątpię. Każdy działa na mnie jak płachta na byka.

— Ale nie ten — powiedziała pewnie i pociągnęła mnie za rękaw.

Po drodze na plebanię piorun we mnie nie strzelił. Odebrałam to jako znak, że niebiosa już się tak na mnie nie gniewają. Albo na tej zapadłej wsi Stwórca przymknie oko na moje grzechy.

*

Plebania, ukryta w gąszczu tui i innych iglaków, mieściła się nieopodal pięknego zabytkowego kościółka z XV wieku. Na szczęście nie była tak stara, choć wchodząc tam, pomyślałam, że czas się tu zatrzymał.

— Niech będzie pochwalony… — Lucia witała się już z księdzem w słusznym wieku.

— Oj, Lucia. Na wieki wieków. Dziecko — pogłaskał ją po głowie jak małą dziewczynkę i pocałował w czoło. — Słyszałem już, co ci zrobili. Słyszałem. To nie było w porządku. Oj, nie było.

— Księże Zygmuncie… to moja przyjaciółka z miasta, Ola. Pomaga mi — wypchnęła mnie przed siebie jak szmacianą lalkę.

— Dzień dobry — podałam mu rękę. W obecności księży zawsze czułam się głupio i nie wiedziałam, jak się zachować. Chwalić Boga, innych świętych czy po prostu się przywitać. Zawsze jednak pomagał mi w tym uśmiech. I tym razem zastosowałam tę metodę, i przyszło mi to nad wyraz łatwo. Dziwne.

— Witaj, dziecko, witaj — uśmiechał się dobrotliwie. — Dobrze, że pomagasz Luci — poklepywał moją dłoń. — Ona jest silna — spojrzał na Lukrecję — ale każdy w którymś momencie potrzebuje wsparcia. Wchodźcie do środka — wykonał zapraszający gest — właśnie parzę ziółka. Napijecie się? Zrobię wam takich na wzmocnienie.

W kuchni księdza Zygmunta panował porządek, bo i bałaganić nie było specjalnie czym. Wystrój zdecydowanie ascetyczny. „Jak on tu gotuje? — zastanawiałam się — i jak radzi sobie sam?" Czyste ściany o nieokreślonym kolorze i solidne meble, pamiętające jeszcze poprzednią epokę, składały się na intrygującą całość. Nad kuchennym piecem, zwanym potocznie angielką, stały rzędy słoiczków z różnymi ziołami. Już choćby z tego powodu polubiłam gospodarza. Popijałam osłodzone miodem ziółka i zerkałam przez okno. Na podwórku stały dwa niemal identyczne trabanty. Nie może być! To one jeszcze jeżdżą? I po co mu aż dwa?

— Co tam, Luciu? Jak mogę ci pomóc? — spytał ksiądz Zygmunt i pogłaskał ją po dłoni. — Jak sobie radzisz bez dzieciaczków? Bo z tego, co słyszałem od parafian, to bardzo cię żałują. A dzieci chyba najbardziej.

— No właśnie. Czy może mi ksiądz pomóc przekonać rodziców dzieci, żeby przychodziły do mnie do domu? — zapytała otwarcie. — Kuchnię mam wielką, miejsca dużo i chętnie będę im pomagała w lekcjach u siebie czy raczej w domu Pani Ja.

— Oj, Lucia — westchnął i spojrzał jej w oczy. — Ty zupełnie jak Flora. Bez dzieci nie potrafisz żyć — zaśmiał się życzliwie. — A przekonywać nikogo nie muszę. Wystarczy, że tylko powiem w niedzielę na mszy, że na nie czekasz… to się nie opędzisz, dziecko. Więc się zastanów, czy aby na pewno chcesz.

— Chcę — wypaliła, jakby już wszystko wcześniej miała przemyślane. — Dwa razy w tygodniu dzieci mogą do mnie przychodzić. Będziemy czytać książki, odrabiać lekcje, a Ola nauczy je malować — wskazała na mnie i uśmiechnęła się figlarnie, bo minę miałam bardzo zdziwioną. Omal nie zakrztusiłam się ziołowym naparem. Pewnie miała to już przemyślane. Nie wiedziałam, że znów będę uczyć dzieci. — Bo ona, proszę księdza, jest artystką i kiedyś uczyła sztuki w szkole. — Lucia wyrecytowała cięgiem.

— Dzieci kochane, nawet nie wiecie, ile radości sprawicie tym dzieciaczkom. Ile dobra z tego będzie — cieszył się, jakby sam miał słuchać bajek i malować. — Lucia, załatwione. Tylko zastanów się, które to mają być dni, i daj mi znać jeszcze przed niedzielną mszą.

Wyszłyśmy opite ziółkami i w dziwnie wzniosłym nastroju. Nawet się nie wkurzyłam, że podjęła decyzję za mnie i rozporządziła moim czasem. Czułam, jakbym zrobiła coś fajnego... coś, co mnie samą wprawiło w radosny nastrój.

— Wiesz, Lucia — przystanęłam na moment — nigdy nie sądziłam, że to powiem. Ale fajny jest ten ksiądz. Taki... święty — pokiwałam głową, bo zdawało mi się, że lepiej określić go nie mogłam. — No i lubi zioła.

— Olka, święci po ziemi nie chodzą, ale nasz Zygmuś z całą pewnością pójdzie prosto do nieba. W tej wysłużonej sutannie i ze swoimi trabantami — zaśmiała się perliście.

— A o co chodzi z tymi autami? — spytałam, kiedy wreszcie przestała się śmiać. — Czemu ich tyle stoi? Kolekcjonuje je czy jak?

— Jak... tyle? Dwa mu w zupełności wystarczają. Jeden jest wersją letnią, drugi zimową — tłumaczyła mi to zupełnie poważnie.

— Nie rozumiem — stwierdziłam. Myślałam, że Lukrecja stroi sobie ze mnie żarty.

— Ależ to zupełnie proste — zaczęła. — W jednym ma na stałe zamontowany dość spory wentylator, w drugim wozi grzejnik i podłącza go długim kablem w zakrystii.

— Jaja sobie robisz — nie wierzyłam i aż przystanęłam na

moment, patrząc na nią jak na ufoludka. Ona jednak miała jak najbardziej poważną minę.

— Coś ty! Serio mówię — potwierdziła, uderzając zaciśniętą dłonią w pierś. — Kiedy zimą pod kościołem widzisz trabanta na kablu, to z całą pewnością w środku jest nasz proboszcz.

— I nigdy nie chciał innego auta? — nie mogłam się nadziwić. — Przecież są samochody z klimatyzacją i podgrzewanymi siedzeniami… no wiesz, z wszelkimi bajerami.

— Nasz księżulo chętnie prowadziłby życie jak święty Franciszek — bez dóbr doczesnych i boso. Na szczęście parafianie mu nie pozwalają. Kupują mu ładne rzeczy, bo na nie zasługuje. Praktyczne, bo są mu niezbędne… w naszym pojęciu. A on i tak rozdaje je innym, bardziej potrzebującym — zaśmiała się dobrotliwie. — Nie myśl, że nie chcieliśmy mu kupić innego auta — spojrzałam na nią zaciekawiona.

— Nie chce — rozłożyła bezradnie ręce. — Twierdzi, że tymi jedzie na tyle wolno, że zdąży się ze wszystkimi przywitać i do każdego uśmiechnąć. I jedzie na tyle głośno, że kto chce, to też go powita i odda uśmiech. No i wszędzie zdąży na czas.

— To są jeszcze tacy ludzie? — coraz bardziej lubiłam starego księdza.

— Obawiam się, że ten jest ostatnim z ginącego gatunku. — Lucia zmartwiona pokiwała głową.

Postać księdza Zygmunta i jego serdeczność spowodowały, że do końca dnia myślałam o tym, że ludzie mogą być dobrzy i życzliwi. Przynajmniej niektórzy.

— Przyjedź, Ola, w niedzielę na mszę — nagle zaproponowała.

— Nie chodzę do kościoła. Nie ufam klerowi — pokręciłam głową na znak odmowy, ale nie bardzo ją przyjmowała, czekając chyba na wyjaśnienie. — Lubię czasami pogadać sobie z Bogiem, lecz bez pośredników. Zawsze coś popieprzą... jak w głuchym telefonie. — Zdecydowanie odmówiłam i zdawało mi się, że dość rzeczowo wyjaśniłam powód.

— Przyjedź. Tylko raz — nie odpuszczała i nalegała z tajemniczym uśmiechem.

No to pojechałam. Myślałam potem o tej mszy przez wiele dni. Tu po raz pierwszy usłyszałam, jak ksiądz dziękuje za datki i mówi, że więcej nie trzeba, bo na ogrzewanie już odłożył. Myślałam, że się przesłyszałam. Ale jednak... nie. Msza jak msza. Obrządek liturgiczny tradycyjny, w nieco przyspieszonej formie. Ksiądz Zygmunt śpiewał, wierni ledwo nadążali odśpiewywać, ministranci niemal biegali... zabawne. Ale kazanie, choć krótkie, dawało do myślenia. Kilka głów się zwiesiło i już nie podniosło do końca mszy. Ich właściciele szybko wsiedli do swoich wypasionych bryk i odjechali. Już teraz wiem, dlaczego niektórzy muszą tak często tam chodzić. Ktoś musi im ciągle przypominać, jak żyć, żeby nie krzywdzić innych.

Pierwsze ławki zajmowali miejscowi notable i przedstawiciele władz gminnych. Z wójtem na czele. Tu jednak głowy tak gęsto się nie pochylały. Dziwne. Zapewne niektórzy z nich nawet nie zrozumieli przesłania kazania księdza proboszcza. Straszne.

O malowanych podwórkach, o domu Pani Ja i o tym, dlaczego trzeba uważać, spoglądając w lustro

Przez kilka dni byłam zajęta nowym podwórkiem we Wrocławiu. Z kilkoma ogrodnikami odnawiamy podwórka na Starym Mieście. Zwykle są to tak zwane podwórka-studnie, cztery albo trzy ściany otaczających je budynków i niewiele słońca. Do niedawna nie wierzyłam, że można coś z nich zrobić. Aż zobaczyłam jedno z nich.

Na ścianach budynków malowane niby-okna z okiennicami, latarnie, markizy. Kiedy sama tworzyłam, czasami domalowywałam anioły. Kocham anioły. Do tego dostawione ławeczki, piaskownice, bywa, że jeszcze jakaś wyszperana wśród staroci fontanna. To wszystko uzupełnione dopasowaną do warunków roślinnością. Niewiele roślin chce rosnąć na ciemnym podwórku i wtedy mam więcej roboty, bo rośliny też muszę namalować.

Lubię tę pracę. I lubię swoich kolegów. Jednego z nich kiedyś uczyłam, drugi mnie podrywał. Ale byłam beznadziejnie zakochana w facecie, do którego pisałam e-maile, ale ich nie wysyłałam. Pokręcone, nie? Miłość często jest pokręcona. Na szczęście mój syn wysłał te wszystkie e-maile Marcinowi. Okazało się, że miał znacznie więcej rozumu niż ja. Kto by pomyślał? Teraz spokojnie żyję i kocham... i wciąż czekam na decydujący ruch. I na pierścionek z niebieskim oczkiem. Może kiedyś się doczekam, choć nie zakładam, że będę żyła sto pięćdziesiąt lat. Ani że on tyle dożyje. W coś jednak trzeba wierzyć.

— Ola, jak ci się układa z Marcinem? — spytała Lucia, upychając do worka przejrzane już rzeczy cioci Flory.

Niewiele nadawało się do ponownego włożenia do szafy. A szafa wprost... bajeczna, garderobiana. I wcale nie trzeba być znawcą, żeby poznać, że to robota z okresu secesji, z końca XIX wieku. Mebel zdobiony jest przepięknymi, wykonanymi z wielkim kunsztem, rzeźbieniami na drzwiach i na koronie, a całość spoczywa na toczonych nogach. W środkowej części ma duże kryształowe lustro. Drzwi szafy ozdabiają piękne secesyjne okucia przy zamkach. Jeden taki mebel zdobi cały pokój.

— Tak sobie. Dobrze... można powiedzieć — przeglądałam się w wielkim lustrze, które dodatkowo jeszcze było umieszczone od środka na drzwiach bocznych, poruszając skrzydłem drzwi. — Straszne, jestem już stara i zmarszczki mi się robią. Do tego mogłabym trochę schudnąć — odwracałam się i oglądałam swój tyłek wciśnięty w dżinsy. — Do cholery! Już nic pozytywnego nie mogę o sobie powiedzieć?

— Jak to nic? — odezwała się Lucia, przyglądając mi się z uśmiechem. — Choćby to, że wzrok masz jeszcze dobry!

— No, wiesz? — trochę mnie to zabolało. Myślałam, że mnie raczej pocieszy. A ona śmiała się, jakby powiedziała superdowcip. Powinnam była pamiętać, że przy Luci lepiej w lustro nie zaglądać.

— Chodź, Olka, do kuchni, mam jeszcze sernik — i poszłyśmy do znajdującej się obok wielkiej wiejskiej kuchni.

— Co zrobisz z tą piękną szafą? Zostawisz w sypialni? — dopytywałam się, bo szafa bardzo mi się podobała i trochę się obawiałam, czy Lucia w szale porządkowania nie pozbędzie się też tego mebla.

— Oszalałaś chyba — spojrzała na mnie z wyrzutem. — Chciałabyś się zobaczyć w lustrze rano? Jak ledwo co wyczołgałaś się spod kołdry i nie możesz się wyprostować, bo cię korzonki bolą? Z czupryną, jakby piorun strzelił w tatarak? — Lukrecja stała przy blaszce z sernikiem i machając nożem, plastycznie przedstawiała wszystko, o czym mówiła. — Kochana, mogłabym wtedy grać w *Planecie małp* bez charakteryzacji — powiedziała to niemal jednym tchem. — Tak silnego serca to ja chyba jednak nie mam.

— A jeszcze jakby światło zgasło? — snułam wizje.

— Matko kochana! Nawet mnie nie strasz — popatrzyła na szafę przez otwarte na oścież drzwi. — Chyba wyjmę to lustro, zastąpię szybą i będzie fajna biblioteka. O, to świetny pomysł — aż klasnęła w dłonie. — Dobrze, żeś mnie nastraszyła.

— Sama się nastraszyłaś — zwróciłam jej uwagę.

— Ale to ty zaczęłaś z tą starą babą w lustrze — śmiała się.

— Zaraz tam stara! — oburzyłam się, bo jednak liczyłam na gwałtowny sprzeciw albo choćby nieśmiałe zaprzeczenie.

— Tak tylko powiedziałam — dodałam cicho.

Sernik był pyszny. Gotować i piec to Lucia potrafi. Siedziałyśmy przy kuchennym stole, przy którym spokojnie mogłaby się odbyć Ostatnia Wieczerza, i odpoczywałyśmy po sprzątaniu pokoju Pani Ja. Piękne dechy na podłodze przykrywały dywany i dywaniki. Kiedy je zdjęłyśmy, oczom naszym ukazała się bardzo solidna, chyba dębowa podłoga. Deski nie były wydeptane, co świadczyło, że musiało to być bardzo twarde drzewo. Pewnie dąb. Szkoda tylko, że były pomalowane na orzechowy kolor. Ale można to zeszlifować i z całą pewnością byłoby warto.

Ze strychu zniosłyśmy wiekowe, kute łóżko z mosiężnymi kulkami, wyszukałyśmy deski pod materac... niektóre musiałyśmy docinać (to dopiero był cyrk) i wymierzyłyśmy wielkość materaca. Teraz tylko trzeba gdzieś taki zdobyć. Ale łóżko… pierwsza klasa.

— Nie będę musiała podnosić się z łóżka, tylko opuszczę nogi i wstanę. — Lukrecja demonstrowała mi to na samej ramie. — Takie łóżko, moja droga, to w sam raz na starość — cmokała z zachwytu.

— Co ty dziś tak z tą starością? Jaka starość? — spojrzałam na nią. — Jeszcze ci się to łóżko przyda do czegoś innego — przewróciłam oczami i na pewno wiedziała, co mam na myśli.

— Kobieto, dawno już zapomniałam, do czego jeszcze może służyć łóżko — westchnęła. — Jestem wdową od siedemnastu lat.

— No, ale chyba nie mniszką?

— A jednak.

— Żarty sobie ze mnie stroisz — nie chciało mi się wierzyć. — I nikt ci się nie nawinął?

— Z byle kim… no wiesz, nie chciałam — wydęła policzki. — A poza tym pamiętaj, że mieszkam na wsi. — Po chwili, machając ręką, dodała: — Chociaż to jeszcze o niczym nie świadczy. Nieraz się słyszało o jakichś seksaferach. A jak już poszłaś rano do sklepu, to dowiedziałaś się wszystkiego. Kto z kim, kiedy i gdzie. I jakie jest zdanie sprzedawcy na ten temat — pokiwała głową z dezaprobatą. — Jakby to kogo obchodziło.

— No to nie mogłaś sobie zafundować jakiegoś sanatorium albo wczasów? — Tak długa abstynencja mądrej i atrakcyjnej kobiety nie mieściła mi się w głowie.

— Może i mogłam — wzruszyła ramionami. — Ale jakoś tak wyszło… Sama nie wiem. Ola — zaczęła tonem ucinającym dalszą dyskusję — nie ma o czym mówić. Widać swoje już przeżyłam.

— Zgłupiałaś? — żachnęłam się na te słowa i z silnym przekonaniem w głosie dodałam: — Najlepsze jeszcze przed nami.

Nie rozumiałam, jak światła kobieta mogła wygłosić taką myśl. „Swoje już przeżyłam?" Co to w ogóle jest? A marzenia? A nadzieja? Wszak nadzieja jest jak roślina, trudna do wyplewienia, jak chwast. Już ci się zdaje, że dałaś jej radę, że już wszystko skończone, a tu roślina wypuszcza nowe pędy. Nadziei nie da się wyplewić. Gdzie się więc podziała nadzieja Luci? Może jest w tym zarośniętym ogrodzie? Oj, trzeba będzie poszukać.

*

Już drugi tydzień dzieciaki ze wsi przychodziły do domu Lukrecji. Wtorki i czwartki ksiądz Zygmunt ogłosił dniami, a raczej popołudniami, w domu Pani Ja. W pierwszy wtorek z większością dzieci przyszli rodzice. Nie do końca wierzyli, że ktoś chce organizować dzieciom czas tak zupełnie za nic. Ale skoro proboszcz tak powiedział… to musi być prawda.

Wtorki zostały ustalone dniami z książką, czwartki miały być artystyczne. Oczywiście, najpierw odrabianie lekcji. Jeśli ktoś potrzebował pomocy z zadaniami, przychodził nieco wcześniej niż reszta. Wielka kuchnia Lukrecji pękała w szwach.

— Ola, chyba musimy coś zrobić w tej dużej sali — powiedziała Lukrecja, drapiąc się w głowę i patrząc zatroskanym wzrokiem na tłum dzieci z pędzlami nad dużymi arkuszami kartonu. — Jakiś porządek czy coś… Nie sądziłam, że aż tyle dzieci będzie przychodzić. Więcej niż do biblioteki.

— Magia miejsca — pokiwałam głową, bo myślałam podobnie, choć co chwilę ratowałam jakiś słoiczek z farbami przed upadkiem na podłogę. Wielkie kartony do malowania zajmowały tyle miejsca, że na farby już niewiele go zostało.

— Pewnie masz rację. Skoro ich rodzice jeszcze się tu uczyli i pamiętają ciocię...

Dzieci malowały, więc otworzyłyśmy drzwi klasy. Podłoga ze starym oliwionym parkietem nie wyglądała źle. Piec na razie nie był potrzebny, więc nie musiałyśmy się nim przejmować. Jednak na środku sali piętrzył się stos rupieci. Stare krzesła, duży okrągły stół, zielone ławki szkolne z otworami na kałamarze. Połamana stara tablica i regały na książki, które może da się jeszcze uratować.

— Gdyby tak uporządkować te szafki i powyrzucać rupiecie... dostawić jakieś regały. Zamienić stoły — zmrużyłam oczy, bo już widziałam w wyobraźni, jak zmienia się ta sala. Zaczęłam w myślach porządkować otoczenie i tworzyć plan pracy. Nie zamierzałam czekać zbyt długo.

*

Po niedzielnym rosole w domu Lukrecji, kiedy córki z dziećmi poszły na podwórko, zięciowie zainteresowali się przedsięwzięciem teściowej. Maciej obejrzał meble i podjął się odnowić okrągły stół i parę krzeseł, ze dwie, trzy ławki szkolne i pozbijać regały. Stwierdził, że takich solidnych półek na książki teraz już się nie kupi, a te idealnie pasują do wystroju sali. Andrzej obiecał zająć się podłogą i werandą, a raczej ogrodem zimowym. Lukrecja podśmiewała się trochę z tej szumnej nazwy, ale tylko wzruszyła ramionami i pomyślała: „Jak zwał, tak zwał. Niech będzie ogród zimowy”.

Przez następny tydzień każdego popołudnia, czasem do bardzo późna, przez starą szkołę przewalały się tłumy mężczyzn. Nie znaczy to, że samotna dotąd wdowa nagle postanowiła ożywić swoje monotonne życie. To zięciowie poprzyprowadzali z sobą kolegów, ojców dzieci przychodzących na zajęcia i ich wujków. Każdy się na czymś znał. Nawet zdun się znalazł, przejrzał zielony piec i przy okazji jeszcze wszystkie inne piece w domu.

Podłoga została wycyklinowana i zakonserwowana olejem… zupełnie jak poprzednio. Tylko wyglądała inaczej. Zupełnie inaczej. Klepki starego parkietu podkreślały szlachetność drzewa, z którego zostały zrobione. Szkoda było stawiać na takiej podłodze jakieś meble czy nakrywać ją ochronnymi dywanikami. Była naprawdę piękna. Wspólnie zdecydowali, że dzieci muszą przynosić kapcie, żeby jej nie zadeptać. I dobrze. W kapciach będą się czuły jak w domu. Stół z kuchni powędrował do sali, a okrągły stół z sali (jeszcze do niedawna rupieć) i kilka krzeseł znalazły miejsce w kuchni. Lukrecji podobała się ta zamiana. Bardzo jej się podobała. Dawała temu wyraz, głaszcząc okrągły stół i przyglądając się pięknej drewnianej podłodze. Stare ławki odzyskały dawny blask. Wyszlifowane i pomalowane w ten sam sposób nadawały sali charakter. Tam dzieci będą mogły odrabiać lekcje, bez popychania przez inne, kłębiące się teraz przy długim stole. Na półkach poukładała książki i materiały do malowania. Wszystko znalazło swoje miejsce.

— Popatrzcie, córeńki, nie tylko mnie zależy na dzieciakach — było jej trochę głupio, bo łzy same napływały do oczu. Wdzięczna była wszystkim za pomoc, zwłaszcza swoim dzieciom. I to bardzo. Oznaczało to, że dobrze wychowała córki, że pamiętają, ile ciepła dawała im ciocia Flora i jak dobrze się czuły zostawiane pod jej opieką.

— Mamuś, jesteś wielka. — Ewa uwiesiła się na ramieniu matki. Lubiła się do niej przytulać i nie odmawiała sobie tego nawet teraz, kiedy sama już była mamą i tuliła swoje dziecko.

— Zawsze to wiedziałam. Zresztą… widzisz sama, że inni myślą podobnie.

— Tak sądzisz? — Lukrecja zmarszczyła nos w wyrazie powątpiewania. „Matko kochana, może to jednak się uda? — pomyślała. — Może stara szkoła znów zatętni życiem i gwarem dzieci, może przeniosę tu to, co straciłam razem z ukochaną pracą?" Poczuła radość i nadzieję, że to się może udać.

*

Obudziłam się po szóstej rano. Jak zwykle. Ot, co znaczy siła przyzwyczajenia. Całe lata tak wstawałam i wewnętrzny budzik za diabła nie chce się przestawić na inną godzinę. A spokojnie mógłby.

Jeśli nie mamy nic do roboty w terenie, to mogę sobie leniwie wypić kawę w łóżku. Jeśli jest zlecenie, to pod domem o wpół do siódmej chłopaki już czekają. Dzisiaj mam luz. Będę malowała obrazy na jedwabiu, ale to nie ucieknie. Mogę się więc pobyczyć. Dobrze mieć tyle zajęć. Od kiedy rzuciłam szkołę, jedynym moim zmartwieniem jest, czy zdążę się dziś wyrobić. Czy dzień nie będzie znów za krótki i czy w nawale zajęć o czymś nie zapomnę. Dzięki temu nie pamiętam o smutku i nie myślę o moim nieuporządkowanym życiu rodzinnym. Nie zastanawiam się nad tym, czy aby nie dopadła mnie depresja, bo okazuje się, że lekarstwem na wszelkie smutki i durne rozważania nad sensem samotnego życia jest… więcej pracy.

Lubię swoje życie. To nic, że co wieczór kładę się sama do łóżka i rano tak samo się budzę. No, może nie tak samo… bo zasypiam grzecznie na wznak, a budzę się w poprzek łóżka. I jeszcze nie wyśledziłam, jak to się dzieje. Nie pamiętam, żebym wędrowała przez sen. Siedzę więc sama, oparta o poduszki, piję kawę z kubka w różyczki i czytam. I nic nie muszę. Raz po raz zerkam na swoje odbicie w lustrze w przesuwanych drzwiach szafy i nie dziwię się Luci, że nie chce wielkiego lustra w sypialni. Widok nie zawsze jest budujący. Dziś rano nieźle się wystraszyłam. Zapomniałam, że wieczorem nałożyłam maseczkę oczyszczającą. Skoro świt siadłam na łóżku i o mało nie dostałam zawału. Z drugiego końca sypialni patrzyła na mnie maszkara z zielonkawą skorupą w miejscu twarzy. Ależ się namęczyłam, zanim ją zmyłam. Ale efekt… super. No, może trochę przesadzam. W tym wieku tylko skalpel mógłby cokolwiek poprawić. Jednak nie chcę mieć naciągniętej i wiecznie zdziwionej twarzy albo sztywnej od botoksu. Uwielbiam się uśmiechać, a z tego, co wiem, po botoksie nie bardzo się da. Po maseczce przynajmniej czułam się lepiej, piękniej, młodziej. Chyba będę nakładać ją co wieczór.

W sypialni mam dwa lustra. Jedno w drzwiach szafy, drugie stojące naprzeciwko okien w niebieskim fragmencie toaletki. Toaletkę dostałam od cioci Stefy, kuzynki taty. Stary mebel, a raczej jego część, stał w korytarzu jej mieszkania w Poznaniu. Podobała mi się ta toaletka. Była wtedy pomalowana białą farbą, ale pęki kwiatów wylewające się z kosza nad zakończonym łukiem lustrem i wianuszki traw na drzwiczkach małej szafki u dołu sprawiały, że nie mogłam oderwać od niej oczu. Bardzo chciałam mieć to lustro. Ciocia obiecała, że jak skończę budować dom, to mi je da. I dawała mi je bardzo długo. Nie, żebym długo budowała dom… ale chyba nie mogła się z nim rozstać. W końcu razu pewnego zadzwoniła do mnie i powiedziała, że jeśli nadal je chcę, to mam po nie jak najszybciej przyjechać. Zorganizowałam się błyskawicznie i jeszcze tego samego dnia gnałam z sąsiadem do Poznania. A nuż się ciocia rozmyśli?

Lubię to lustro. Przemalowałam toaletkę na niebiesko, potem przetarłam drobnym papierem ściernym, a tam, gdzie była gruba warstwa białej farby, potarłam mocniej. Wyglądało na trochę stare. Fajne. Ale nie dlatego je lubię. Jest matowe... ze starości. I wyszczupla. Kiedy się w nim przeglądam, wyglądam na młodszą, bo nie widzę wszystkich zmarszczek. Od razu mam lepszy humor. A jeszcze jak nie włożę okularów? Po prostu... poezja! I mam w nim jakby mniejsze siedzenie. A to dla samopoczucia dojrzałej (to straszne, że już muszę tak o sobie mówić) kobiety jest bardzo ważne.

I tak w zależności od dnia, nasilenia depresji i poziomu odwagi przeglądam się raz w jednym lustrze, raz w drugim. Niestety, coraz częściej zaglądam w to od cioci... i bez okularów.

O przyjaźniach, o ludzkich przywarach i o tym, jaka siła kryje się w czekoladzie

— Luciu, dziecko drogie. — Lukrecja usłyszała wołanie od frontu szkoły. Odwróciła się w stronę nawołującego.

— Tu jestem, na podwórku — odkrzyknęła, bo już się domyśliła, do kogo należy ów głos. — Jestem za domem, księże proboszczu.

Na podwórko wpadł ksiądz Zygmunt, jak zwykle biegiem. Zawsze w biegu, choć właściwie nigdzie się nie spieszył. Taką miał naturę, gnało go wszędzie i zawsze, tylko nie w jego pasiece. Tam pojęcie czasu dla niego nie istniało. Pośpiech... a co to jest? Za plebanią był mały sad. Drzewa już trochę leciwe, ale poprzycinane, wciąż jeszcze obficie owocowały. Szkopuł w tym, że największą frajdę miały robale, bezkarnie obżerające się niepryskanymi owocami, no i oczywiście pszczoły. Ule starego księżula stały w najróżniejszych miejscach. Przy lipowej alejce, w lesie na wrzosowisku, na polach uprawnych. Miód księdza Zygmunta słynął w okolicach z leczniczych właściwości i niektórzy twierdzili, że do każdego słoika miodu dokładał jeszcze wkład w postaci dobrych życzeń i modlitw. Może coś w tym było, bo choć pszczelarzy w okolicach nie brakowało, jego miód najszybciej się kończył.

— Co się stało? — spytała wachlującego się gazetą księdza.

— Ty mi powiedz, co się stało?! — był wyraźnie zaniepokojony. Rozglądał się po podwórku i wzrokiem szukał czegoś do przycupnięcia. Siadł na nieszczęsnym klocku do uśmiercania drobiu i ciężko oddychał.

— Nic księdzu nie jest? Może wody? — Lukrecja trochę się wystraszyła.

— Luciu — sapał jak lokomotywa — ktoś mi powiedział, że wójt był strasznie zły na sesji i źle się o tobie wypowiadał.

— Nie wiem — wzruszyła ramionami. — Nie chodzę teraz na sesję. Przecież już nie pracuję… więc nie muszę.

— A może powinnaś? — spojrzał na nią i pokiwał głową.

— Jeden z radnych pochwalił twoją inicjatywę opieki nad dziećmi i tak włożył kij w mrowisko. Zrobiło się podobno niezłe zamieszanie.

— Ale przecież ja niczego od gminy nie chcę. Dzieci przychodzą do mnie i to moja, i tylko moja sprawa — niemal tupnęła nogą.

— Widzisz, dziecko, jednak nie wszystkim to się podoba — zmartwił się ksiądz. — Wójt powiedział, że dzieci nie są z tobą bezpieczne.

— Co takiego!? — oburzyła się. — Jak mógł coś takiego powiedzieć? Co ja mu zrobiłam? Mało mu, że pozbawił mnie pracy? Jeszcze chce mi zabrać dzieci?

Nagle ksiądz Zygmunt wstał i zaczął czegoś szukać w swoich przepastnych kieszeniach, gdzie oprócz kluczy do kościoła nosił jeszcze ze dwa kilo niepotrzebnych przedmiotów. Przeznaczenie niektórych trudno było nawet odgadnąć.

— Czekaj, Luciu... gdzie ja mam tę kartkę — wyjmował na pień najróżniejsze rzeczy. — O, mam — podał Lukrecji wymiętą kartkę. — Przeczytaj.

— Ja, niżej podpisany, rodzic dziecka bla, bla, bla, biorę całkowitą odpowiedzialność za bezpieczeństwo mojego dziecka w domu pani... — z początku nie rozumiała, o co chodzi. — O co chodzi? — spytała więc.

— Otóż tata Julki przyniósł mi to, żeby pokazać. Tak wymyślili z żoną. Wieczorem dostarczy podpisane kartki od wszystkich rodziców — tłumaczył, gestykulując. — Żeby nie próbowali cię czymś straszyć. W końcu ja ich do tego namawiałem, więc to ja muszę ci pomóc. Te deklaracje rodziców będą u mnie na plebanii. Więc, dziecko — dotknął jej ręki uspokajającym gestem — możesz spać spokojnie i nie słuchaj plotek ludzi, bo pewnie coś do ciebie jeszcze dotrze. A ze mną wójt nie zadrze. Nie waży się!

Nie wiedziała, co ma powiedzieć. Czuła, że on wiedział coś jeszcze. Stała jak zamurowana wieścią o zarzutach przeciwko niej i nie wiedziała, czy ma się cieszyć z życzliwości niektórych rodziców, czy martwić złośliwością innych.

— Zrobię księdzu kawy — zaproponowała z trochę nieprzytomną miną, jakby przebudzona, bo przecież powinna od tego zacząć. Ksiądz proboszcz lubił kawę.

— Nie, dziecko, dziękuję. Muszę już lecieć — zamiótł sutanną i faktycznie pognał dalej.

„Matko kochana, o co chodzi? — zastanawiała się. — Co komu przeszkadza, że dzieciaki przychodzą do mnie czytać książki, malować i odrabiać lekcje? Mają się szwendać po wsi? Rozrabiać na przystankach autobusowych?" Nawet nie przyszło jej do głowy, że ktoś może zazdrościć jej popularności wśród małych mieszkańców. A jednak. Już następnego dnia doszły Lukrecję nowe wieści.

*

Odwiedziła ją Beata, koleżanka z biblioteki. Lukrecja trochę współczuła Beacie, bo współpracownica nie bardzo wiedziała, jak ma z nią rozmawiać: użalać się nad zwolnieniem z pracy swojej kierowniczki czy może próbować ją rozweselić.

— Chodź, pokażę ci, jaką fajną salę przygotowaliśmy dla dzieci. — Lukrecja chciała się pochwalić i tym sposobem nieco rozładować narastające napięcie. — Wyobraź sobie, że przychodzi tu więcej dzieci niż do biblioteki — cieszyła się.

— Nie każdego dnia, ale dość regularnie.

Beata najpierw dotykała pieca, gładziła kafle, potem usiadła w szkolnej ławce i sprawdzała dłonią wgłębienie na pióra i otwór do kałamarza. Rozglądała się stamtąd po całym pomieszczeniu.

— Pamiętasz, jak w nich siedziałyśmy? — zamyśliła się na ułamek sekundy. Po czym uderzyła dłonią w blat ławki. — Lucia, Elkę chyba szlag trafi — powiedziała poważnie, głaszcząc blat, jakby przepraszając. — Nawet nie wiesz, jak źle ci życzy. Co ona opowiada ludziom, jak już kogoś dorwie. Bo próbuję ją trzymać z dala, ale wiesz… nie da się — rozłożyła ręce. — Kiedy mnie nie ma, to ona przecież wypożycza książki.

Ela… — na jej wspomnienie Lukrecja westchnęła. „Wiedziałam, że będą z nią kiedyś problemy. Arogantka, która myśli, że wszystkie rozumy zjadła" — pomyślała. Od pewnego czasu nie darzyła współpracownicy sympatią. Brat Eli prowadzi sklep we wsi i, jak żartobliwie mówiła, publiczny konfesjonał. Siostra, kiedy może, pomaga mu, przynajmniej w spowiadaniu. W tym, jak zawsze podkreślała Lucia, są bezkonkurencyjni. Oburzała się, że zanim taka biedna ofiara kupi bułki na śniadanie dla dzieci, już wyzna wszystkie grzechy (swoje i sąsiada) i nawet o tym nie wie. A ilu rad wysłucha na temat wychowania dzieci… Beata też nie przepadała za koleżanką z pracy i często to demonstrowała. Przynajmniej ostatnio.

— Nie przejmuj się, Beata. — Lukrecja próbowała to lekceważyć, ale tak naprawdę była na Elę wściekła.

— Jak mam być spokojna? Przecież ona teraz oficjalnie się chwali znajomością z wójtem — mówiła wzburzona. — I mówi o nim per Mateusz. Wyobrażasz sobie? Są na ty — sapała.

Siedziały w kuchni nad kawą i Lukrecji żal było koleżanki. Choć serce nadal jej krwawiło po stracie ukochanej pracy, to miała już za sobą wszelkie problemy związane z wójtem i jego zastępcą. Przynajmniej tak jej się zdawało. Jednak już wkrótce miała się przekonać, że jej kłopoty dopiero się zaczynają.

*

Prosiłam Marcina, żeby przyjechał po mnie do Luci, bo przecież artysta czasami musi sobie chlapnąć. Kiedy dzieci poszły już do domu i ułożyłyśmy na półkach obrazki z dzisiejszymi malunkami, w ramach relaksu nalałyśmy sobie drinki. To znaczy Lucia pije drinki, ja nie lubię niczego mieszać.

Nalała mi szklaneczkę jakiejś brandy i opowiedziała o wyskokach wójta na sesji.

— Skąd się u was wziął taki element? — ciekawiło mnie, bo przecież ktoś go w końcu wybrał.

— Trafił facet na walkę z wiatrakami, trochę pokręcił śmigłami w odpowiednim towarzystwie i się wykreował. — Lucia próbowała mi to wytłumaczyć z cierpką miną.

— Tak sam z siebie? Ludzie nie wiedzieli, co to za gagatek? — nie mogłam uwierzyć, że tak łatwo poszło. — No, chyba że doszło do jakiejś ogólnej hipnozy — zamieszałam palcem w szklaneczce i oblizałam go z alkoholu.

— Wiesz, że możesz mieć rację — uśmiechnęła się. — Kiedy rozpoczęła się kampania wyborcza, wójt z zastępcą chodzili od drzwi do drzwi i składali obietnice. Każdemu pracę, wszystkim dzieciom przedszkole, złośliwym możliwość zemsty i takie tam. I w każdym domu zostawiali czekoladę z podobizną kandydata. Znaczy… ze swoją.

— Czekoladę? Żartujesz — nie mogłam uwierzyć.

— A jednak — potwierdziła. — Obkolędował tak całą gminę — kiwała głową z nieukrywanym podziwem i po chwili ciągnęła dalej: — Wiesz, czytałam, że od czekolady można się uzależnić. Zawiera fenylo… coś tam, co poprawia samopoczucie.

Spojrzałam na nią z zaciekawieniem, bo też lubię czekoladę. Ale tylko gorzką. I najlepiej, żeby w środku miała jeszcze jakiś alkohol. Cholera, może już się uzależniłam? Od czekolady, rzecz jasna. Co do alkoholu, to raczej nie miałam wątpliwości.

— I co?

— No i można się nią nakręcić, zupełnie jak marihuaną — kiwała głową zamyślona. — Naćpasz się i potem robisz głupoty — westchnęła.

— Wiesz, czekolada to dobry wynalazek, lepszy nawet od faceta — podchwyciłam wątek, a ona spojrzała na mnie zaintrygowana. — Nawet jak nieco zmięknie, to cię zadowoli — parsknęłam śmiechem.

— I nie musisz udawać, że było ci dobrze — dodała od razu, lekko się rumieniąc.

Miałyśmy ubaw po pachy, ale potem przyszło mi do głowy, że coś w tym musi być. Przecież tyle kobiet uwielbia czekoladę. Czyżby to była prawda? Może rzeczywiście kobiety wolą czekoladę od seksu. Ja chyba jednak do nich nie należę.

— Oj, Lucia. I to wszystko osiągnął tylko dzięki obietnicom bez pokrycia i czekoladzie?

— Cóż — westchnęła — znalazł poparcie tych, którym wiatraki były nie na rękę.

— A komu mogły przeszkadzać? — zastanawiałam się głośno, bo przecież wszędzie odchodzi się od tradycyjnych form pozyskiwania energii. Ile może jeszcze być tego węgla pod ziemią? No, a elektrownie atomowe wszędzie są pikietowane, wystarczy tylko o nich wspomnieć. Odnawialne źródła energii to przecież melodia przyszłości. Co kawałek drogi widzę gdzieś nad linią lasu turbiny wiatrowe. Taki jest wymóg rozwoju. Dlaczego nam tak trudno to przychodzi? Dlaczego zawsze musimy inaczej?

— Znaleźli się tacy, co finansowali ten czekoladowy show. — Lucia nie kryła rozczarowania ignorancją niektórych mieszkańców. — Ale ci dbali wyłącznie o własne interesy. Dla nich nie było ważne, kto zostanie wójtem. Ważne, że będzie wykonywał ich polecenia.

— Ale żeby tak… za czekoladę? Chyba ludzie nie są tacy głupi?

— Też miałam taką nadzieję — westchnęła. — Okazuje

się jednak, że niektórzy są — rozłożyła ręce w geście bezradności. — Potrafią się sprzedać za tabliczkę czekolady.

— Straszne.

— No — potwierdziła z kwaśną miną i dolała do szklaneczek.

Jeszcze po powrocie do domu myślałam o tej czekoladzie. Nie dawała mi spokoju. Wiedziałam o tym, że od niemal dwustu lat czekolada poprawia nastrój, zwłaszcza kobietom, i jest mile widziana, szczególnie w czasie kilku trudnych dni w miesiącu. A to wszystko przez niski poziom serotoniny. U kobiet, rzecz jasna, nie w czekoladzie. Po czekoladzie poziom tego hormonu się podnosi, to i humor się poprawia. Ale faceci? Przecież nie miewają takich dni. Jak na nich zadziałała ta wyborcza czekolada? Na co im się przydała? Podtykali ją kobietom? Żeby poprawiła im nastrój… i wtedy wszystko może się zdarzyć. To też mogłaby być jakaś metoda. Więc pośrednio im także czekolada była na rękę. No, chyba że ich partnerkom wystarczyła wyłącznie czekolada, co poniekąd rozumiem. Czekolada przynajmniej, po wszystkim, nie przekręca się na bok i nie chrapie.

O owcach, o imieninach i o tym, jak można rozumieć recykling

Zbliżały się imieniny Lukrecji — siódmego czerwca, ważny dzień. Posiadaczka tego niezwykłego imienia często zastanawiała się, co powodowało ciocią Florą, że podpowiedziała swojej siostrze takie imię dla córki? Czy fragmenty książki w języku włoskim, znalezionej gdzieś na strychu, *Lucrezia Borgia, la sua vita e i suoi tempi*, czy wytarte ze starości litografie przedstawiające kilka wcieleń tej samej kobiety. Największej *femme fatale* włoskiego renesansu, kobiety rzucanej w objęcia coraz to innego mężczyzny, żeby zadowolić ambicje ojca i rodziny.

Dlaczego Lukrecja? Co aż tak fascynowało ciocię Florę w tej niezwykłej postaci? Czyżby bogate życie Lukrecji Borgii było tym, o czym marzyła samotna wiejska nauczycielka? A może to nie sama Lukrecja Borgia, tylko czasy, w których żyła, były fascynujące? A może mroczna legenda ojca kardynała, potem papieża, sprawiła, że stała się kobietą często opisywaną w romansach i powieściach?

Być może powód był o wiele bardziej prozaiczny. Dostała to imię, bo życzono jej jako małej dziewczynce, żeby w przyszłości była jak Lukrecja z objaśnień wyczytanych z kartki wyrwanej z kalendarza: silna jak siły przyrody i potrafiąca skutecznie działać. Która, kiedy postawi sobie jakiś cel, to zrobi wszystko, żeby go osiągnąć. Lukrecje są przy tym przekorne, zaborcze i despotyczne wobec siebie i otoczenia. W stosunku do mężczyzn bywają agresywne, ale przywiązują dużą wagę do małżeństwa. Są towarzyskie i cechuje je żądza posiadania i gromadzenia bogactw. Może ciocia małej dziewczynki chciała, żeby była właśnie taka? Żeby stanowiła jej przeciwieństwo, żeby przez życie szła odważnie. Może sama Flora czuła się jak fatalna Lukrecja? Posłuszna woli ojca, uległa? A może po prostu kusiła ją słodycz lukrecji.

Tak czy inaczej Lukrecja nigdy nie dostrzegła w swoim zwykłym życiu żadnego podobieństwa do bujnego życia słynnej Lukrecji Borgii. Ani do wspomnianego opisu. Miała tylko jednego męża, i to nie ojciec go wybrał, i miała też nadzieję znacznie przeżyć swoją imienniczkę. Szczęśliwie. Tak sobie sama życzyła w dniu imienin.

*

Upiekła dwie blaszki placka z kruszonką i truskawkami, bo była pewna, że dzieci o niej nie zapomną. Zawsze się tak przygotowywała, a dzieci nigdy jej nie zawiodły. Przychodziły do biblioteki po szkole, z jednym kwiatkiem w garści albo z czekoladą z kokardką, i za każdym razem było jej tak samo miło. Tak samo kręciły się jej łzy szczęścia w kącikach oczu i co roku tak samo niecierpliwie wyglądała swoich małych przyjaciół.

Tym razem czekały z Olą w domu Pani Ja. Dzień był ciepły i słoneczny. Do końca zajęć szkolnych pozostały jakieś dwa tygodnie i wszyscy już czuli w powietrzu zapach wakacji. Dziwiła się, że już dobrze po południu, a dzieci nie przychodzą. Trochę się już niepokoiła.

— Może mają jakąś imprezę w szkole? — Ola delikatnie próbowała ją pocieszać. — Wiesz, koniec zajęć się zbliża, może coś im wypadło.

— Może — zgodziła się z nią, ale było jej jakoś markotno. Na dzieci zawsze dotąd mogła liczyć.

— Chodźmy do ogrodu — zaproponowała Ola. — Już od dawna mnie korci, żeby ci tam narozrabiać.

— To znaczy? — Lukrecja nie do końca zrozumiała.

— Chodzi o porządek. Masz tam niezłe tereny do zagospodarowania. — Ola wyraźnie miała ochotę na eksperymentowanie w tym gąszczu.

— Ola, przecież ja nie mam pieniędzy.

— No i dobrze! Znaczy… szkoda, że wszystko tak ci się pokomplikowało… o matko, wiesz, co mam na myśli. Do tego, co mam ochotę tam zrobić, pieniędzy ci nie potrzeba. Same sobie damy radę, ale też Michał, mój kolega ogrodnik, trochę nam pomoże. Lubi takie wyzwania.

Poszły za chlewiki. Lukrecja już dawno myślała, żeby je rozebrać. Teraz cieszyła się, że jej się wcześniej nie chciało. Choć w połowie zasłaniają bezpośredni widok na ogród, to jednak stanowią jakąś barierę oddzielającą od tego buszu. „Matko kochana! — pomyślała teraz. — Ola ma chyba rację. Coś trzeba z tym zrobić". Nie lubiła tam chodzić po zmroku, chyba że musiała. Drzewa owocowe z gęstymi, na wpół dzikimi koronami, od dawna nie prześwietlane, straszyły powyginanymi i po części uschłymi konarami. W czasie silniejszego wiatru gałęzie ocierały się o siebie i skrzypiały złowieszczo, trzeszczały ponuro, że aż ciarki przechodziły jej po plecach. A Lukrecja do strachliwych nie należała.

— Lucia! Na prześwietlanie drzew czas już dawno minął i tak już nie owocują. Może zaczniemy porządki od nich? Po co ci tyle drzew? — Ola już była chętna do pracy. Mrużyła oczy i kreśliła ramieniem w powietrzu. — Potem trzeba wyciąć te chaszcze i posiać trawę. Bo ogródka pewnie nie będziesz uprawiać? — mówiła bardziej do siebie niż do gospodyni.

— Jak to nie będę? — oburzyła się Lukrecja. — A gdzie posadzę sadzonki pomidorów, które wyhodowałam? Nie po to ryłam w tej ziemi jak kret jakiś, żeby teraz to zmarnować — mówiła z wyrzutem. — Wiem, że już jest późno, ale ciocia Flora by mi tego nie darowała. Jeszcze by mnie straszyła po nocach — powiedziała na głos to, co już dawno chodziło jej po głowie, kiedy spoglądała na doniczki z kwitnącymi sadzonkami, porozstawiane na wszystkich parapetach. „I muszę to zrobić szybko. Bo a nuż!" — pomyślała.

— No dobra. W końcu mieszkasz na wsi. Co to za zagroda, w której nie ma warzywnego ogródka — łaskawie zgodziła się Ola.

Cały zeszły rok, kiedy Pani Ja długo już chorowała, siostrzenica poważnie zapuściła warzywniak. Nawet nie zebrała plonów. Trochę ich żałowała, ale nie dawała ze wszystkim rady. Jednak na przedwiośniu Flora ponaglała ją z wysiewaniem nasion do doniczek. Lukrecja wiedziała, że ciocia nie doczeka zbiorów, nie miała jednak odwagi jej tego powiedzieć. Wolała każdą wolną chwilę spędzić z nią, ale Panią Ja właśnie to uszczęśliwiało. Siała więc, pikowała… wszystko dla niej.

— A co zrobimy z tymi porzeczkami? — Olka wskazała na stare krzewy, w których tylko znawca mógł rozpoznać gatunek. — Czemu one tak tu straszą? Przecież chyba już nie owocują.

— Nie wiem czemu, ale ciocia nawet nie chciała słyszeć, żeby je usunąć. — Lukrecja zastanawiała się na głos. — Rzeczywiście. Po jakie licho robią tu dodatkowy bałagan? — podparła się pod boki i rozglądała się po olbrzymim ogrodzie. — To może od nich zacznijmy — zaproponowała wreszcie.

Na tym zakończyły wielkie planowanie, bo sprzed domu dobiegły je głosy dzieci.

— Lucia, chodźmy. Słyszę twoich gości.

— Boże, ale mi ulżyło. — Lukrecja odetchnęła. — Już myślałam, że nikomu nie jestem potrzebna i wszyscy o mnie zapomnieli.

Olka spojrzała na nią zdziwiona i z nieukrywanym politowaniem pokiwała głową. „Jak mogła tak w ogóle pomyśleć?" — zastanawiała się. Przed drzwiami kuchni na podwórku stała gromadka dzieci i kilkoro rodziców. Jak zwykle pojedyncze kwiatki w dłoni, czekolady i… karton z kokardą.

— Myślała pani, że nie przyjdziemy? — Zuzia śmiała się i podskakiwała, klaszcząc w dłonie. — Przecież dziś są pani imieniny.

Zuzia uwielbiała czytać, choć było to dla niej nie lada wyzwanie. Lekko upośledzona dziewczynka kochała książki z obrazkami. I tylko takie na początku wypożyczała. W końcu wyrosła z nich i choć czytała już całkiem nieźle, nie miała zamiaru rezygnować z bogato ilustrowanych opowieści. O książkach bez obrazków nawet nie chciała słyszeć. Przejęta chęcią czytania małej dziewczynki, Lukrecja wymyśliła zabawę w ilustratora. Zachęciła Zuzię, żeby do każdego rozdziału książki bez obrazków lub jakiegoś jej fragmentu narysowała ilustrację. A rysować Zuzia nie lubiła. Była mało sprawna manualnie i unikała takich zadań, jak tylko mogła. Zachęcana przez Lukrecję jednak rysowała. Początkowo obrazki były trudne do rozszyfrowania, nie oddawały treści książki i Zuzia musiała dużo dopowiadać. Lubiła opowiadać i choć na początku robiła to mało składnie, przyjemnie było jej słuchać. Zawsze mówiła z pasją i radością. Inne dzieci często przystawały przy rozmawiającej z bibliotekarką Zuzi i przysłuchiwały się z otwartymi buziami. Dziewczynka miała niewiarygodną wręcz fantazję. Z czasem jej obrazki stały się bardziej zrozumiałe i czytelne. Nawet dopowiadać już tyle nie musiała, ale nie przestawała tego robić. Jej rysunki z jednej książki tworzyły piękną historię obrazkową, będącą uzupełnieniem przeczytanej opowieści. Lukrecja zawsze oprawiała je w całość, bo przeglądając je, można było odtworzyć treść książki z fantazyjną nawiązką.

— Wiedziałyśmy, że przyjdziecie — uśmiechała się teraz do gromadki — i upiekłam placek.

— A my mamy prezent, a my mamy prezent! — Zuzia podskakiwała jak piłeczka, bo aż roznosiło ją z emocji. — A właściwie to dwa! — wciąż podskakiwała i klaskała.

— Zuzia — upominali ją pozostali. — To miała być niespodzianka.

— I jest — solenizantkę aż korciło, żeby zajrzeć do kartonu. Nachyliła się, żeby rozwiązać kokardę, i usłyszała ciche: beee, beee. Wyprostowała się nagle zdziwiona, ktoś pstryknął zdjęcie, a z kartonu znów się rozlegało: beee, beee. — Matko kochana! Co jest w kartonie? — spytała.

— Proszę się nie bać — uspokajał tata Jacka. — Śmiało!

Otworzyła karton. Ze środka patrzyły na nią dwie pary czarnych paciorków i dwa różowokremowe pyszczki. Beee, beee, beknęły i wyskoczyły z kartonika. Lukrecja miała strasznie zdziwioną minę, co pewnie zachęciło gości do utrwalenia tej chwili, bo usłyszała nagle kilka kliknięć aparatów fotograficznych w telefonach. Będą mieli potem niezłą zabawę.

Po szkolnym podwórku, podskakując, biegały dwa jagniątka z wielkimi kokardami, a zgraja dzieci z wyciągniętymi ramionami uganiała się za nimi, próbując je złapać. Ola skręcała się ze śmiechu.

— O matko, Lucia, nie wytrzymam — wołała rozbawiona — prezenty ci uciekły!

Wszyscy zebrani śmiali się, jakby oglądali niezłą komedię. Bo oglądali. Widok był prześmieszny. Dwie kremowe kulki wełny na długich cienkich nóżkach brykały wśród gromady rozbieganych dzieciaków.

— A to dopiero niespodzianka. Dziękuję, są śliczne — podziękowała obdarowana i zaraz niecna myśl przebiegła jej przez głowę: „Kiedy podrosną na tyle, żeby zrobić z nich szaszłyki".

Plan poczęstunku dla dzieci wziął w łeb, bo nie udało się ich zapędzić do środka, gdzie czekało ciasto i kompot z truskawek. A właściwie podarunków nie dało się zapędzić. Więc obie kobiety wypiły kawę z dorosłymi na podwórku, gdzie wyniosły też ciasto dla dzieci.

— Skąd takie śliczne owieczki? — spytała. — I skąd ten pomysł?

Mama Zuzki odstawiła kubek z kawą na parapet za ławeczką, na której wszyscy siedzieli, pilnując dzieci, a może raczej strzegąc tych kulek wełny przed zaduszeniem.

— Zuzia dużo opowiadała o domu Pani Ja i przypomniałam sobie czasy, kiedy tu przychodziliśmy jako dzieci — zaczęła opowieść. Od razu było wiadomo, po kim Zuzia ma talent do opowiadania. — I przypomniałam sobie te chlewiki za domem. Zuzia mówiła, że nie ma pani zwierząt oprócz kur i kota, więc chlewiki pewnie stoją puste.

— To prawda — zgodziła się Lukrecja.

— I cały czas mówiła, że pani musi być smutno samej — zawiesiła głos. — Szczególnie teraz, kiedy zmarła ciocia. Więc wymyśliła, że trzeba pani zapewnić towarzystwo. Początkowo myśleliśmy o psie, ale córka mówiła, że ma pani kota, którego bardzo kocha.

Lukrecja podskoczyła ze zdziwienia, aż okulary słoneczne spadły jej z głowy. „Ja kocham tę rudą zarazę? — pomyślała — No, niezły żart!" Jednak głośno nie chciała się do tego przyznać. Wciąż sądziła, że jej awersja do kociska jest jej osobistą sprawą, i to ściśle tajną. Teraz zyskała potwierdzenie, że maskuje się nad wyraz dobrze.

— A że urodziły się nam niedawno takie małe wybryki — ciągnęła swoją opowieść mama Zuzi — zupełnie po czasie i nie pasują do reszty stada, to stwierdziliśmy, że może zastąpią pani psa. A niech mi pani wierzy, są znacznie czujniejsze.

„Ładny numer! — Lukrecja uśmiechnęła się do swoich myśli. — Obejścia będą mi pilnować owce!" Została jeszcze kwestia imion dla prezentów i tu rozgorzała dyskusja. Kasia,

Basia, Cezar, Bolo… pomysłów było tyle, ilu gości na imieninach… razy dwa. Każdy wymyślał imiona dla pary. Ale jak po zdjęciu kokard je rozróżnić? Teraz domniemany Cezar miał niebieską, a Kasia czerwoną. — A co będzie, jak je zdejmę? — martwiła się.

— Bekulki! — zawołała i przybiegły obie. I tak zostało. Dzieci wołały Cezar i Kasia, najczęściej zupełnie odwrotnie, Lukrecja wołała po swojemu i owce przybiegały razem.

Popołudnie imieninowe się skończyło, roześmiani goście wrócili do domów, a ona została z przychówkiem. Zwierzaki patrzyły na nią czarnymi paciorkami i beczały żałośnie: beee, beee.

— Matko kochana, Ola! One chyba są głodne. Co jedzą takie małe owieczki? — spanikowała solenizantka.

— Nie spytałaś, co im dać?

— Zupełnie o tym zapomniałam. — Lukrecja była zła sama na siebie. — Może trochę mleka?

— Spróbuj. Tylko je podgrzej. Nie dawaj takiego z lodówki. — Ola komenderowała oparta o framugę drzwi. Śledziła je wzrokiem, jak chodziły po kuchni i wtykały wszędzie swoje pyszczki. Beee, beee… — Przecież widać, że są głodne.

— No, bekulki… macie, pijcie. — Lukrecja nalała do miseczki letniego mleka i postawiła na podłodze. Kręciły się wokół i nie wiedziały, co zrobić. W końcu Cezar wlazł kopytkiem do miseczki i mleko się wylało. — No, masz. Jeszcze przyjdzie mi je karmić butelką.

— A masz?

— W kredensie stoi butelka Kacpra. Czasami pił z niej sok. — Lukrecja wyjęła plastikową butelkę w… owieczki.

— Spójrz tylko, chyba specjalnie dla nich — zaśmiała się Ola i napełniła butelkę mlekiem. Wsadziła Kasi smoczek do pyszczka i owieczka zaczęła ssać. Cezar stał obok i przeraźliwie beczał. — Nie masz drugiej butelki?

— Nie mam. Musimy sobie jakoś poradzić tą jedną.

— Co z nimi zrobisz? Zamkniesz w chlewiku? — Ola patrzyła z rozrzewnieniem, jak Kaśka pije łapczywie, atakując smoczek.

— Muszę tam posprzątać i pomyśleć, skąd wziąć ściółkę. Nie zamknę ich w gołych ścianach i na zimnej posadzce — planowała. — Jutro to zrobię. Dzisiaj będą spały w kuchni.

I tak Lucine bekulki zamieszkały w kuchni, pod okrągłym stołem. Położyły się na dywaniku i zasnęły. Lukrecja z rozrzewnieniem patrzyła na śpiące prezenty. — W mojej kuchni czasami panował nieład, ale chlewem dotąd nie mogłam jej nazywać. Widać na wszystko przychodzi czas — pomyślała, westchnęła i zgasiła światło.

*

Następnego dnia Lukrecja dowiedziała się od Beaty, dlaczego tak długo czekały na dzieci.

— Mówię ci, Lucia, ta Elka jest wredna. Załatwiła spotkanie z autorem, nawet go nie uzgadniając z miejską biblioteką — opowiadała, pochłaniając sernik. — Mówiłam jej, że są twoje imieniny, a ona tylko wzruszyła ramionami. Do tego poskarżyła się Mateuszowi, że szkoły nie chcą przyjść. Wyobrażasz sobie? Nie uzgodniła niczego z dyrektorkami, ani dnia, ani godziny, i tylko pyskowała, że nie chcą z nią współpracować.

— Co to za autor? — zaciekawiła się Lukrecja.

— Nawet nie pytaj, kochana. Pewnie to i niezły pisarz, ale te treści nie były przeznaczone dla dzieci. — Beata, relacjonując, nie przestawała jeść. — Oj, będzie z tego niezła chryja. Oj, będzie. Mówił o samobójstwie, o seksie… wyobrażasz sobie? Do dzieci ze szkoły podstawowej! Nauczyciele się wkurzyli.

— Beata! I nic nie zrobiłaś? — Lukrecja aż się zagotowała z oburzenia. — Przecież ona jest nieodpowiedzialna! Mogłaś jej przeszkodzić!

— Nie mogłam. — Beata westchnęła i odłożyła łyżeczkę.

— Wójt zrobił ją „pełniącą obowiązki" — spojrzała smutno na koleżankę. — Twoje, Lucia.

„Dlaczego mnie to nie dziwi? — pomyślała. — Jakoś tak czułam, że ta jej arogancja na coś konkretnego się w końcu przełoży. Miała ogromne parcie na władzę. I porządzi sobie teraz… Beatką. Będzie robiła drobne świństwa, będzie obmawiała ludzi za ich plecami i upajała się zawłaszczonym stołkiem. A, niech tam! Kiedyś z niego spadnie i obtłucze sobie tyłek". I choć Lucia rzadko źle życzyła innym, to wyobrażenie upadku Elki przywołało znów uśmiech na jej twarzy.

— Beee, beee — rozległo się spod stołu.

— Lucia. — Beata nachyliła się i podniosła zwieszający się nisko obrus. — Pod twoim stołem są dwie owieczki — powiedziała, specjalnie się nie dziwiąc.

— Wiem. Mieszkają tam.

— Aha, rozumiem — skinęła głową i wzięła drugi kawałek sernika.

*

Weszłam na podwórko za domem, choć wiedziałam, że Luci nie ma w domu. Nietrudno było zgadnąć. Zza drzwi dobiegało żałosne beczenie na dwa głosy. Sięgnęłam za rynnę, gdzie trzymała zapasowy klucz dla rodziny i przyjaciół, otworzyłam ciężkie, rzeźbione drzwi. Dwa kłębki wełny wyskoczyły na podwórko i zaczęły podskakiwać, jakby odbijały się na piłce. Z parapetu przyglądał się im rudzielec i pewnie wciąż nie rozumiał, skąd się wzięły te dwa cudaki. Śledził je ospałym spojrzeniem, spoglądając to na jedno, to na drugie. Siadłam na drobiowym ołtarzu ofiarnym, oparłam się o siekierę i przyglądałam się tej zabawnej scenie. Bekulki próbowały skubać trawę i brykały w najlepsze. Podchodziły do mnie i trącały pyszczkami, pewnie szukały butelki z mlekiem.

— Nic z tego, moje drogie, tam macie trawę — miło było głaskać te wełniane łepki, miękkie i delikatne, jak świeże pranie z dużą ilością dobrego płynu z lanoliną. Jednak lekko popychałam je w stronę zielonych kępek.

Znudzony rudzielec w końcu zeskoczył z parapetu, przeciągnął się i powoli zbliżał się w moim kierunku. Owieczki skubały trawę, ale Cezar podniósł głowę i zaczął przyglądać się kotu. Nagle baranek pochylił łepek i szarżując, ruszył w stronę kota. Ten nie wiedział, co się święci, więc tylko przyglądał się szturmującemu cudakowi. Zorientował się dopiero, kiedy Cezar bęcnął go głową. Kocur przeraźliwie miauknął i w ułamku sekundy znów był na parapecie.

— Widziałaś? — uśmiechnięta od ucha do ucha Lucia zawołała zza węgła domu. — Mam w domu sojusznika. Moje kochane bekulki — głaskała swój wełniany inwentarz, bo stworzenia natychmiast do niej podbiegły, a raczej pobrykały.

Kocur siedział na parapecie i zdziwiony patrzył na kremowe dziwadła. Potem zaczął lizać łapy i myć się za uszami. Biedny rudzielec, chyba właśnie stracił władzę na podwórku. Ale zawsze jeszcze został mu parapet. Siedział tam teraz i czyścił całą resztę rudego futra.

— Gdzie byłaś? — spytałam, bo nie widziałam w dłoniach Luci żadnych toreb z zakupami.

— Na poczcie, po polecony — odpowiedziała. — Ale nie

zdążyłam. Wiesia zamknęła dziś trochę wcześniej... gdzieś tam musiała jechać.

— Myślałaś o zmianach w ogrodzie? — spytałam, bo jej ogród stanowił dla mnie nie lada wyzwanie i miałam teraz trochę wolnego czasu. Co prawda, pracowałam jeszcze nad jedwabnymi obrazami na zamówienie, ale powoli się już z nimi wyrabiałam.

— Jeśli tylko nie muszę wydać na to zbyt dużo pieniędzy, to wchodzę w to — stanowczo powiedziała Lucia. Stałyśmy w chłodnej kuchni, żeby napić się kawy. Rzecz jasna, owieczki wbiegły za nami.

— Chodzą za tobą jak psiaki — zaśmiałam się i patrzyłam rozbawiona, jak wełniaki układają się pod stołem.

— Fajnie, nie? — nastawiła wodę i wyciągnęła z koszyczka główkę sałaty. — Bekulki, macie podwieczorek — podzieliła sałatę na dwie części i położyła pod stołem.

— Chyba nie będziesz ich tam trzymać już na stałe? — zaniepokoiłam się. Jakoś nie wyobrażałam sobie dwóch dorosłych owiec pod kuchennym stołem. Choć mogłoby być zabawnie... i praktycznie. Można by zimą grzać o nie stopy... zamiast nosić babcine bambosze.

— Wciąż jeszcze nie zdobyłam słomy na ściółkę — drapała się po głowie i przyglądała wcinającym sałatę owieczkom. Tak pociesznie kręciły przy tym pyszczkami, że sama nie mogłam oderwać od nich oczu. — Ale dowiedziałam się, że nie muszę się tak przejmować butelkami z mlekiem. Ten okres mają już podobno za sobą.

— Co z nimi zrobisz, jak podrosną? — zmiatałam na szufelkę małe, czarne kulki, bo do łazienki jeszcze ich Lucia chodzić nie nauczyła. Aż strach myśleć, co będzie, jak podrosną i nadal będą mieszkać pod stołem.

— Czy ja wiem… kożuch już mam. Zresztą z dwóch i tak niczego nie uszyję — śmiała się pod nosem i z ukosa przyglądała się mojej reakcji. — Ale za długo czekać nie będę, mięso na szaszłyki będzie lepsze.

— No, wiesz! — oburzyłam się.

— O matko kochana, Ola. Tu jest wieś — rozłożyła ręce. — Jak chcesz zjeść rosół, to musisz zarżnąć kurę. Jak tuczyliśmy wieprzki, to też po to, żeby je w końcu zjeść, chociaż czasem nadawaliśmy im imiona. Dziadek nie pozwalał… bo jak mówił, jakoś potem głupio zjeść przyjaciela.

— Mogłabyś je zjeść? — nie dowierzałam jej intencjom.

— E, nie, skąd! — uspokoiła mnie. — Są za małe — cicho dodała po chwili, znów z rozbawieniem czekając na moją reakcję.

Sama już nie wiedziałam, co o tym wszystkim myśleć. Kożuch już faktycznie ma i kilka futer. Rany! No właśnie. Lucia strasznie lubi futra… ale na szczęście jest rozsądna. I nie chodzi tu wcale o kasę, choć przecież takie zachcianki jednak trochę kosztują, tylko o recykling. Tak, właśnie o recykling. Ewa, córka Luci, jest zdeklarowaną ekolożką. Nawet kiedy podupadła na zdrowiu, trudno było sprawić, żeby zrezygnowała z wegetarianizmu. Zaczęła jeść mięso dopiero po interwencji znajomego lekarza, ale futra nie włoży za nic na świecie. Nie mogła zrozumieć, jak jej rodzona matka co rusz stroi się w inne.

— Mamo, jak możesz! Przecież na to twoje futro musiało poświęcić życie kilkadziesiąt norek! Takie małe, biedne… a ty je na plecach nosisz.

— Żeby krótkich nóżek nie męczyły. — Lucia drażniła się z nią.

Swoją miłość do futer Lukrecja tłumaczyła zawsze tak

samo. Recykling. Otóż wyszukuje używane futra w lumpek-sach (a można tam znaleźć futra uszyte z fantastycznych skór) i całe daje do przeszycia, zupełnie od nowa. W ten sposób, kupując stare, nie nakręca koniunktury na nowe skóry, a przy tym, jak mówi, nie pozwoli, by poświęcone już raz życie zwie-rzątek tak nikczemnie się zmarnowało. I od kuśnierza odbiera stare futro jak nowe. Wilk syty i owca cała. To znaczy… Lucia w futrze i owce całe. Przynajmniej na razie.

O eksmisji i o tym, co zrobić, by nie mieszkać pod mostem

— O matko kochana! — przeraziła się Lukrecja, gdy tylko zobaczyła kopertę z pieczątką urzędu gminy. — Czego znowu ode mnie chcą? — rozrywała kopertę w pośpiechu. Ale tego, co przeczytała, naprawdę się nie spodziewała. Nakaz eksmisji.

— Co się stało, pani Luciu? — miła pani Wiesia miała wystraszony wyraz twarzy. Zabrała list z poczty, żeby nie le-żał przez weekend i przywiozła go do adresatki, w drodze do domu swojej teściowej. Chciała zrobić dobry uczynek, a teraz zmartwiła się, że została posłańcem złej nowiny.

— Nakazują mi wyprowadzić się z domu.

— Co takiego? — zdziwiła się. — Jakiego domu? Stąd? — oczy miała coraz większe.

— Stąd. — Lukrecja nie mogła zebrać myśli. W skroniach jej tętniło i wirowało w głowie. Czuła się, jakby traciła grunt pod nogami, a chwycić się nie było czego.

Pani Wiesia pogłaskała owieczki, przepędziła rudziel-ca z parapetu, gdzie postawiła swoją torebkę, i zostawiła

Lukrecję z rozbieganymi myślami. „Matko kochana, co ja teraz zrobię?" — tłukło jej się po głowie wciąż to samo pytanie. Wzięła papier, weszła do domu i zaparzyła sobie melisę. Nie zdążyła nawet jej wypić, gdy przybiegł do niej zdyszany ksiądz Zygmunt. Mieszkał niedaleko, więc nie musiał użyć żadnego ze swoich trabantów.

— Lucia, dziecko, co się stało? — wołał już na podwórzu.

— Wiesia z poczty mi powiedziała.

„Oho — pomyślała. — Wieści na wsi rozchodzą się szybciej niż piórka w przeciągu przy darciu pierza". Ale nie miała tego Wiesi za złe, bo jakoś cieplej zrobiło się jej na sercu, kiedy zobaczyła swojego proboszcza. Czuła, że pewnie niewiele jej pomoże, ale ulżyło jej, że nie będzie się martwić sama.

— To moja wina, proszę księdza — westchnęła. — Zachciało mi się remontu domu — podała mu pismo i wstawiła wodę na kawę.

— Remont to się już temu domowi dawno należał — pokiwał głową nad kartką papieru. — Ale czemu każą ci się wyprowadzić? — nie rozumiał. Ona zresztą też.

— Utrata tytułu prawnego do lokalu — przeczytała linijkę, którą już zdążyła sobie podkreślić. — Ciocia Flora zmarła, więc sądzą, że nie mam prawa tu mieszkać.

— Ale jak cię tu meldowali… to o tym nie wiedzieli?

— Pewnie wiedzieli, ale wtedy był inny wójt. Wtedy ciocia Flora już chorowała. — Luci przypomniało się, jak meldowała się w starej szkole. Władze nawet były z tego zadowolone, bo Pani Ja była osobą ogólnie szanowaną i wielu przejmowało się jej stanem. Wójt sam zaproponował Lukrecji mieszkanie po cioci… w końcu pracowała w bibliotece, to prawie jak nauczyciel w szkole, twierdził. Nie było to już szkolne mieszkanie służbowe, więc nie musiano szukać przepisu, żeby u starszej pani zameldować jej opiekunkę. Wtedy było to jej bardzo na rękę, bo córki powychodziły za mąż i choć Ewa bardzo chciała wyrwać się z tej wsi, to jednak chętnie zamieszkała w rodzinnym domu. Na razie, jak mówi. Wtedy nie prosiła o remont. A pewnie trzeba było. Teraz nowe władze nakazują jej się wyprowadzić. — Mogłam wtedy wołać o remont — żałowała na głos straconej szansy.

— Lucia, dziecko, nic się nie martw — podrapał się w głowę. — Coś wymyślimy.

I rzeczywiście. Ksiądz Zygmunt wymyślił... prawnika. W niedzielę po mszy podszedł do Lukrecji z młodym człowiekiem, którego od pewnego czasu widywała w kościele. Nie wiedziała, kim był, i nie kojarzyła go z żadną okoliczną rodziną.

— Luciu, to jest Rafał Woźny, prawnik — ksiądz zaprezentował młodego człowieka, jak przedstawia się nauczycielowi nowego ucznia. — Twój sąsiad.

— Miło mi panią poznać — prawnik uścisnął dłoń Lukrecji. — Wiele o pani słyszałem, a od niedawna mieszkam tu niedaleko.

— Mam nadzieję, że wiele dobrego... — uśmiechnęła się do chłopaka, który mógłby być jej synem albo może zięciem.

— Wyłącznie. Ksiądz proboszcz mówił mi o pani kłopocie. Proszę się nie martwić — przyjaźnie potrząsał jej dłonią.

— Już paru mieszkańcom naszej wsi pomogłem. Z tym też sobie poradzimy. Jeśli pani ma dziś po południu czas, to wejdę do pani na chwilę. Wiem, gdzie pani mieszka.

— Nie chcę zabierać panu czasu... do tego w niedzielę — krygowała się trochę.

— E, tam! Mieszkam na tych działkach za starą szkołą i po obiedzie żona zawsze pakuje mi Jaśka do wózka i wysyła na wieś. Zanim wyjadę za furtkę, Jasiek już śpi, więc pogadamy.

„Jak dobrze, że są jeszcze mili młodzi ludzie. I to do tego mój sąsiad. No proszę" — pomyślała już jakby z ulgą. Zaraz zrobiło się jej lżej na duszy. Księżulo tylko pokiwał im ręką z daleka i pognał na proszony obiad. Zrobiło się jej wstyd, że powątpiewała w jego chęci i możliwości niesienia pomocy. Pomyślała też, że on naprawdę pójdzie prosto do nieba... razem ze swoimi trabantami. „Tylko ciekawe, którego wybierze?" — uśmiechnęła się do swoich myśli.

Po niedzielnym obiedzie przyszedł prawnik Rafał z synem Jaśkiem. Chłopczyk ułożył rączki nad głową i smacznie spał. Córki właśnie zaparzyły kawę i rejwach był całkiem spory. Kawę musieli pić na podwórku, bo jak się okazało, Jasiek spał tylko wtedy, kiedy wózek jechał. Dziewczyny zabrały Rafałowi wózek, żeby mógł spokojnie przeanalizować pismo, wzięły Kaśkę (nie mylić z owcą) i Kacpra i poszły za chlewiki, do ogrodu. Bekulki oczywiście popędziły za gromadką. Zięciowie Lukrecji znali Rafała z liceum, więc rozmowa szła gładko.

— Proszę pani, niech się pani tym nie przejmuje. Wszystko załatwimy — uspokajał ją. — Ewidentnie widać, że robią to złośliwie. Ale nie znają prawa albo znają, tylko się do niego nie stosują. Myślą, że są ponad prawem. Jednej z moich klientek powiedzieli, że „póki wójt Mateusz tu rządzi, to nawet Pan Bóg jej nie pomoże" — nakręcał się. Musieli go czymś już nieźle wkurzyć. — Barany! O, przepraszam — nagle się zreflektował. — Nie chciałem urazić pani inwentarza — uśmiechnął się łotrzykowato. Spodobał się jej.

Owieczki jakby usłyszały porównanie, bo zza chlewików dobiegło, zdawałoby się, nieco oburzone beczenie na dwa głosy.

— Nie wyrzucą mnie z domu?

— Nie ma takiej możliwości — zapewnił. — Ale na złośliwości niech się pani przygotuje. Bez tego się nie da. Niestety, obawiam się, że oni inaczej nie potrafią. Przygotuję pani pisemną odpowiedź i sama ją pani wyśle.

I tak zaczęło się szybkie odbijanie piłeczki. Bardzo szybkie, bo Lucia ponaglała Rafała, twierdząc, że chce mieć to wszystko jak najszybciej z głowy. Kiedy w końcu zażądała lokalu zastępczego, dowiedziała się, że szkoła, w której mieszka, została umieszczona w wykazie nieruchomości do sprzedania.

— Podli! — wściekała się, opowiadając Oli przebieg sprawy. — Wiedzieli, że nie mam pieniędzy na taką inwestycję. Najpierw pozbawili mnie pracy... kredytu więc nie mogę wziąć, potem pokątnie dokonali wyceny nieruchomości. — Opowiadając to, bardzo się emocjonowała i dawała temu wyraz, zamaszyście zamiatając podwórze.

— Dlaczego mnie to nie dziwi? — Ola robiła uniki przed miotłą.

— Nawet ktoś przyszedł oglądać to szkolne mieszkanie, ale zastępca wójta nie odstępował go na krok i powiedział, że to wycena koniecznych remontów — przystanęła na chwilę, ciężko dysząc. — Kłamca! — krzyknęła, jakby nagle sobie coś przypomniała. — Łaził za gościem i rozglądał się po kątach.

I teraz dopiero zdała sobie sprawę, że zastępca wójta bronił jej do dostępu do przemierzającego jej mieszkanie rzeczoznawcy. Ilekroć o coś pytała, ubiegał odpowiedź i sam szybciutko reagował. Wtedy myślała, że jak zwykle nie daje innym dojść do słowa (jak swojemu mistrzowi), ale teraz zrozumiała, że mogło być inaczej.

— Lucia, on przyszedł z rzeczoznawcą, bo się bał, że facet powie ci, co w trawie piszczy. Musiał więc go pilnować.

— Ola wydawała się nieco mniej naiwna od swojej przyjaciółki albo trafniej oceniała intencje władz.

W końcu Lukrecja dostała zawiadomienie o prawie pierwokupu.

— Ola, teraz to już na pewno pójdę pod most — podała jej zawiadomienie z wymienioną na nim kwotą. Niestety, o rozłożeniu na raty nawet nie było mowy.

— Szlag by to trafił! — zaklęła Ola, ujrzawszy kwotę. — Masz sto tysięcy?

— Żartujesz? Skąd? Z pensji bibliotekarki? — Lukrecję ogarnęła straszna niemoc i rozżalenie. — Jak można być taką świnią? Przecież w takich przypadkach zwykle rozkłada się należność na raty! Doskonale wiedzieli, że nie mam pieniędzy! Nawet nie mogę się rozryczeć!

— No właśnie. I o to im chyba właśnie szło. Chcieli cię pozbawić wszelkich szans. — Ola nie zostawiała jej żadnych złudzeń. — Mam około dwudziestu tysięcy. Tyle mogę ci pożyczyć.

— A niby z czego ci oddam? Nawet nie gram w totka! Zresztą… szczęście to ja mam tylko do odcisków na rękach — westchnęła zrezygnowana. Nie miała dużo czasu na podjęcie decyzji. Rozwiązanie przyszło niespodziewanie podczas niedzielnego rytuału.

— Mamo, nie możemy przepuścić takiej okazji — zaczął Maciej, mąż Ewy. — Kupimy tę nieruchomość.

— Okazji? — zdziwiła się. — Przecież to mnóstwo pieniędzy.

— Mamo… sam grunt więcej kosztuje. To olbrzymi kawał ziemi. A jakby wydzielić ze dwie działki z końca ogrodu i sprzedać, wytyczyć drogę dojazdową do tych posesji, to się prawie zwróci.

— Ale skąd wziąć taki kapitał?

— Miałam kupić sobie auto — znad talerza odezwała się Magda — ale mogę nadal dojeżdżać do miasta z Andrzejem. Mamy czterdzieści tysięcy.

— My też. — Maciej sypał pietruszkę do rosołu. — Mieliśmy kupić działkę nad jeziorem. Na razie jeszcze nie musimy... skoro mama nie wyrzuca nas z domu — zaśmiał się.

— Trochę zabraknie, ale Ola zaoferowała pomoc — zaczęła. — Tylko z czego jej oddam?

— My oddamy. Nie martw się — spokojnie zadeklarował Andrzej. — W końcu mieszkamy w twoim domu. No... i chyba tego domu, mamo, do grobu nie zabierzesz.

— No wiesz! — Magda z oburzeniem kopnęła go pod stołem. Wcale nie tak delikatnie i w ogóle się z tym nie kryła.

— Co? Przecież mamy nie poganiam — bronił się ze śmiechem. — Mama wie, że życzymy jej zdrowia i długiego życia. Prawda, mamo?

— Jasne, że wiem — westchnęła z uśmiechem. — Kto by wam dzieci bawił? — skrzywiła się nieco.

— No właśnie.

„Kto by pomyślał — przyszło jej do głowy, patrząc na rozbawioną rodzinę przy obiedzie. — Trułam się tym jak głupia i już miałam wizję mieszkania pod mostem albo wycugu u własnych dzieci. A tu się okazuje, że jeszcze zostanę właścicielką nowej nieruchomości. Starej, ale jakby nowej, bo niesie ze sobą zapowiedź nowego życia".

*

Z wnioskiem o nabycie starej szkoły wystąpiła natychmiast. Nie chciała dać wójtowi nawet odrobiny nadziei na zakup domu. Jej domu. Sprawy potoczyły się zupełnie nieoczekiwanie dla włodarzy gminy. Okazało się bowiem, że zastępca wójta ostrzył sobie zęby na dom Pani Ja, i pewnie już wtedy, ze specjalistą od wyceny, przyszedł go sobie obejrzeć. Jak doniosła Lukrecji dobrze poinformowana Beata, miał już u notariusza umówiony dużo wcześniej termin zapisu nieruchomości i ekipę budowlaną do przebudowy domu, i nawet mowy nie było o wspomnianych przez Lucię remontach. Zakres owych robót był bardzo szeroki i uzgodniony z jego małżonką. Ta, podekscytowana wizją domu na wsi, planowała go przerobić na pałac. Pech chciał, że szefem ekipy budowlanej był kuzyn Beatki i uprzejmie ją poinformował o planach pani wicewójtowej. Tak więc u notariusza nawet na nią nie spojrzeli. Wójt podpisał akt notarialny, odebrał swój egzemplarz... i tyle ich widziała.

— Czy wójt się na panią o coś gniewa? — zapytała miła pani notariusz.

— Zdmuchnęłam mu sprzed nosa niezłą nieruchomość, którą szykował dla swojego zastępcy — powiedziała z uśmiechem, chowając do teczki cenny akt.

— No, muszę powiedzieć, że to ładny kawał ziemi — prawniczka pokiwała głową z uznaniem — i do tego jeszcze dom.

— Mieszkała w nim moja rodzina, a teraz ja. Wójt chciał mi go odebrać i próbował to robić w okropny sposób. — Lukrecja nie wiedziała, dlaczego zaczęła opowiadać prawniczce skomplikowaną historię domu. — Najpierw pozbawili mnie pracy, potem próbowali pozbawić dobrego imienia, a w końcu chcieli zabrać mi wspomnienia — uśmiechnęła się smutno. — Pomógł mi pewien młody prawnik i moje dzieci — na wspomnienie narad nad wózkiem z Jaśkiem i w towarzystwie wełniaków uśmiech sam pojawił się na jej twarzy.

— Przetrzymałam ich do końca… sądzili, że nie mam środków. Nawet nie podzielili działki na mniejsze, tak byli pewni swego.

— Ale udało się — kobieta poklepała klientkę po ramieniu. — Niech się pani dobrze tam mieszka.

— Dziękuję pani, do widzenia. — Lucia uścisnęła jej dłoń.

I tak oto wygrała potyczkę w tej gminnej wojnie. — Jeden do jednego, remis, panowie! — punktowała w myślach.

O ogrodowej rewolucji i o tym, co można znaleźć w krzakach porzeczek

Przez te wszystkie urzędowe perturbacje nawet nie zauważyłam, kiedy lato rozpieściło słońcem ogrody i nadało im skradzionych z tęczy kolorów. Świat wygrzewał się w słońcu, zupełnie jak beczący inwentarz na podwórku Luci. Ona sama napawała się triumfem, planowała zmiany w obejściu… bo teraz już mogła. Nikt jej niczego nie zabroni i za nic nie ukarze. No, chyba że wytnie drzewa bez pozwolenia, za co chciała się z zapałem zabrać. Ale uświadomiłam ją, że tego zrobić jej nie wolno. Z wyłączeniem drzew owocowych, a tymi głównie planowałyśmy się zająć. Nie chciała przeprowadzać drogich remontów, bo całą kasę, swoich dzieci i moją, wydała przecież na dom. Ale warto było. Sama nie darowałabym jej, gdyby o niego nie walczyła. Dom na wsi… po prostu marzenie! Moje również.

— I co? Za co bierzemy się najpierw? — aż mnie swędziały ręce. Miałam swoją wizję, ale to w końcu nie mój dom. Niestety.

— A co proponujesz?

— Super! Będę się mogła trochę porządzić — ucieszyłam się, bo miałam już konkretne plany.

— Odsłońmy te rzygacze od frontu domu. Aż grzech, że są takie schowane — zaczęłam planowanie. — Podetniemy trochę dolne gałęzie, zrobi się nieco przestronniej. Potem wyłożymy ziemię włókniną i przysypiemy korą…

— Olka! Litości! Skąd mam to wziąć? Chyba że poobgryzam drzewa w lesie — marudziła, aż z żałości opadły jej ramiona — nie mam pieniędzy. Zapomniałaś? — Lucia strasznie się tym truła. W sumie się jej nie dziwiłam. Nadal była na wypowiedzeniu, więc jakieś środki finansowe jeszcze miała… ale wkrótce i to się skończy.

— To nazbieramy w lesie szyszek na podsypkę. Widziałam przy jednym kościele, ciekawie to wyglądało — szukałam tańszych rozwiązań.

Z tymi porządkami od frontu poszło gładko. Gałęzie podcięłyśmy, smocze łby ujrzały wreszcie światło dzienne. I inni sobie o nich przypomnieli, bo widać je teraz było nawet zza płotu. W miejsce, gdzie zwykle z rzygacza spływa wartkim strumieniem deszczówka i gdzie powstał już spory dołek, wysypałyśmy pozbierane z pola kamienie. Przez to łatwiej je zauważyć i woda będzie się fajnie rozbryzgiwać. Z szyszkami poszło prościej, niż się spodziewałyśmy. Z pomocą przyszły dzieciaki, które w wakacje strasznie się nudzą i nawet teraz przychodziły do domu Pani Ja. Za świeży placek dało się je oderwać od komputerów w domach i zbieranie szyszek potraktowały jak świetną zabawę. Nazbieraliśmy ich w lesie całą masę, powrzucaliśmy do dużych worów, a leśniczy przywiózł je nam na miejsce. Jego wnuczka też przychodzi na nasze zajęcia. A po pracy — zbieranie papierówek i pieczenie placka, potem wyżerka.

Roboty od frontu zajęły nam tylko parę dni, więc nadszedł czas, by zabrać się za ogród. Najwyższa pora, bo Kaśka (nie mylić z wnuczką) i Cezar wciąż mają w kudełkach pełno zeschłych liści porzeczek poskręcanych grzybową chorobą i Lucia narzeka, że musi im je co wieczór wyczesywać.

— Michał, powalczyłbyś trochę z piłą łańcuchową? — zwróciłam się po prośbie do współwłaściciela firmy, z którą remontuję podwórka.

— Kogo mam zabić? — zmrużył oczy w uśmiechu.

— Lukrecja, moja przyjaciółka, kupiła starą szkołę… — zaczęłam wyjaśniać.

— O, dom Pani Ja — zainteresował się.

— Skąd wiesz?

— Oj, Olka… mieszkam teraz w tej samej gminie. Dużo słyszałem o Pani Ja, toż to historia gminy — odłożył katalog roślin na półkę. — Mój sąsiad dużo mi o niej mówił. On też przesiadywał w starej szkole po lekcjach. Patrz — zawiesił głos — a mówił, że nie przepadał za nauką i raczej kiepsko mu szło.

— To może dlatego tam przesiadywał?

— Może — uśmiechnął się. — Aha, skoro już o tym mówimy. Olka, on pytał, czy może przywozić córkę na zajęcia.

— Ale to przecież kawałek drogi — delikatnie zwróciłam uwagę. Michał mieszkał we wsi opodal, ale droga do jego domu prowadziła przez las i nie była znowu taka krótka.

— To nic. Będzie ją dowoził… zależy mu. Mówiłem mu o twoich talentach — puścił do mnie oko.

„Rany! Mam nadzieję, że mówił o malowaniu i nie wspominał o głupotach, które zdarzało mi się robić. Trochę o nich przecież wie".

— Jasne. Wszystkie dzieci są nasze — zgodziłam się w imieniu własnym i Luci, żeby tylko skończyć już ten temat.

W ten sposób załatwiłam darmowe wycinanie i strzyżenie drzew w ogrodzie za chlewikami i wyrywanie krzaków porzeczek z korzeniami, czego podjął się sąsiad Michała. Sława domu Pani Ja zataczała coraz szersze kręgi i coraz więcej osób chciało nam pomagać. Całe szczęście! Bo sama tylu hektarów bym nie przeryła.

*

Lukrecja nigdy nie miała kłopotów z poznawaniem nowych ludzi i z nawiązywaniem przyjaźni. Zbyt jednak ufała ludziom i dlatego często się na nich zawodziła. Choćby ta młodziutka Elżunia. Zatrudniła ją w bibliotece zaraz po studiach, z polecenia jej promotora. Widać starszy pan też nie znał się na ludziach, a może urzekła go młodość studentki, kto wie?

— Co mnie do niej przekonało? — zastanawiała się Lucia.

— Pojęcia nie mam.

Beata była za to zupełnie inna. Cicha, spokojna, trochę ciapowata. Ale dzieciom i książkom oddana bez reszty. Często padała ofiarą kpin Elki, jak choćby wtedy, przy komputerowym katalogowaniu księgozbioru, którą to sytuację Ela opowiadała każdemu klientowi w sklepie. Lukrecja zakupiła do biblioteki komputer i program do katalogowania. Zaczęły pracę, ale szefowa po paru dniach się rozchorowała. Beata, jako pracownica z dłuższym stażem, zastępowała ją bardzo dzielnie, niestety z komputerem nie radziła sobie najlepiej. Zadzwoniła do Lukrecji, kiedy nie mogła poradzić sobie z otwarciem programu. Lukrecja instruowała ją z łóżka, krok po kroku.

— Beata, spokojnie — starała się uspokoić zdenerwowaną koleżankę. — Najpierw musisz otworzyć okno — zaczęła instruktaż.

— No, już — odpowiedziała po chwili.

— Teraz w prawym, górnym rogu okna... — kontynuowała, ale dobiegł ją jakiś łomot. — Beata, co się stało?

— Nic, przewróciłam krzesło, jak szłam do okna.

— Jakiego okna? — Lukrecja nie zrozumiała.

— No, tego, które kazałaś mi otworzyć — mówiła zniecierpliwiona — w czytelni.

Lukrecja o mało nie spadła z łóżka. Nie przyszło jej do głowy, że wiedza koleżanki o komputerach jest aż tak skromna. Elka, zamiast pomóc koleżance, obserwowała jej poczynania z boku i zaśmiewała się do łez. To rzeczywiście było śmieszne, nie znaczy jednak, że miała prawo obśmiać ją przed całą wsią. A następnego dnia cała wieś i okolice powtarzały sobie zdarzenie z oknem jak najlepszy kawał, dodając czasami do opowieści coś od siebie. Beata wyszła na kompletną ignorantkę i kiedy Lukrecja wróciła do pracy, ona się rozchorowała... na nerwy. „Świnia ta Ela — tak wtedy myślały o najmłodszej pracownicy — nie koleżanka".

Za to z Olą wszystko było bardzo proste i szczere. Nieco luzacka, zakręcona artystka, która nadal nie wiedziała, choć już powinna, co chciałaby w życiu robić. Doświadczona przez los, nigdy się nie poddawała i z optymizmem podchodziła do życia. Szczera aż do bólu i bardzo pomocna. Miała jednak na to czas. Jej syn, którego po rozwodzie wychowywała sama, ma już swoje życie. Bardzo się wspierają. Przy boku Oli stoi, przynajmniej od czasu do czasu, Marcin, miłość jej życia. Od czasu do czasu, bo jak sama twierdzi, „opcję faceta na dochodząco przyjęła za optymalną". Lukrecja podejrzewa, że tylko tak mówi, ale do końca nie jest tego taka pewna. Marcin natomiast nie potrafił poradzić sobie ze swoim życiem... i z żoną. Wciąż ją miał, choć podobno nic ich nie łączyło. Lukrecja nawet w to wierzyła, bo widziała, jak bardzo kocha Olkę, więc nie mieściło się jej w głowie, że mógłby ją okłamywać.

Ola stała się teraz dla niej najbliższą przyjaciółką i bardzo ceniła sobie jej przyjaźń, bo nie wiedziała, co zrobiłaby bez jej determinacji w realizacji celów. Bo jak Ola coś sobie wymarzy i założy, to choćby nawet napotykała wielkie problemy… dopnie swego. Nieraz już w myślach Lukrecja dziękowała Stwórcy za dar przyjaźni, którym zechciał ją obdarzyć, choć coraz częściej wydawało się jej, że Najwyższy obdarowuje nim bez wcześniej założonego planu. Chyba że Jego plany są tak poplątane, jak nieodgadnione są Jego wyroki.

*

Wczoraj wycięte zostały niektóre drzewa owocowe, stare i w połowie uschnięte. Nie było innego wyjścia. Michał szalał ze swoją piłą łańcuchową, a my układałyśmy na stosiki drzewo pocięte na kawałki.

— Będziesz miała do kominka — powiedziałam do Luci, patrząc na piętrzący się stos.

— Coś ty! Jakby się ludzie dowiedzieli, to by mi nie darowali — odparła, ocierając pot z czoła, bo dzień był gorący. Przylepiający się do wilgotnej skóry kurz rozmazywał się, czyniąc z nas stwory podobne do mieszkańców piekła.

— Przecież to już teraz twoje drzewa.

— Wiem, ale to drzewa owocowe. Takie drewno jest doskonałe do wędzenia wędlin, a nie każdy przy świniobiciu wycina zaraz drzewa w sadzie — sapała. — Powiem księdzu Zygmuntowi, że wymienię drzewo na opałowe. On zna harmonogram sąsiedzkich ubojów — uśmiechnęła się tajemniczo — zawsze go potem zapraszają.

„Przedziwne miejsce — pomyślałam. — Wszyscy myślą o wszystkich. Nie to co w mieście. W moim szeregowcu nawet nie znam wszystkich sąsiadów, chociaż jestem przyjaźnie do nich nastawiona. Bardzo chciałabym mieszkać na wsi. Wciąż jeszcze mam marzenia, więc może kiedyś..."

Na dziś zaplanowaliśmy wycinanie porzeczek. Stare krzaki z uschniętymi pędami rozkładały się na zarośniętej chwastami ziemi. Splecione z pełzającymi po ziemi powojami, chronione przez kępy pokrzyw i ostów, broniły dostępu do rzadkich jagód, dyndających gdzieniegdzie wśród poskręcanych liści. I ani odchwaścić, ani zrobić porządku ze starymi krzewami. Potrzebny był nam ciężki sprzęt. Tak zdecydował Michał i miał rację. Z pomocą przyszedł nam jego sąsiad, dla którego traktor nie miał żadnych tajemnic. Zapowiadała się ciężka i brudna robota. Wtedy jeszcze nie zdawałam sobie sprawy, jak brudna.

Rano Lukrecja upiekła placek drożdżowy z czarnymi porzeczkami, które żmudnie zbierała ze starych krzaków. Zbyt płodne te krzaki to nie były. Po co zajmowały tyle miejsca w i tak już gęsto porośniętym drzewami ogrodzie? Widać dawni mieszkańcy byli do nich bardzo przywiązani. Pod drzewem rozstawiłyśmy stół i krzesła ogrodowe, bo nigdy nie wiadomo, kto jeszcze przyjdzie do pomocy. Wczoraj było nas kilkoro i pochłonęliśmy całą blachę placka. Dziś sytuacja może się powtórzyć.

— To co? Zabieramy się za nie tak po kolei? — zapytał Paweł, sąsiad Michała, który nie lubił marnować czasu.

— Jasne. Bez różnicy, z której strony zaczniemy... żeby tylko było łatwiej. I tak wszystkie muszą być usunięte, zwłaszcza te na końcu, bo tam sucho jak na Saharze. — Lucia już pogodziła się myślą o radykalnych zmianach w obejściu.

I zdawało mi się, że bardzo chętnie podjęła się tego zadania, żeby tylko nie myśleć o swojej skomplikowanej sytuacji.

Paweł siedział w ciągniku, a Michał obwiązywał łańcuchem nadziemną część krzewu. Końcówkę z hakiem wbijał w ziemię, mając nadzieję, że wyrwie większą część korzeni. I tak krzak po krzaku uwalnialiśmy ogród od starych porzeczek, które piętrzyły się na stosie, a rozerwana wydzieranymi z głębi korzeniami ziemia oddychała już swobodniej. Szło bardzo sprawnie, tylko kurzyło się okropnie, a my chciałyśmy być w centrum robót, bo przecież wiadomo, że mężczyzna bez fachowych porad kobiety nigdy sobie nie poradzi. Po każdym kolejnym zgonie porzeczkowego krzaka wzbijał się tuman kurzu, a my coraz mniej przypominałyśmy ludzkie stworzenia. Na końcu ogrodu, przy ostatnich krzakach pod płotem, czekało nas niespodziewane odkrycie.

— No, Michał, zahaczyłeś dobrze? — wołał Paweł, przekrzykując głośno pracujący silnik. — Ciągnę! — odwrócił się do niego plecami i dodał gazu. Poszło łatwo, jak poprzednio. Stare krzewy poddawały się mocy koni mechanicznych bez najmniejszego oporu.

— Stój! Paweł! Stój! — wysokie obroty traktora zagłuszały krzyki Michała, ale machał rękami jak opętany, więc odstawiłyśmy naczynia i talerz z ciastem na stół i puściłyśmy się biegiem przez ogród, gdzie Paweł wyłączył motor i nastała cisza.

— Co się stało? — Lucia dyszała jak lokomotywa. — Nikomu nic nie jest?

Kiedy biegłyśmy przez wielki ogród, Michał i Paweł stali nieruchomo i patrzyli w plątaninę porzeczkowych korzeni. Pomiędzy nimi rozciągały się kawałki jakiegoś materiału czy odzieży. Wszystko obsypane było ziemią i jeszcze mało widoczne w opadającym kurzu.

— No co? Co się stało? — pytałam. Michał stał jak słup soli i tylko wskazywał ręką na wykopalisko.

— Tam… tam są jakieś kości — wyjąkał.

— Skąd wiesz, że to kości? — Lucia, która niczego się nie bała, podeszła bliżej i próbowała rozsunąć strzępy materii. Nagle podskoczyła jak oparzona. — Matko kochana! Tam jest czaszka! — i w jednej chwili stała już obok mnie. Patrzyliśmy w kłębowisko korzeni i szmat, próbując dostrzec coś więcej. Przez długą chwilę staliśmy tak obok siebie, zastanawiając się, skąd się tam wzięły kości. Czaszka wskazywała, że są to ludzkie szczątki, więc nasze zdumienie i dezorientacja były coraz większe.

— Wiesz coś o tym? — spojrzałam na nią zdziwiona.

— O czym? — spytała rozkojarzona.

— No, o tym… kościotrupie — wskazałam ruchem głowy na znalezisko. — A raczej o tej kupce kości.

— Skąd mam wiedzieć? Ja go tam nie zakopałam — mówiła, patrząc cały czas na czaszkę. — Chyba musimy to zgłosić — wróciła nagle do rzeczywistości.

— Ale gdzie? — Michał drapał się po głowie i nie miał najmniejszego zamiaru dołączać do Pawła, który po chwili odrętwienia z uwagą zaczął przetrząsać korzenie.

— Trzeba zadzwonić na policję. — Paweł chyba myślał najtrzeźwiej. — I raczej nie powinniśmy już tu niczego ruszać.

Kiedy my zastanawialiśmy się, co należy zrobić, Lucia już biegła z telefonem. Nic innego nikomu z nas nie przyszło do głowy. W końcu nie codziennie wykopuje się w ogrodzie nieboszczyka.

— Halo, dzień dobry. — Lucia już dzwoniła pod 997. — Moje nazwisko Lukrecja Łozińska. Lu-kre-cja — powtarzała sylabami swoje imię. Nie pierwszy raz zresztą. — Proszę pana. Podczas prac ogrodowych wykopaliśmy jakieś ludzkie szczątki. Znaczy… chyba ludzkie, bo zachowała się cała czaszka. Co mamy robić? — zapytała i po chwili już poważnie kiwała głową na znak zrozumienia poleceń władzy. — Dobrze, będziemy czekać — podała adres i rozłączyła się.

— I co? — spytał Paweł.

— I nic. My idziemy na kawę, a oni zaraz przyjadą. Znaczy… policja.

Poszliśmy się ogarnąć, bo obie z Lucią wyglądałyśmy jak górnicy przodowi, brudne od kurzu i ziemi. Tylko oczy było nam widać. W końcu po takiej pracy?

— To na dziś mamy fajrant. — Paweł wcinał drugi kawałek placka, niespecjalnie przejmując się brudnymi od ziemi rękami. — Będą chcieli wiedzieć, co się stało, więc, Michał, musimy poczekać.

— Powiedz lepiej, że ciasto ci smakuje — zaśmiał się wciąż jeszcze trochę przerażony Michał. — Pani Lukrecja piecze ciasta jak marzenie. I nie tylko mnie smakuje. — Kaśka i Cezar domagały się poczęstunku, żebrząc i pobekując przy Michale jak dwa psiaki.

— Słuchajcie… — cały czas myślałam o tych szczątkach. — Kto to może być?

— Nie mam zielonego pojęcia. — Lucia wzruszyła ramionami, nalewając kawę. — Dziadek i babcia leżą na cmentarzu, reszta rodziny też. Chociaż — Lucia się zaśmiała — mama opowiadała, że babcia ciągle dziadka straszyła, że jak nie będzie chodził do kościoła, a kiedyś nie było to dobrze widziane u kierownika szkoły, to pochowa go pod płotem.

— To może spełniła groźbę? — Michał już snuł teorię spiskową.

— Chyba jednak nie — westchnęła. — Umarła przed nim.

Dopijaliśmy już drugi dzbanek kawy, kiedy z oddali usłyszeliśmy sygnał syreny policyjnej. Trochę się zdziwiliśmy, bo przecież aż tak pilne to chyba nie było. Owieczki się spłoszyły i pobiegły na podwórko, które znały lepiej niż ogród.

— Zgłupieli? — Paweł się zdziwił. — Może jeszcze wzięli ze sobą pogotowie ratunkowe?

Tego samego zdania był rosły, po cywilnemu ubrany mężczyzna, który wysiadł z samochodu jadącego za radiowozem.

— Zgłupieliście? — zawołał do wyskakujących z auta policjantów. — Cała wieś tu się zbiegnie.

Wysoki, nieźle zbudowany i lekko szpakowaty facet, na oko po pięćdziesiątce, podszedł do nas i się przedstawił.

— Dzień dobry. Komisarz Janusz Potok, komenda miejska policji, wydział kryminalny — powiedział jednym tchem.

— Czy pani Lukrecja Łozińska? — spytał, uśmiechając się do Luci.

— Tak. Dzień dobry — podała mu rękę, nie przyglądając się mu zbytnio. Dopiero kiedy poczuła, że mężczyzna nie puszcza jej dłoni, spojrzała na niego uważniej i nieco zdziwiona.

— Lucia… nie poznajesz mnie? — przytrzymał jej dłoń i przyciągnął bliżej. — Tak bardzo się zmieniłem?

— Janusz? — jakby ją olśniło. — Januszek — wydała z siebie okrzyk radości i zaskoczenia. — No, trochę się jednak zmieniłeś — wyglądało na to, że już wie, z kim rozmawia. — Ciebie to się tu nie spodziewałam. Jak mnie poznałeś?

— Nie poznałbym cię. Kiedy cię ostatnio widziałem, miałaś warkocze i nosiłaś granatowy fartuszek z białym kołnierzykiem — zaśmiał się. — I siedziałaś w pierwszej ławce. Ale jak było zgłoszenie, to wiedziałem, że o ciebie chodzi. Nie znam żadnej innej kobiety o takim imieniu — wciąż trzymał jej dłoń. — Nie musiałem jeszcze przyjeżdżać, ale wiedziałem, jak dojechać do miejsca zdarzenia... no, i może byłem ciebie ciekaw?

„O, w mordę! Romans jakiś się szykuje" — przeleciało mi przez myśl. Patrzył na nią szeroko otwartymi oczami, źrenice zrobiły mu się wielkie jak spodki i wyglądał jak uśmiechnięty wilkołak. I przez cały czas nie puszczał jej ręki. Lucia nie wiedziała, jak się zachować, i przestępowała z nogi na nogę.

— Co się stało? — spytał, idąc do ogrodu, gdzie już kręcili się skierowani przez Michała i Pawła policjanci. Jednak dłoni Luci nie wypuścił. Przełożył ją do drugiej ręki i nadal ściskał jak ustawiany w pary uczniak.

„A ja? Co jest, do cholery, jestem przezroczysta? Lucię rozumiem, bo ją zatkało. Ale facet zupełnie mnie nie zauważył. Nie pierwszy raz mnie to spotkało. Zlałam się z tłem czy jak? Choć właściwie, patrząc na to, jak wyglądałam, nie było się czemu dziwić. Praca przy porzeczkach była naprawdę brudna... i nie myślę wcale o umrzyku. Wyrywane korzenie wzbijały obłoki kurzu i choć z większego się umyłyśmy, to i tak wyglądałyśmy jak dwie miotły. Ale jednak w jednej miotle rozpoznał koleżankę. Drugiej nawet nie zauważył".

— Co tam mamy, panowie? — zwrócił się do ekipy.

Lucia stała przy nim, nie miała wyjścia, nie wypuszczał jej dłoni. Poszukała mnie wzrokiem i bezradnie wzruszyła ramionami.

— Janusz, boisz się, że ucieknę? — spojrzała na połączone ręce.

— O, przepraszam — zreflektował się, ale wcale nie czuł się zażenowany, przynajmniej nie dał tego po sobie poznać.

Puścił jej dłoń i w końcu mnie zauważył. — Nie przywitałem się z panią. Witam — uścisnął mi dłoń… ale zaraz puścił. — Proszę mi wybaczyć, ale tak mnie zaskoczyło zgłoszenie i to, że chodzi o Lucię…

— No właśnie widzę i rozumiem — uśmiechnęłam się z przekąsem. — Nas też nieco zaskoczył ten jegomość — wskazałam głową na kłębowisko korzeni.

— Panie komisarzu, potrzebujemy z pół godziny na czynności operacyjne. Może pan spokojnie wypić kawę — zameldował młody policjant z miarą w ręku. I mrugnął do mnie. Nie miałam złudzeń… chodziło tylko o kawę. Domyśliłam się natychmiast i poszłam do kuchni. Michał i Paweł, zafascynowani czynnościami operacyjnymi, zostali na miejscu. Gestykulując, opowiadali całe zdarzenie spisującemu ich zeznania policjantowi. Pomijając przygotowanie kawy, byłam tam zbędna. Kiedy wyszłam z domu z dzbankiem i kubkami, na podwórze wbiegł zdyszany ksiądz Zygmunt.

— Co się stało? Ola, dziecko, powiedz, co się stało? — był bardzo zdenerwowany.

— Znalazłyśmy coś w ogrodzie — zaczęłam — a raczej kogoś. Ale już idzie Lucia z komisarzem, to wszystko księdzu powie.

Pomaszerowałam z zaparzoną kawą na koniec ogrodu pod płot, za którym zebrała się już gromadka ludzi. Przyglądali się ciekawie krzątającym się policjantom i rzucali coraz głupsze komentarze, niekoniecznie przyjazne Luci. Owieczki poszły za mną, pobekując wystraszone. Nie wiedziały, co się dzieje, i choć już przyzwyczaiły się do dzieci, to ogólne zamieszanie wprawiało je w dziwny stan. Pobekiwały żałośnie i trzymały się blisko mnie, pewnie dlatego że za płotem już stało spore stado baranów.

*

To był dla wszystkich ciężki dzień. I wcale nie zmęczyła nas praca w ogrodzie, to nie było nic wielkiego. Za to emocje z nią związane niektórych wykończyły całkowicie. Weźmy Lukrecję. Cały czas myślała o Januszku, bo tak na niego wołali w dzieciństwie. Był drobny i nieśmiały, popychany przez kolegów na boisku, a wyrósł na wielkie chłopisko. Nie uczył się długo z wiejskimi dziećmi, bo jego rodzina wyprowadziła się do Poznania. Tam tato Januszka, inżynier, dostał pracę i mieszkanie po mamie. Lukrecja nie wspominała go nigdy, bo też już nigdy więcej się nie spotkali. I musiało dojść do takiego odkrycia, żeby życie znów zetknęło ją z kolegą ze szkolnej ławki.

— Lucia, odwiedzę cię jeszcze kilka razy, bo sam poprowadzę sprawę, żeby nikt inny cię nie niepokoił — obiecał przy pożegnaniu.

Pożegnali też lokatora spod porzeczek. Ekipa dochodzeniowa obfotografowała miejsce, przemierzyła, przepytała, opisała, denata zapakowała w foliowy worek… i tyle. No, jeszcze proboszcz odmówił modlitwę nad czarnym workiem, mówiąc, że na to nigdy nie jest za późno. — Oby to pomogło zbłąkanej duszy nieznajomego — martwił się księżulo. Nikt nie miał pojęcia, kto to był. A ciekawskich było wielu.

— Zlecieli się jak muchy do padliny. — Lukrecja patrzyła zdegustowana na zbiegowisko. — Matko kochana — przeraziła się natychmiast — fatalne porównanie.

Ale tak właśnie było. Następnego dnia na mszy cała wieś modliła się za duszę nieboszczyka wykopanego w ogrodzie Luci. Za to już w poniedziałek obiegła mieszkańców wieść, że to Lukrecja zabiła nieszczęśnika! I skąd się to wzięło?

— Moja droga, nietrudno zgadnąć, skąd te plotki. Sama słyszałam co nieco w sklepie. To wszystko sprawa Elżuni. — Beata oświeciła Lukrecję, bo nie lubiła swojej koleżanki z pracy.

— E, nie. Ona jest po prostu jeszcze młoda i gada, co jej ślina na język przyniesie. — Lukrecja próbowała łagodzić ataki Beaty.

— A ty jak zwykle! — koleżanka zganiła jej łagodność.

— Generalnie mam to w nosie, choć wkurza mnie, że ludzie są tacy głupi i wierzą w takie bajdy. Ale w końcu czego się spodziewać po kimś, kto sprzedaje duszę za czekoladę? — westchnęła, a Lukrecja wsiadła na swój rower i z wysoko podniesioną głową odjechała.

*

— Lucia, za co władze gminne tak cię nie lubią? — Janusz pił kawę przy stole w kuchni i głaskał Kaśkę (nie mylić z wnuczką), która położyła mu łepek na kolanach.

— Nie lubią? Skąd ci to przyszło do głowy? — Lukrecja trochę się zaniepokoiła. Po ostatnich przejściach źle reagowała na wspomnienie o władzach gminy.

— Dziś odwiedziła prokuratora dziwna para — uśmiechał się pod nosem. — Wójt i jego zastępca złożyli doniesienie o przestępstwie. Na ciebie.

— Co takiego? — aż podskoczyła ze zdumienia. — To jakiś absurd!

— Uspokój się — wziął ją za rękę — uspokój się. Prokurator dzwonił do mnie z zapytaniem, o co chodzi z tym nieboszczykiem z krzaków i uśmiał się potem jak norka — uspokajał przejętą Lukrecję. — Ale po tym widać, że cię nie kochają. Czym tak podpadłaś?

Więc opowiedziała mu całą historię z wykupem domu, zwolnieniem z pracy i innymi szykanami. Słuchał i nie mógł się nadziwić ludzkim zachowaniom.

— Z racji wykonywanej pracy nie powinno mnie to zaskakiwać. Jednak w takich momentach nie żałuję, że mieszkam w mieście. Ludzie są zdecydowanie bardziej anonimowi i nie wtykają nosa w cudze sprawy — pokiwał głową z ubolewaniem. — Choć ciągle tęsknię za wsią.

— Jednak? — Lukrecja często się dziwiła, gdy ktoś mieszkający w mieście wychwalał życie na wsi. Choćby Olka. Wciąż marudziła o jakimś domku na wsi, o spokojnej starości, o życzliwych sąsiadach i głuszy wiejskiej. Lucia czasami zastanawiała się, czy aby wie, o czym mówi. „Ale Janusz? — pomyślała. — Przecież mieszkał na wsi, powinien pamiętać to i owo. Jednak z perspektywy krótkich portek i wypraw na jabłka sąsiada wieś mogła mu się wciąż jeszcze dobrze kojarzyć".

— Wiesz, z wiekiem spada zainteresowanie urokami życia, a wzrasta zapotrzebowanie na święty spokój — westchnął. — A im bliżej emerytury, tym częściej myślę o ciszy i spokoju.

— Jak widzisz, za spokojnie to tu nie jest. Trup ściele się gęsto... — rozłożyła ręce. — I na życzliwość ludzką też nie ma co liczyć.

— Chyba trochę przesadzasz. Widziałem, ilu ludzi ci pomaga, jak ksiądz się o tobie wypowiadał, a kilka baranów zawsze się znajdzie — potarmosił Kaśkę za pyszczek. — Nie, malutka?

— Beee — Kaśka chyba do końca nie wiedziała, z czym się zgadza.

Lukrecja zastanawiała się potem, co powoduje ludźmi, że plotą takie głupoty. Bo to już nie było zwykłe kłamstwo, tylko totalna bzdura. Czy nie było im wstyd pleść takie rzeczy? Niby kiedy miałaby zabić tego kogoś, skoro musiał już długo leżeć zakopany w ogrodzie? Czy aż tak jej nienawidzili, że zdecydowali się narazić na ośmieszenie? Przecież nikt przy zdrowych zmysłach nie brałby tego poważnie. I wtedy zdała sobie sprawę, jak wielką żywili do niej niechęć i jak bardzo powinna się ich bać. I zaczęła dostrzegać prawdziwość sentencji, z takim upodobaniem powtarzanych przez jej dziadka, jak choćby tej, że dobra trzeba się naszukać i z trudem się je odnajduje, za to zło samo włazi pod nogi.

O babskich mądrościach, o randkach i o tym, dlaczego warto mrozić resztki

Siedziałyśmy na stercie drzewa opałowego, pozyskanego z wymiany za drewno owocowe, i zastanawiałyśmy się, co dalej. Przed nami rozciągał się przeorany zagon po porzeczkach i stos splątanych badyli do palenia. Brakowało tylko czarownicy. Choć podejrzewałam, że parę osób chętnie spaliłoby na tym stosie Lukrecję, bo zalazła za skórę co poniektórym. Nie tym razem! Lucia musiała zawiadomić straż pożarną o zamiarze spalenia bałaganu w ogrodzie, bo oni powinni na to wyrazić zgodę. A udzielili jej bardzo niechętnie. I wcale nie z powodu obaw, że Lucia spłonie jak czarownica, lecz z bardziej prozaicznych powodów. Nie wolno palić ognisk od wiosny do jesieni.

— Wiesz, Ola, po tym zamieszaniu z porzeczkami odechciało mi się dalszych porządków — westchnęła zrezygnowana.

— Nic na siłę — powiedziałam, bo widziałam jej zniechęcenie. Sama też pewnie miałabym dość. Jednak zawsze uważałam, że na chandrę najlepsza jest praca. Nie, żeby od razu brać się za rąbanie drzewa, ale trochę pracy twórczej zawsze stawiało mnie na nogi. Miałam zamiar tę samą terapię zaordynować mojej przyjaciółce. — Wystarczy, że posiejemy trochę trawy dla twoich stworów. I tak już wygląda nieźle — pokiwałam głową z uznaniem.

Michał z Pawłem zrobili kawał dobrej roboty. Ogród za chlewikami stał się jasny i przestronny, a okoliczni mieszkańcy zyskali drewno do wędzenia. Jednak Lucia miała już dość. Obawiałam się, że najbardziej doskwierały jej te głupie plotki i domysły na temat Pana Porzeczkowego. Koniecznie musiałam wymyślić coś, co dodałoby jej więcej wigoru. Tylko co?

— Jak myślisz, Lucia — wyrwałam ją z zamyślenia. — Kto to był, ten spod porzeczek?

— Myślę o tym cały czas… i nie mam bladego pojęcia — była tym wyraźnie zmartwiona. Po chwili dodała: — Matko kochana! Nawet nie mam kogo spytać. Janusz mówił, że zwłoki leżały tam co najmniej trzydzieści lat. A może dłużej… jeszcze nie zbadali tego dokładnie. Ale myślę, że dłużej. Te porzeczki rosły tu całe moje życie, nie pamiętam czasów, kiedy ich nie było.

— Tyle zamieszania… mogłyśmy ich nie ruszać — westchnęłam. — Ale są i dobre tego strony.

— Niby jakie? Prokurator? — spytała z przekąsem.

— Janusz — powiedziałam i spojrzałam na nią z ukosa. — I nie udawaj, że ci to wisi. Przecież wszyscy widzieli, jak prowadzał cię za rękę i jaką mu to sprawiało frajdę. — Nagle twarz jej się rozchmurzyła i zdawało mi się, że oczy jej zaiskrzyły.

— A wiesz, Ola, jaka to była ciamajda? Nawet dziewczyny potrafiły mu przyłożyć — zaśmiała się. — Chociaż, jak teraz o tym myślę, to wydaje mi się, że był taki szarmancki i dlatego nigdy się przed dziewczynami nie bronił.

— Teraz nie przypomina ciamajdy — powiedziałam z wyraźnym podziwem w głosie i przyglądałam się jej ukradkiem.

— No — rozmarzyła się czy mi się tylko zdawało? — Był tu wczoraj i wypytywał o wszystko. Nawet o moje dziewczyny. Chyba nie potrzebuje tego do sprawy… — po chwili dodała: — Dziś też przyjedzie.

— O, więc masz randkę? — aż klasnęłam w dłonie. Wydawało mi się, że jest skostniała w tym swoim wdowieństwie, a tu nagle tak rozbłysły jej oczy.

— Zaraz tam randkę — próbowała udawać oburzenie. — Służbowo przyjdzie. Chyba.

— Chyba? — zaciekawiło mnie to.

— No, bo — zawahała się przez chwilę — zaprosiłam go na kolację — wreszcie się przyznała. — Ty też możesz zostać — dodała pośpiesznie.

— Kpisz sobie ze mnie? A ja wam po co? Troje to już zdecydowanie tłok — zaśmiałam się. — Nie będę się ładowała tam, gdzie mogę być przeszkodą. Nie lubię tłoku. Zresztą dziś zostaje u mnie Marcin, nie mogę przepuścić takiej okazji.

— Nie masz wrażenia, że zostaje z tobą wtedy, gdy ma ochotę na seks? — usłyszałam w jej głosie troskę. A tak naprawdę pewnie chciała zmienić temat naszej rozmowy. Coś ją najwyraźniej deprymowało. Czyżby myśl o zainteresowaniu jej osobą?

— Lucia! — spojrzałam na nią spojrzeniem pod tytułem: „nie bądź taka naiwna". — Obudź się, kobieto! Facet ma zawsze ochotę na seks.

— Skąd wiesz?

— Bo oddycha — powiedziałam z udawaną powagą. — Jak oddycha, to ma. Lucia... mężczyzna nie jest skomplikowany, to bardzo proste urządzenie i miewa dwie potrzeby. Albo ma ochotę na seks, albo coś by zjadł.

— Myślałby kto, że to takie proste — prychnęła.

— Proste — próbowałam ją uświadomić. — Jak się do ciebie nie dobiera, to zrób mu kanapkę. I na pewno będzie zadowolony.

— Skąd ci się biorą te przemyślenia? — spytała po chwili z rozbawieniem.

— Z życia, kochana, z życia — westchnęłam tonem doświadczonej kobiety po przejściach. — I z książek — zaśmiałam się.

Rozpaliłyśmy ognisko i zabrałyśmy się do palenia porzeczkowych badyli. Dym ogniska ściągnął dzieci. Całe szczęście, bo przy wyrównywaniu terenu pod trawnik bez ich pomocy padłybyśmy jak nic! I następny właściciel posesji zastanawiałby się, do kogo należą te dwie czaszki. Mnie rozpoznaliby po wystających zębach, ale Lucię? Chyba tylko po okularach słonecznych, z którymi się nie rozstawała.

*

Lukrecja miała dwie godziny, żeby zrobić się na bóstwo i przygotować kolację. Spanikowała, że nie zdąży. Ale szybka kąpiel, pół litra balsamu do ciała oraz makijaż — bo nie zaryzykowałaby wystąpienia *sauté* (znaczy... bez panierki, jak mówią jej córki) — sprawiły, że poczuła się świetnie. Trochę ogarnęła kuchnię, ale, jak ciągle narzekała, bekulki nadal brudziły gdzie popadnie, i na przygotowanie kolacji zostało jej tylko pół godziny. Stwierdziła, że kury już nie zdąży uśmiercić, a w lodówce tylko światło, jogurt i śmietanka. I tu przydały się jej przyzwyczajenia z gorszych czasów. Od dawna miała nawyk mrożenia wszystkiego, czego zrobi za dużo. Życie nauczyło ją oszczędności i zapobiegliwości. Pół godziny starczyło na rozmrożenie uduszonych wcześniej w maśle kurek, do których dodała tylko śmietanę i wrzuciła do sosu zamrożone na kulki lodu pulpeciki... bo w niedzielę na obiedzie nie było całej rodziny. Wskoczyła w kalosze w groszki i pognała na ogród po młode ziemniaki i dwie sałaty. Dobrze mieć warzywniak za chlewikiem — wzdychała zadowolona. Wracając, wpadła prosto na Janusza. Trzymał w rękach butelkę wina i kwiaty.

— Nie wiedziałem, co bardziej wypada — uniósł podarunki — więc wziąłem jedno i drugie — uśmiechał się.

— Jakie wino przyniosłeś? — spytała prosto z mostu.

— Białe wytrawne.

— Bardzo dobrze! Bardzo lubię i pasuje do pulpetów z kurkami. Będą jeszcze młode ziemniaki i sałata, jeśli mi pomożesz — wzniosła ramiona w geście rozpaczy. — Nie zdążyłam.

— Fajnie! Dawno nie pichciłem. Chętnie ci pomogę — wszedł za nią do kuchni i postawił na stole butelkę. Zaczął rozglądać się za wazonem. Zabrała mu z ręki kwiaty i pokazała ręką porcelanowy dzbanek w różowe różyczki i niebieskie niezapominajki. Lubiła porcelanowe dzbanki. Takiego ze szkła żaroodpornego u niej w kuchni na próżno było szukać. Skąd tylko mogła, znosiła wciąż nowe, a właściwie stare dzbanki z porcelany i koniecznie w kwiatki. Wydawałoby się, że jest taka pragmatyczna, a tu dzbanki w kwiatki do wszystkiego, do herbaty, do kawy, do kompotu, do kwiatów. Pękate, wysmukłe, białe, kremowe, niebieskie.

— Podasz mi? Nie sięgnę bez krzesła.

Bez wspinania się na palce zdjął wysmukły dzbanek z wiszącej szafki. Wstawił kwiaty do wody i zabrał się za mycie sałaty. Lucia obierała ziemniaki i nagle przypomniała sobie wspólne gotowanie z Krzysztofem. Miała dobre małżeństwo. Oboje bardzo się kochali i choć nie zawsze było z górki i trzeba było zaciskać pasa, nie miała złych wspomnień. Może dlatego nigdy nie próbowała myśleć o nikim innym, nie chciała zatrzeć tego obrazu. I nie chciała mieć poczucia, że zdradza pamięć o mężu. Ale teraz przy tych ziemniakach poczuła, że nie miałby nic przeciwko... Krzysztof zawsze chciał, żeby była szczęśliwa.

— Lucia, ile tych pyrek skrobiesz? — zajrzał do garnuszka z wodą. — Zdecydowanie wystarczy.

Teraz stała w kuchni z innym mężczyzną i wspólnie przygotowywali kolację. Jak za dawnych czasów. Zjedli pyszny posiłek (niech żyją resztki!), popijając winem. Potem wyszli delektować się kawą na ławce pod oknem. Po podwórku błąkały się dwa wełniaczki, rudzielec przezornie wskoczył na parapet, a świerszcze w winobluszczu, który porastał część chlewików, grały, jakby ktoś ten koncert zamówił. Lubiła siedzieć na tej ławeczce i słuchać wieczornej muzyki. Czasami, kiedy było jej szczególnie ciężko, właśnie tutaj ukrywała się przed wzrokiem cioci i płakała. Ostatnio, kiedy zdała sobie sprawę, że ciocia Flora gaśnie jak zachodzące za owocowe drzewa słońce. I nic nie można było na to poradzić. Płakała ze zwykłej niemocy, potem zawsze czuła się nieco lepiej. Teraz na tej samej ławeczce siedziała z mężczyzną u boku.

— Miło tu u ciebie. — Janusz wyciągnął przed siebie nogi i przyjął pozycję niemal leżącą. — Nie dziwię się, że tak o ten dom walczyłaś. Było o co.

— Tylko nie wiedziałam, że kupię go z dobrodziejstwem inwentarza — westchnęła. — Czy wiadomo już coś więcej?

— Na razie tylko tyle, że zmarł jakieś pięćdziesiąt lat temu — spojrzał na nią zupełnie spokojnie, jakby to była rzecz zupełnie normalna.

— Co takiego? Skąd wiesz?

— To znaczy… nie wiemy dokładnie, ile lat leżał w ziemi ten kościec, ale po butach można stwierdzić, że może jakieś pięćdziesiąt. Czaszka jest cała, kości też, więc nadal nie wiadomo, co się stało — wyjaśniał bez większych emocji. Jakby to zdarzało się codziennie.

— I mówisz to tak spokojnie?

— Lucia, nie denerwuj się — wziął ją za rękę i pocałował wnętrze jej dłoni. Zgłupiała. „Co to miało być?" — pomyślała spanikowana. A on spokojnie kontynuował: — Miałaś wtedy jakieś pięć lat i nawet jeśli zrobił to twój dziadek, Pani Ja, twoja mama czy tato, to i tak już nie żyją. No i minęło dwadzieścia pięć lat. Przedawnienie — rozłożył ręce.

— Ale…

— Oczywiście, zagadka jest — przerwał jej. — I na pewno spróbujemy ją rozwikłać. Już coś w tym kierunku robię. Ale ty się tym nie przejmuj — znów pocałował jej dłoń. — Chłoń klimat tego wieczoru — przymknął oczy z nieskrywaną lubością, trzymając Lukrecję za rękę.

— Chłonę go co wieczór, a teraz muszę iść zamknąć kury, bo tutejsze lisy czasami też co nieco chłoną. Bywa, że i moje kury — westchnęła, ostrożnie wysunęła swoją dłoń z jego ręki i wstała z ławki.

— Pójdę z tobą.

— Bo? — spojrzała na niego, wkładając żółte kalosze w czarne kropki.

— Bo fajnie wyglądasz w tych kaloszach... i będę odpędzał lisy — zaśmiał się. — A w razie czego, mam broń — puścił do niej oko i klepnął się w miejsce, gdzie zapewne miał kaburę z bronią.

Zamknęli kury, pospacerowali po ogrodzie i raz jeszcze poszli na miejsce, gdzie przez około pół wieku spoczywał nieznany lokator. Lukrecji ciarki zaczęły chodzić po plecach, jakby wchodziła na stare cmentarzysko. „A może tu straszy" — pomyślała i przypomniała sobie dziwne skrzypienie drzew. „Może to nie były drzewa?" — na wszelki wypadek zmniejszyła nieco dystans pomiędzy ich łokciami, co Janusz odebrał jako chęć przytulenia się. Uśmiechnął się figlarnie i dopiero wtedy Lukrecja zorientowała się w sytuacji. Skrępowana szybko się odsunęła.

— Od kiedy rosły tu te porzeczki? — spytał.

— Od zawsze. Dziadek je posadził — spojrzała na niego.

— Myślisz, że to on go zabił? Znaczy dziadek? I posadził na nim te krzaki?

— Nie wiem, może. Może krzaki miały trzymać wszystkich z daleka od tego miejsca. Przecież nikt między nimi nie kopał, nikt się tu nie kręcił bez potrzeby... nie wiem, Lucia — wzruszył ramionami. — Nie mam pojęcia. Ale nie myśl teraz o tym, już nie warto. Przeglądam teraz archiwa kryminalne, może na coś wpadnę.

Na podwórku nagle ją olśniło, że przecież Janusz pił wino. „Jak teraz wróci do miasta? Chyba nie ma zamiaru zostać na noc? Co by powiedzieli na to sąsiedzi?" — natłok myśli nie pozwalał jej na znalezienie sensownego rozwiązania. A była pewna, że choć mieszka nieco na uboczu, to kilka sąsiadek pilnie obserwowało samochód Janusza. Jutro w sklepie zapewne dowie się, jak długo u niej był i czy z nią spał. Wiejskie plotkary będą to wiedziały lepiej od niej samej.

— Janusz, ty piłeś. Jak wrócisz do domu? — w końcu spytała.

— Oj, o której to było… Lucia — widział, że się zaniepokoiła, więc dodał po chwili: — W aucie mam alkotest. Sprawdzę, jeśli będę mógł jechać, to pojadę, jeśli nie… zostanę u ciebie — uśmiechnął się tajemniczo.

Sprawdził. Mógł jechać. „No, masz! — zaklęła w duchu. — Następnym razem podam więcej wina".

*

We wsi wrzało. W każdej zagrodzie rozwiązywano kryminalną zagadkę z domu Pani Ja. Pomysłów było sto pięćdziesiąt, a może i więcej. Ale tylko wójt wpadł na to, że to zwolniona z pracy bibliotekarka zabiła Pana Porzeczkowego. Zabawne. Lukrecja nie mogła się nadziwić głupocie co niektórych.

Jedna z wersji głosiła, że to dziadek Lukrecji, ówczesny kierownik szkoły, przegonił kandydata do ręki pani Flory. Lukrecja śmiała się na początku, ale kiedy zaczęła się zastanawiać… Kto go tam wie? Pięćdziesiąt lat temu? Mogłoby się zgadzać. Jakoś jednak nie podejrzewała dziadka o mordercze instynkty. Z drugiej strony zastanawiały ją te porzeczki. Co dziadkowi przyszło do głowy, żeby sadzić je między drzewami i tworzyć gąszcz nie do przejścia? A może właśnie po to? Żeby był nie do przejścia? Nie dawało jej to spokoju.

Nadszedł wreszcie czas ogłoszenia wyroku w sprawie, którą w sądzie pracy Lukrecja wytoczyła wójtowi o bezpodstawne zwolnienie z pracy. Poprowadził ją młody sąsiad, prawnik Rafał. Lucia była z niego bardzo zadowolona. Dobry był. Wygrali.

Gmina musi wypłacić powódce dwadzieścia pięć tysięcy złotych odszkodowania za bezpodstawne zwolnienie. Obawiała się, że pewnie będą się jeszcze odwoływać, ale Rafał ją uspokoił, że z pewnością sąd wyższej instancji podtrzyma wyrok. „Dobrze by było — myślała z nadzieją Lukrecja — oddałabym kasę Oli". Jej koleżanka bardzo się cieszyła, że wszystko zmierza w dobrym kierunku, i cały czas powtarzała, że nie potrzebuje teraz pieniędzy i że przyjaciółka nie musi się z tym spieszyć. Za to dużo bardziej interesowała się minionym wieczorem.

— I co? Jak było? — pytała, popijając kawę.

— Podałam pulpeciki w sosie śmietanowo-kurkowym, ziemniaczki z koperkiem i sałatę z sosem winegret. — Lukrecja wyrecytowała jednym tchem. — Janusz przyniósł białe wytrawne wino.

— Zgłupiałaś? — spojrzała na nią z wyrzutem. — Przecież nie o to pytam.

— Oj, Ola… no, wiem — głupio jej było przyznać, że na coś jednak liczyła. — Fajnie było. Pomógł mi przygotować sałatę, właściwie to sam ją zrobił. Ty, Ola — nagle do niej dotarło — przecież on sam zrobił sos winegret. Nie spytał nawet o składniki.

— No, no — Olka z uznaniem pokiwała głową. Uważała bowiem, że prawdziwy mężczyzna powinien umieć się znaleźć w kuchni. — I co dalej? — była nieustępliwa.

— Nic. Zjedliśmy, wypiliśmy kawę, pospacerowaliśmy po ogrodzie. Fajnie było — powtórzyła i westchnęła. — Siedzieliśmy na ławce i świerszcze tak głośno bzykały…

— Przynajmniej one — mruczała pod nosem Ola i z ubolewaniem kiwała głową. — Kiepsko się, Lucia, starałaś. Fajny jest, więc powód, żeby się kochać, miałaś. — Olka znów snuła swoje teorie. — A facet jak to facet. Potrzebuje tylko miejsca.

— Miejsca, miejsca. — Lucia podenerwowana wzruszyła ramionami. — Miejsce było, więc co?

— Widocznie zrobiłaś za dobrą kolację — podsumowała Ola zupełnie poważnie.

— No, chyba tak. — Lukrecja westchnęła i roześmiała się. Nic innego jej nie pozostało. Ola zawsze umiała poprawić jej humor. Ale nad tymi kolacjami postanowiła jeszcze trochę popracować. — Więcej wina i mniej dobrego jedzenia — zaplanowała. — Może do głosu dojdzie ta druga potrzeba. Jeszcze kiedyś spróbuję.

O buszowaniu po strychu, o namiętności i o tym, co facetów kręci w porno

Wakacje miały się ku końcowi, moi współpracownicy dzielnie rewitalizowali miejskie podwórka, ale mnie na razie nie potrzebowali. Nie powiem, żebym była nie wiem jak zmęczona, ale kilka dni odpoczynku bardzo mnie ucieszyło. Planowałam wyjechać do koleżanki, z którą kiedyś pracowałam, i zamierzałam trochę się u niej polenić. Mieszka w pięknym pałacu nad jeziorem Niesłysz i jakiś czas temu wyszła za mąż. Ma maleńkiego synka i świata poza nim nie widzi. Jej mąż nie widzi świata poza nią, więc za często się pomiędzy nich nie wciskam. Zdarza się bowiem, że też nie widzę u nich świata... przez nich wszystkich. Mają świetne alkohole. Chętnie do nich jeżdżę, trochę jednak przeraża mnie trasa, to kawałek drogi, a nie lubię jeździć sama. Sprawę załatwiła Lucia, która bezceremonialnie przejęła inicjatywę:

— Co będziesz jechała tyle kilometrów, u mnie ci źle? Zostań na trochę, też odpoczniesz — zachęcała.

— Sama nie wiem — wahałam się. Za długo jednak nie marudziłam i po spakowaniu kilku najpotrzebniejszych rzeczy i butelki metaxy, po sprawdzeniu, czy regulator czasowy, włączający podlewanie ogrodu, działa, wsiadłam do auta i po paru chwilach byłam na wakacjach na wsi. Te kilka dni postanowiłyśmy spędzić na nicnierobieniu i kompletnej bumelce. Plan był dobry, ale nie do zrealizowania. Obie nie znosiłyśmy bezczynności. Po prostu nie potrafiłyśmy zbyt długo usiedzieć w jednym miejscu. Już po południowej kawie zastanawiałyśmy się, za co się wziąć.

— Lucia, czy to okrągłe okno w szczycie domu jest tylko dla ozdoby, czy jest tam jakieś pomieszczenie? — przyglądałam się oknu, leżąc na leżaku. Wyglądało jak oko cyklopa, patrzące z wysokiego dachu na okolice. Albo luk na statku pasażerskim. Okrągłe okienko z widokiem na wielki błękit.

— To okno od strychu. Byłyśmy tam po łóżko. — Lucia wyjaśniła beznamiętnie, leżąc na drugim leżaku i leniwie opędzając się od natrętnych much.

— To było aż tak wysoko? — nie chciało mi się wierzyć, bo wydawało mi się, że to tylko kilka stopni. Ale z wysokości rozłożonego leżaka wszystko wyglądało na wysokie, nawet błąkające się między nami owieczki. — A może posprzątamy na tym strychu? — zaproponowałam. Pamiętam, że w dużym domu u mojej babci na wsi zawsze można było coś znaleźć na strychu. Tylko trochę straszno było nam tam chodzić.

— Nie buszowałam po tym strychu od czasów młodości. Czasami tylko wchodziłam do wędzarni, ale ona jest blisko schodów, a cały bałagan dopiero za kominami. — wyjaśniła Lukrecja. — Ale fajne to okno, nie? Tak jakby oko domu…

Można by je od razu umyć. Choć właściwie — wzruszyła ramionami — pewnie i tak niedługo ze starości wypadnie, to po diabła je myć.

— Może po obiedzie? — nabrałam ochoty na strychowe odkrycia.

Obiad przyrządziłyśmy sobie na podwórku, grillowany. Miska sałaty, chleb sprzed kilku dni wrzucony na ruszt i karkówka pokrojona w cienkie plastry. Palce lizać. I nie wiadomo, czy zapach pieczonego mięsa, czy może jakaś nadprzyrodzona siła ściągnęły na podwórko księdza proboszcza.

— Witam wczasowiczki — wołał, jak tylko wychylił się zza węgła i zobaczył nas na leżakach.

— Dzień dobry. Zje ksiądz z nami? — Lucia poderwała się z pozycji horyzontalnej.

— Mięso? W piątek? — oburzył się ze śmiechem i spojrzał na skwierczące płaty karkówki.

— O matko… zapomniałam. — Lucia lekko się zawstydziła, zapłonęła jak pomidor, i nagle leniwy nastrój gdzieś się ulotnił.

— E, dzieci. To nie grzech — machnął ręką. — I uznajmy, że jesteście w delegacji.

— Ja na pewno — podchwyciłam.

— Ty się lepiej, bezbożnico, nie odzywaj — ofuknęła mnie Lucia.

— Zaraz tam bezbożnico — pomruczałam i zajęłam się obiadem. Płaty karkówki skwierczały smakowicie i z niecierpliwości trzęsły mi się ręce. Albo od spadku poziomu cukru we krwi. Eee, nie, to zdecydowanie z łakomstwa.

Ksiądz Zygmunt spoglądał to na Lucię, to na mnie, nie rozumiejąc, o co się spieramy. Lepiej, żeby nie wiedział. Moja przeszłość religijna pewnie nie bardzo by mu się spodobała.

W końcu odwiodłam od stanu duchownego kolegę z pracy i jakoś proboszczowi wolałam się do tego nie przyznawać.

— Coś się stało? — Lucia trochę się zaniepokoiła tymi odwiedzinami.

— A musi się coś stać, żebym odwiedził parafiankę i sąsiadkę? — już się mościł na krzesełku podsuniętym przeze mnie. — Tak tylko wpadłem zobaczyć, jak się macie... no i trochę jestem ciekaw, czy już coś wiecie o tym biedaku z ogrodu — przyznał się z nieśmiałym uśmiechem. — Ludzie różne głupstwa plotą.

— Nie wiemy niczego szczególnego. — Lucia mówiła dość ostrożnie i ostrożnie też z powrotem siadała na swoim leżaku — Chociaż księdzu mogę powiedzieć.

— Dziecko... jak w studnię. Znasz mnie przecież.

— Otóż nie wiadomo, dlaczego ten ktoś zmarł, ale czaszkę i kości miał całe — podrapała się po głowie. — Może zmarł ze starości? No i leżał tu około pięćdziesięciu lat, a to podobno odczytali z butów.

Ksiądz Zygmunt kiwał głową i widać było, że szuka czegoś w zakamarkach pamięci. Spoglądał na dom, mierząc go od kuchennego okna aż po dach, jakby szukał tam podpowiedzi.

— Z butów, powiadasz — zamyślił się.

— A może ksiądz coś o tym wie? — spytałam z ustami pełnymi grillowanego chleba, bo już nie mogłam się doczekać dopieczenia mięsa.

— Pięćdziesiąt lat, powiadasz... już tu byłem — wciąż się zastanawiał.

— Może kawę księdzu zrobię? — spytałam, bo pamiętałam, że lubi.

— Może... tak, poproszę cię, dziecko. Chętnie — widać było, że zbiera myśli. — Wiesz, Lucia — zastanawiał się

— muszę popatrzeć w księgi parafialne. Czasami od samego przeglądania coś przychodzi do głowy.

Razem z kawą przyniosłam na wiklinowej tacy trzy szklaneczki i butelkę mojej ulubionej metaxy. Lucia o mało nie złożyła się w leżaku ze zgrozy. W oczach miała panikę i przerażenie. I gdyby tylko mogła się zerwać z lekko zdezelowanego leżaka bez wywinięcia orła, zmiotłaby mnie razem z tą tacą.

— A może coś mocniejszego? — udawałam, że nie widzę jej porażającego spojrzenia.

— A wiesz, dziecko, że bardzo chętnie — uśmiechnął się dobrotliwie, widząc zdziwienie Luci. — Luciu, nigdy nie proponowałaś mi niczego innego prócz kawy.

— To może jednak ksiądz z nami zje? — poszłam na całość.

— Nie przeginaj, Ola — zaśmiał się. — Zresztą… już jadłem.

Miło było tak siedzieć na podwórku i zajadać. Metaxa lekko rozgrzewała i rozluźniała rozmowę. Usłyszałyśmy jeszcze kilka potencjalnych wersji tragicznego zejścia Pana Porzeczkowego i każda była zabawniejsza od poprzedniej. Potem rozmawialiśmy o nowych dokonaniach naszego urzędowego duetu. Nie mogłam się nadziwić poczynaniom włodarzy gminy. Szkoda, że takie rzeczy nie zdarzają się wyłącznie w serialach.

Mimo że proboszcz nie rozstawał się ze swoją sutanną i wciąż był wzorem dobroci, jego towarzystwo przy piątkowym grillu z popitką wcale nas nie krępowało. Przynajmniej nie mnie. Lucia na początku udawała, że przepada za suchymi grzankami z rusztu, i nie trącała nawet szklaneczki ze złocistym trunkiem. Dopiero kiedy dobrodziej trochę z niej pożartował, odpuściła. Wsunęłyśmy całe mięso i wypiliśmy butelkę do połowy.

— No, moje drogie... dość tej delegacji. Muszę iść — wstał z krzesełka, spojrzał na okrągłe okienko strychu, pokiwał głową i ruszył do furtki. — Jak wpadnie mi coś do głowy, dam wam znać i wtedy przyjdziecie do mnie na miodówkę. Zgoda?

— Jasne — ucieszyłam się. Miodówki jeszcze nie piłam.

*

— Matko kochana! — Lukrecja leżała rozciągnięta na leżaku z błogim wyrazem twarzy i wspominała przerażający moment, w którym Ola zaproponowała plebanowi alkohol. Teraz sama podśmiewała się ze swojej reakcji na widok Olki z wysmukłą flaszką metaxy.

— Co się stało? — Ola spojrzała na nią pytająco.

— Nie miałam pojęcia, że proboszcz lubi takie trunki. Skąd to wiedziałaś? Skąd ci się bierze ta otwartość i bezpośredniość? — Lucia patrzyła na przyjaciółkę w oczekiwaniu odpowiedzi. Wiedziała już, że ksiądz Zygmunt bardzo polubił Olę, mimo że z rozmowy zorientował się, że Ola żyje w nieuświęconym związku. Ale to wspaniały człowiek, nigdy nie oceniał i nie szufladkował ludzi. Między innymi za to był tak lubiany i szanowany.

— Lucia, każdy lubi — powiedziała z ironią w głosie. — Tylko każdy w innych ilościach.

— Nie boisz się, że pijesz trochę za dużo? — spytała delikatnie. — Nie topisz czasami w metaxie jakichś kłopotów? — Lukrecja martwiła się o przyjaciółkę i choć zamiłowanie Oli do kryształowej szklaneczki trochę ją niepokoiło, wiedziała, że nie jest to nałóg.

— Lucia — Olka odetchnęła głęboko — piję, bo

uwielbiam ten smak. A co do moich kłopotów... cóż, one już dawno nauczyły się pływać.

— No, tak. — Lukrecja pokiwała głową zamyślona. — Jest to jakieś wyjaśnienie — dała jej spokój i postanowiła, że więcej nie będzie o tym myśleć. Widać Ola tak już ma.

— Ostatnia dolewka i idziemy na strych — zarządziła nagle Ola i zamieszała palcem w szklaneczce. Kostki lodu dźwięcznie stukały o ścianki z grubego szlifowanego szkła. — Zimne — upiła łyczek z przymkniętymi z błogości oczami — i dobre.

Strome schody prowadziły na strych bezpośrednio z korytarza. Jednak, nie licząc pierwszego i drugiego stopnia, zaczynały się dopiero za zwykle zamkniętymi drzwiami. Owe stopnie służyły jako podest do odstawianych z kuchni garnków. Piętrzyły się tam od zawsze, dlatego żeby otworzyć drzwi, trzeba było najpierw upchnąć gdzieś gary.

— Uważaj, bo schody są bardzo strome. — Lukrecja bała się o Olę — Jeszcze się potkniesz na schodach i wybijesz sobie te wystające zęby — żartowała, choć świadoma była, że to właśnie one dodawały Oli uroku. Zauważyła to już pierwszego dnia, a właściwie wieczoru, kiedy to specjalistka od metamorfoz zrobiła z Oli umalowane dziwadło. Ten makijaż Oli nie pasował. Na jej ustach wyglądał ładnie tylko różowobeżowy błyszczyk. Dolna warga lekko wypchnięta przez wadę zgryzu, wydawała się za duża. Usta miała przez to takie... Lukrecja nie potrafiła tego określić. Ale z pierwszego spotkania zapamiętała właśnie jej usta. A teraz, kiedy obie trochę wypiły, na stromych schodach wszystko mogło się zdarzyć.

— Wiem, pamiętam. — Ola mruczała pod nosem i szła za nią niemal na czworakach. Ale nie przez bezwzględną siłę grawitacji, tylko dlatego, że schody naprawdę były okropnie strome.

Na strychu panował półmrok, bo światło, wpadające przez okrągłe okna z dwóch stron szczytowych, ledwo przedostawało się do środka przez od dawna niemyte szyby. Do tego bałagan, jaki tam panował, jeszcze zaciemniał wnętrze.

— No, moja droga… to mamy tu roboty na ładnych kilka dni. — Ola z nieukrywaną radością w oczach rozglądała się dokoła i zacierała ręce.

— Przecież nie musimy. — Lukrecja próbowała ją odwieść od tego ambitnego planu. Nie lubiła wielkich porządków.

— Tej przyjemności mi nie zabierzesz — przerwała z uśmiechem. — Czy wiesz, jakie skarby można znaleźć na strychu? O, spójrz, choćby ta bieliźniarka — już zaczęła otwierać drzwiczki starego mebla stojącego tuż przy szczycie schodów. — Lucia! Jak możesz takie cacko trzymać na strychu? — głaskała tralki i otwierała szufladki i już żadna siła by jej od niej nie oderwała. Lukrecja spoglądała na nią i nie mogła się nadziwić, co Ola widzi w tym rupieciu. Oczy jej błyszczały i gładziła mebel, jak facet głaszcze nowe auto albo coś o wiele bardziej podniecającego.

— Zapomniałam o niej — przyznała się. I tak było. Stała teraz i przyglądała się meblowi. Przypomniała sobie, że bieliźniarka kiedyś miała swoje miejsce w babcinej sypialni. Dawno temu. Stały na niej wtedy flakoniki z pachnącymi wodami, którymi babcia w przypływie dobrego humoru pozwalała się jej skrapiać. Lukrecja pamiętała, że dziadek bardzo lubił obdarowywać ją perfumami, co w tamtych czasach było niezwykłą wręcz ekstrawagancją i graniczyło z cudem, bo nie były to zwykłe wody z serii „Być może". Babcia zawsze kojarzyła się jej z zapachem dobrych perfum i niedzielnego rosołu z domowym makaronem. Dziadek lubił te zapachy i chyba oba tak samo. Stąd w rodzinie Lukrecji wzięły się niedzielne rosoły.

Na strychu spędziły dzień aż do wieczora. Za domem, na podwórzu zaczął się piętrzyć stos różnych rupieci, starych dywaników, obrazków, zdjęć w ramkach, kartonów z książkami i starych walizek z tajemniczą zawartością. Postanowiły, że poprzeglądają to wszystko na dworze, przy dziennym świetle, no i dzięki temu nie będą kichały od wzbijającego się na strychu kurzu. A mógł on mieć, jak zgadywały, ze sto lat.

— Co z tym wszystkim zrobimy? — Ola patrzyła na stertę staroci. — Nie damy rady dziś tego przejrzeć. Za dwie godziny będzie ciemno.

— No, raczej nikt tego za nas nie zrobi. — Lukrecja kiwała głową nad stosem wspomnień, cząstek cudzego życia, tajemnic i zdjęć nieznanych jej ludzi. — Czego nie zrobimy dzisiaj, zostanie nam na jutro.

Przygotowały sobie koszyki i kartony na rzeczy, które się na coś przydadzą, i ustawiły je niczym na taśmie do sortowania ziemniaków. Siadły na niskich stołkach i zabrały się do roboty. Raz po raz musiały jednak przeganiać bekulki, bo włazły w sam środek zamieszania i podchodziły pod ręce, żeby je głaskać i bawić się z nimi. Rudzielec siedział na swoim miejscu na parapecie i przyglądał się beznamiętnie całej tej awanturze. I tak, wspomagając się drinkami, pracowały do zmroku.

Potem nakryły całość folią malarską, na wypadek deszczu. Choć, jak twierdziła Olka, deszcz zwykle pada wtedy, gdy ona umyje okna. Potem Lukrecja zagoniła do kuchni inwentarz i Olkę i wzięły się do kolacji. Zwierzyna umościła się pod stołem, Ola przy stole. Rudzielec został na parapecie i liżąc łapki, raz po raz zaglądał przez szybę. Nie tolerował towarzystwa owiec i wolał schodzić z drogi Cezarowi.

— Lucia, jutro musimy przygotować chlewik dla owieczek. — Ola zaglądała pod stół. — Nogi już mi się pod stół nie mieszczą.

— Rzeczywiście, trochę te wełniaki urosły i miały pilnować obejścia, a nie mojej kuchni. — Lukrecja zgodziła się ze śmiechem, chociaż żal się jej zrobiło, bo już przyzwyczaiła się do ich towarzystwa, ale chyba jednak Ola miała rację. — W końcu to nie stajenka betlejemska — dodała.

*

Obie spałyśmy w łożu Lukrecji. To dopiero przeżycie. Moje łóżko wydawało się duże, ale Luci… to prawie lotnisko. Ranek na wsi jest inny niż w mieście, bardziej rześki, rozszczebiotany głosami ptaków za oknem, no… i w mieście owce nie beczą. A Kaśka i Cezar beczały w nocy, jakby je kto spod stołu wyganiał.

Lucia wstała pierwsza i poszła do kuchni zrobić kawę. — Beee, beee — inwentarz domagał się wyjścia na podwórze. Skrzypnęły drzwi.

— Ola! Chodź tu szybko — zawołała i poznałam po głosie, że coś ją zaniepokoiło.

Wyskoczyłam z łóżka i pobiegłam na podwórze, skąd dochodziło wołanie. Lucia stała nad górą staroci, którą w większości już wczoraj uporządkowałyśmy.

— Zobacz — wskazała na rozwaloną znów stertę. — Ktoś tu był w nocy.

Lukrecja stała ze zrezygnowaną miną i patrzyła na porozrzucane rzeczy, które poprzedniego dnia tak pieczołowicie poukładałyśmy. Potem zaczęła rozglądać się dokoła, jakby myślała, że sprawcy jeszcze gdzieś się ukrywają. Na próżno. Oprócz brykających owieczek i rudzielca przeciągającego się na parapecie nikogo tu nie było.

— Najwyraźniej ktoś czegoś szukał — stwierdziłam, bo właśnie tak to wyglądało. Folia leżała zgnieciona na boku, poprzebierane przedmioty wysypane z koszyczków i pudełek, walizki, których jeszcze nie tknęłyśmy, wybebeszone i przetrząśnięte. — Chyba powinnaś zadzwonić po policję. Wyraźnie ktoś tu był i czegoś szukał.

— Zadzwonię po Janusza — zdecydowała Lukrecja i poszła po telefon. Owieczki chodziły pomiędzy porozrzucanymi przedmiotami i pobekiwały żałośnie.

— One słyszały, że ktoś tu był — skojarzyłam wreszcie. — Dlatego tak w nocy beczały. Widzisz, mówiłam, że powinny być w chlewiku.

— I co? Myślisz, że przegoniłyby intruzów? To nie rottweilery, tylko owce.

— Ale może wystraszyliby się hałasu? — szukałam argumentów.

— Albo wzięliby je na szaszłyki. — Lucia była jednak realistką. — Matko kochana! Czego tu szukali? Przecież gdyby tu było coś cennego, same byśmy to wzięły — stwierdziła.

Postanowiłyśmy niczego nie ruszać do czasu, aż przyjedzie Janusz. Ubrałyśmy się i z kubkami kawy siadłyśmy na podwórku. Wełniaki już skubały trawę, rudzielec żebrzącym wzrokiem patrzył na Lucię i na pustą miseczkę. Nie miałyśmy głowy do karmienia kota, z wrażenia same zapomniałyśmy o śniadaniu.

Po półgodzinie przyjechał Janusz. Wmaszerował na podwórko z uśmiechem na twarzy, niosąc siatkę wypełnioną zakupami. Nieogolony, lekko wymięty, i tak wyglądał atrakcyjnie.

— Przyniosłem wam świeże bułki i cieplutki chlebek — uniósł siatkę w górę. — Nie jadłem śniadania, miałem służbę. Nakarmicie głodnego? — zdawał się specjalnie nie przejmować zdarzeniem. — Co się stało? — spytał w końcu, napotkawszy pełen wyrzutu wzrok Luci.

— No tego właśnie nie wiemy. Nocą ktoś przetrząsnął nam te rzeczy. — Lucia wskazała na bałagan.

— Coś zginęło?

— A kto to wie? Nie przejrzałyśmy wszystkiego — wzruszyła ramionami. — Nawet nie wiemy, co było w tych walizkach, wczoraj nie zdążyłyśmy się z tym uporać. Dziś miałyśmy skończyć.

— Ale tam były tylko jakieś stare zdjęcia, zeszyty, książki, notatki, jakieś szmatki i inne duperele — dodałam, bo z ciekawości zaglądałam do walizek.

— Cudów nie zdziałamy, skoro nie wiecie nawet, czy coś zginęło. Ale wiem, co na pewno możemy zrobić. — Janusz patrzył na rupiecie.

— Co?

— Śniadanie. Błagam — zrobił minę jak rudzielec — jestem cholernie głodny.

Poszłam do ogródka za chlewiki po pomidory, ogórki, cebulkę i bukiecik mięty. Fajnie tak pójść rankiem do ogrodu, w rozdeptanych sandałach, i czuć rosę na bosych niemal stopach. Rześkie powietrze aż gryzło w nozdrza, a chłodek poranka stawiał włoski na skórze na baczność. Chciałabym kiedyś mieszkać na wsi, może niekoniecznie już teraz, ale na emeryturze… Wełniaki pobiegły za mną, pobekując radośnie i brykając wśród zagonków. One też wolały zostawić tych dwoje gołąbków samych.

Jedząc śniadanie, cały czas zerkaliśmy na bałagan na podwórku i nikomu nie przychodziło do głowy, dlaczego ktoś miałby przetrząsać te starocie.

— Co znalazłyście na strychu? — Janusz pewnie nie spodziewał się superodkryć.

— Oprócz pięknych starych mebli… nic fajnego — powiedziałam, odgryzając z przyjemnością duży kęs chrupiącej bułki z pomidorem i cebulką.

— Jeszcze mnóstwo zeszytów, notatek i starych książek — dodała Lucia. Książki przecież to jej żywioł i największa miłość. — Dziś miałyśmy to poprzeglądać — westchnęła. — Taki był plan.

— No, to poprzeglądajcie. Może coś wpadnie wam w ręce. A nie myślałyście, że to mogły być jakieś ciekawskie dzieciaki?

— W nocy? — Lucia patrzyła na niego z powątpiewaniem. — Nie, to niemożliwe. Prędzej przyszłyby pomóc w porządkowaniu. — Po chwili namysłu dodała: — Zresztą oprócz księdza Zygmunta nikogo tu wczoraj nie było.

Szukałam w pamięci sytuacji, w której mogłyśmy wcześniej zasygnalizować komuś, że zamierzamy uporządkować strych. Wnet jednak skarciłam się za takie myśli. Przecież tylko ksiądz Zygmunt mógł wiedzieć o naszych planach, a to chodzący pomiędzy śmiertelnikami święty.

— A może ksiądz? — Janusz niemal zgadywał moje myśli.

— Proszę cię… zejdź na ziemię. Czego by tu szukał? Zresztą — Lucia usiłowała odnaleźć coś w pamięci — on nie wiedział, że pójdziemy sprzątać strych — przypomniała sobie.

— No właśnie — potwierdziłam. — Wymyśliłyśmy to dopiero, gdy poszedł.

— Nie wiem. W niczym wam tu nie pomogę — rozłożył ręce. — Ogarnijcie podwórko, a jak przyjdzie wam coś do głowy… dzwońcie — wstał od stołu. — I dziękuję za śniadanie.

I tyle go widziałyśmy. Sprzątałam ze stołu, kiedy Lucia szykowała przekąskę dla rudzielca. Siedział wyczekująco w drzwiach obok swojej miseczki i kaloszy w groszki i śledził każdy jej ruch.

— A ty się lepiej pilnuj — powiedziała do kota, wrzucając mu jedzenie do miseczki. — Ten facet ma broń.

Siadłyśmy znów nad tym całym bałaganem i od nowa, jak mityczny Syzyf, od nowa zaczęłyśmy tę robotę, którą wczoraj skończyłyśmy.

— Swoją drogą — Lucia wyprostowała się znad sterty książek — miło, że Janusz zrobił zakupy.

— Bo głodny był — sprowadziłam ją na ziemię. — Facet z natury nie cierpi zakupów. No chyba że kupuje auto albo sprzęt sportowy.

— Mówisz tak, jakby w sklepach nie spotykało się mężczyzn. A przecież też robią zakupy — broniła płci przeciwnej.

— Przyjrzyj im się, jak biegają po sklepie, jeśli robią je samodzielnie — próbowałam wytłumaczyć jej to gestami — zupełnie jak szczury w labiryncie. A tylko spróbuj wysłać takiego do sklepu bez kartki. Kiedyś kazałam Marcinowi wstąpić do sklepu i kupić ogórka na mizerię. Zgadnij, co mi przyniósł?

— No co? — patrzyła na mnie z półuśmieszkiem.

— Cukinię — westchnęłam. — Też była zielona. Mówię ci, Lucia, zakupy bez listy to zadanie za trudne dla faceta. Choć czasami jeszcze trzeba dodać obrazki — uśmiechnęłam się na samo wspomnienie zadowolonej miny Marcina z cukinią w ręku. — Idzie taki na zakupy jak jaskiniowiec na polowanie. Jak nie znajdzie tego, po co poszedł, to przyniesie... cokolwiek. Ale przyniesie.

— Co zrobiłaś z tą cukinią?

— Nie pamiętam. W każdym razie nie mizerię.

Żeby zapobiec powtórzeniu się sytuacji z poprzedniej nocy, wszystko, co udało nam się już ogarnąć, zanosiłyśmy do kubła na śmieci lub do chlewika. Stamtąd gdzieś to potem powędruje, bo szkoda było wyrzucać niektóre rzeczy. Na przykład w jednej z walizek znalazłyśmy prześliczne szklane świeczniki, aż dziw, że rabuś ich nie zabrał. Zawinięte były w ręcznie haftowane obrusy, od których nie mogłam oderwać wzroku. Nie pomyliłam się, że na strychu znajdziemy skarby. Uwielbiam buszowanie w starociach. To takie ekscytujące, kiedy odkrywa się przeszłość i poniekąd tajemne życie mieszkańców domu. W pudełku po belgijskich czekoladkach Lucia znalazła zdjęcia w kolorze sepii. Zrobiła wielkie oczy i podsunęła mi je pod nos.

Na zdjęciach prezentowały się nagie kobiety w ponętnych pozach. Zupełnie gołe, miały tylko piękne kapelusze, przepaski na włosach, siedziały na kocach piknikowych pośród porcelany i smakołyków, na eleganckich sofach, wśród koszy kwiatów. To dopiero był szok!

— O, kurcze! Daj obejrzeć — zabrałam zdjęcia z rąk Luci.

— To twoje krewne? — spojrzałam na nią ciekawie.

— A skąd mam to, do cholery, wiedzieć! — trochę się zdenerwowała. — Musiałabym porównać z fotkami ze starych albumów — powiedziała już spokojniej.

— No to mamy zagwozdkę — zatarłam ręce. — Ej, a może ktoś szukał właśnie tych zdjęć?

— I nie znalazł? Przecież przetrząsnęli niemal wszystko — ogarnęła wzrokiem to, co jeszcze zostało do posprzątania.

— Były pod tymi widokówkami? — wskazałam na wyjęte wcześniej stare kartki i pudełko po czekoladkach, które wciąż trzymała w rękach. Blaszane pudełko z obcojęzycznymi napisami kryło prawdziwą sensację. Nie zdążyła mi odpowiedzieć, bo nagle skrzypnęła furtka, bekulki się spłoszyły i zaczęły beczeć. Zza węgła wyłonił się uśmiechnięty proboszcz.

— Niech będzie pochwalony — wołał, przekrzykując beczenie Kaśki i Cezara. — Jeszcze się z tym strychem nie uporałyście? — objął spojrzeniem rozrzucone rzeczy.

Szybko zabrałam osłupiałej Luci pudełko, schowałam zdjęcia, zatrzasnęłam wieczko i wcisnęłam je pod swój stołek. Nogami zasłoniłam naszą „bombę".

— Na wieki wieków — odpowiedziała Lucia, a ja tylko bąknęłam:

— Dzień dobry — bo jakoś tak chwalenie Boga kiepsko mi wychodziło.

— A skąd ksiądz wiedział, że sprzątamy strych? — zreflektowała się Lucia. — Przecież nic o tym nie mówiłyśmy.

— Co to? Przesłuchanie? — zaśmiał się proboszcz dobrotliwie i zmrużył oczy.

— Błagam, niech ksiądz powie — Lucia uczepiła się swojej myśli — to bardzo ważne.

Księżulo rozejrzał się dookoła, podszedł do drzwi, gdzie stało krzesełko, na którym leżał rudzielec, przepędził kocisko i sam rozsiadł się wygodnie.

— Wczoraj, kiedy poszedłem do domu, przypomniałem sobie pewną rzecz i cofnąłem się, żeby ci to powiedzieć — zaczął. — Już byłyście na strychu i jakaś część tych rzeczy leżała na podwórku. Wołałem, ale widać mnie nie słyszałyście

— uniósł ramiona. — Więc przyszedłem dzisiaj. A co? Coś się stało?

— Rozmawiał ksiądz z kimś o tym? — zapytałam nieśmiało, bo obawiałam się, że rzeczywiście poczuje się jak na przesłuchaniu.

— O czym? O tym waszym sprzątaniu? — zastanowił się chwilę. — Niespecjalnie… ale jak wychodziłem na ulicę, to Bożenka od Rozwalków powiedziała mi, że jesteście na górce. A ja jej odpowiedziałem, że wiem, bo widziałem różne rzeczy, które stamtąd wynosicie — przyglądał się nam, raz jednej, raz drugiej. — Powiecie mi wreszcie, co się stało?

— W nocy ktoś przetrząsnął nam te rzeczy. Jakby czegoś szukał — westchnęła Lucia. — A my nie mamy pojęcia czego.

— To siedzimy sobie teraz jak te Kopciuszki i przebieramy. Mak tu, a popiół tu — westchnęłam. Ale gdyby się tak zastanowić, to porównanie było bardzo trafne. Nie miałyśmy pojęcia, czego szukamy, i to przegarnianie łudząco przypominało brudną i bezsensowną robotę kocmołucha. Ona też nie wiedziała, po jaką cholerę to robi.

— Coś zginęło? — zapytał.

— No masz ci los! Nie wiemy. Było tego tyle, że nawet nie wzięłyśmy się wczoraj za przeglądanie. Teraz tego żałuję. — Lucia z żalem pokiwała głową.

— Mogę wam jakoś pomóc? — spojrzał na rupiecie.

— Poradzimy sobie — podziękowałam szybko, bo uświadomiłam sobie, że jeszcze kilka pudełek po czekoladkach walało się w tej kupie. Byłby niezły numer, gdyby ksiądz sprawdził ich zawartość, a tam ukrywałyby się podobne „słodkości". O, rany! Wyobraziłam sobie jego minę. Oczywiście nie miałam pewności, że wszystkie pudełka zawierają to samo, jednak takie niebezpieczeństwo istniało. — Może zaparzę kawę? Napije się ksiądz?

— Poproszę, ale tylko o kawę — z uśmiechem pogroził mi palcem. — Rano trochę bolała mnie głowa.

Przyniosłam kawę i ciasteczka, z których bardziej niż ksiądz ucieszyły się owieczki. Podczas przeglądania śmieci cały czas skupiałam się na odwracaniu uwagi wielebnego od otwieranych pudełek. Ale nie znalazłam już więcej retro porno. Przez chwilę nawet byłam zgorszona, ujrzawszy te golizny, a lat mam niemało i o wielu rzeczach się słyszało i niemało już widziało. Ale potem pomyślałam, że chyba mi odbiło. Przecież ludzie zawsze przepełnieni byli namiętnościami, emocjami i pragnieniami. Nawet wtedy, kiedy damy nosiły kapelusze z koszykiem owoców albo wieńcem kwiatów na wierzchołku i kiecki z powłóczystymi trenami, nobliwi panowie w cylindrach zastanawiali się, co też skrywają pod nimi. Takie zdjęcia to musiał być wtedy rarytas! Nie to, co teraz. Nagie ciała w każdym kiosku i na każdej stacji benzynowej… no i nie w tak wysublimowanych pozach.

Tak czy siak, gwiazdy porno były tylko w jednym pudełku po czekoladkach i całe moje konspiracyjne wysiłki były zupełnie niepotrzebne.

— Co ksiądz chciał mi powiedzieć? — Lucia spojrzała na proboszcza z oczekiwaniem.

— Ja? — zdziwił się nieco. — A, no właśnie. Już wiem — przypomniał sobie nagle, a że znany był z roztargnienia, już nas to nie dziwiło. — Przypomniała mi się pewna historia. Kiedy prawie dwadzieścia lat temu ksiądz Marian przed śmiercią bardzo chorował, dużo mówił w gorączce. I nie mam pojęcia, co z tego było prawdą, a co tylko majaczeniem

— zaczął dość niepewnie. — Pewnej nocy, kiedy nie było opiekunki i sam przy nim siedziałem, coś mi powiedział.

— Co takiego? — zaciekawione przerwałyśmy pracę i wyprostowałyśmy się znad resztki śmieci, z których wyławiałyśmy coraz mniej przedmiotów wartych ocalenia.

— Otóż, Luciu, mówił coś o twoim dziadku Michale.

Lucia z zaciekawieniem chłonęła każde słowo, bo uwielbiała dziadka Michała. Zmarł dwa lata przed księdzem Marianem i choć nie chodził do kościoła, przyjaźnił się z plebanem, szczególnie pod koniec życia, kiedy nie musiał już tej przyjaźni ukrywać. To było w latach dziewięćdziesiątych i dziadek od dawna był na emeryturze.

— Mówił coś o tajemnicy twojego dziadka i o tym, że kiedyś będziesz miała dobre życie.

— Przecież mam — przerwała mu.

— Ale że nigdy nie będziesz biedna. I nie będziesz musiała martwić się o pieniądze — sprostował. — Tak to wtedy zrozumiałem.

— No, w tym przypadku to się jednak dziadek we wróżeniu nie popisał — westchnęła. — Po śmierci Krzysia ledwo wiązałam koniec z końcem. Gdyby nie ciocia Flora, nie wiem, jak bym sobie poradziła.

— No właśnie… — zatroskany księżulo podrapał się po przerzedzonej czuprynie. — Kiedy umierał ksiądz Marian, przekazał mi pewną wiadomość, którą twój dziadek gdzieś zapisał — zawstydzony spojrzał na Lucię. — Dziecko kochane, ale ja nie pamiętam gdzie. On tyle mówił w malignie, zazwyczaj rzeczy zupełnie niewiarygodne. Muszę ci się przyznać, że w ostatnich dniach jego życia już go tak dokładnie nie słuchałem, czuwałem przy nim do końca… ale nie pamiętam

— przepraszające spojrzenie nie pozostawiało wątpliwości, że jest mu naprawdę przykro. — I to chciałem wam powiedzieć.

— Nie ma o czym mówić. Niech sobie ksiądz głowy nie zawraca. — Lukrecja uspokoiła go uśmiechem. — W końcu jakoś sobie w życiu poradziłam.

— Często bywa tak, że jak o czymś nie myślimy tak usilnie, to podpowiedzi same przychodzą do głowy — odezwałam się w końcu, bo przez te chwile byłam tylko niemym świadkiem ich rozmowy.

— A jak tam twój ogród, Luciu? — najwyraźniej zmiana tematu była plebanowi bardzo na rękę. — Parafianie mi mówili, że już wydałaś całe drewno owocowe.

— Nie byłam aż tak wspaniałomyślna, zamieniłam na opałowe — poprawiła.

— No, jasne, jasne. To właśnie miałem na myśli — pokręcił się na krześle, odsuwając się od słońca. — Czas na mnie, pójdę już. I obiecuję ci, dziecko, że jak tylko coś mi się przypomni, to zaraz ci powiem.

Pogłaskał przymilające się owieczki, wstał z krzesła i już był przy furtce. Pokiwał na pożegnanie, jak to zwykle robił, jadąc swoim trabantem, i zniknął za węgłem domu.

— I co ty na to? — spojrzała na mnie.

— Na co? — nie rozumiałam i wyjęłam spod stołka skrzętnie ukrywane pudełko po czekoladkach. — Na to?

— E, tam — prychnęła. — To tylko trochę golizny. Nie powiesz mi, że nigdy nie oglądałaś podobnych — zerknęła spod zmrużonych powiek.

— No, może nie w takich kapeluszach. I w nieco innych pozach.

— Widzisz? Każdy lubi taką rozrywkę... wiele kobiet też

— zaśmiała się. — Ale facet by się do tego nie przyznał — mówiła to z nieukrywanym rozbawieniem.

— Do czego?

— Do zaglądania na strony dla dorosłych. Jak go zapytasz, to pójdzie w zaparte — gestykulowała. — Tylko właśnie te strony cieszą się największym powodzeniem.

— Skąd to wiesz?

— Obok biblioteki była kawiarenka internetowa. Wciąż siedziało tam pełno panów. Dopiero jak Konrad założył filtry na seksstrony, to nagle zainteresowanie Internetem spadło. Wiesz — dodała po chwili, przeglądając od niechcenia zdjęcia — czasami żałuję, że nie mam swoich zdjęć z młodości. Niezłą figurę miałam — westchnęła lekko zawstydzona.

— Wciąż masz — mrugnęłam do niej, bo to prawda. Jest szczupła i dość wysoka, zawsze trzyma się prosto... pewnie dlatego czasami rzuca się w oczy jej smutek. Opadają jej wtedy ramiona, kuli się w sobie i wydaje się niższa.

— Ola, proszę cię! — spojrzała na mnie z politowaniem.

— A ty nie żałujesz?

— Nie miałam takiego kapelusza — zbyłam ją. Pewnie, że miałam, z plaży... to znaczy zdjęcia, nie kapelusz. Byłam młoda, zgrabna i głupia. Ze wskazaniem na... głupia. Ale zdjęcia mam.

— Wiesz, facet to ma dobrze — zaczęła jakąś, sądząc po uśmiechu, zabawną myśl. — Obojętnie, ile by miał lat, obojętnie, jaki byłby: gruby czy łysy — spojrzała z błyskiem w oku — zawsze ma o sobie wysokie mniemanie.

— Skąd ta myśl?

— Popatrz na starszych panów. Nieważne, czy z wielkim brzuchem i w za ciasnym kołnierzyku, czy stary, siwy, łysy i zupełnie nieciekawy — wszyscy zachowują się jak amanci filmowi. Wkładają młodzieżowe ciuchy i myślą, że lat im ubyło. W wypasionych furach oglądają się za młodymi kobietami.

— Kochana, to kryzys wieku średniego. I rozumiem, że nie wiesz, czym różni się facet z kryzysem wieku średniego od klauna? — zapytałam zaczepnie. — Klaun wie, że nosi śmieszne ubrania — nie dałam jej odpowiedzieć.

— Dobre! I prawdziwe! Kobieta ma uderzenia gorąca, a facet skórzane spodnie i motor — westchnęła.

Do obiadu podwórko miałyśmy ogarnięte. Oprócz ślicznych świeczników i haftowanych obrusów znalazłyśmy jeszcze kilka albumów rodzinnych, ale nagie modelki na zdjęciach nie przypominały nikogo z rodziny, a oprócz tego: zapisane zeszyty, książki wydane ponad sto lat temu, przepiękny kryształowy kałamarz z przybornikiem na biurko i kilka bibelotów, których przeznaczenie musimy dopiero odgadnąć. Ale to później. Na wieczór zaplanowałyśmy kolację dla dwóch par: dla mnie i Marcina oraz Luci i Janusza.

O zapiskach w starej kronice i o tym, jak mężczyznę skłonić do odchudzania

Wczesnym popołudniem Ola i Lukrecja wybrały się do miasta na zakupy i oczywiście, nie omieszkały wstąpić do ulubionego lumpeksu Lukrecji gdzie można było wybrać całkiem niezłe futra. Lukrecja bardzo lubi futra, przyznaje się do tego i twierdzi, że nic na to nie poradzi. Mogą być norki, karakuły, lisy raczej nie, no chyba że srebrne.

— Patrz, Ola — Lucia trzymała już długie futro ze srebrnych

lisów. Niezbyt drogie, ale nie dziwota. Okiem znawcy obejrzała rękawy, mankiety były nieco wytarte, co oznaczało, że futro noszono dosyć często. Ale miało odpowiednią długość, coś można by z niego uszyć. — Jakie piękne srebrne lisy.

— Czarne — poprawiła ją Ola. — Te są srebrne — i wskazała na lisy w kolorze popielatym.

— Nie, moja droga. Te czarne z białymi końcówkami to srebrne. A te srebrne — pokazała jej popielate — to niebieskie lisy.

— Jeszcze mi powiedz, że rude to nie rude.

— Rude to rude — zaśmiała się ze skołowanej przyjaciółki Lukrecja. — Zaraz widać, że nie jesteś znawczynią futer.

— Mam kożuch i futro z karakułów po mamie, i może nawet coś z tych dwóch rzeczy skombinuję — zamyślona Ola oglądała futra, wieszak po wieszaku. — Uszyję krótki kożuch obszyty karakułami i może go potem jeszcze wyhaftuję. Jeśli zdążę przed zimą.

— No chyba. W końcu wciąż jeszcze jest lato — zauważyła zajęta oglądaniem Lukrecja.

— Ale kuśnierz, którego znam, ma spore kolejki. Całe szczęście, że zaklepałam już miejsce w ubiegłym roku. Może zdążę.

Lukrecja tymczasem powściągnęła swoją — zazwyczaj trudną do opanowania — chęć zakupu kolejnego futra.

— Szkoda, że było takie podniszczone — żałowała i obie wróciły na wieś. Okazało się, że nie kupiły jeszcze kilku innych rzeczy. Niestety, trzeba było się wybrać do sklepu Eli i jej brata. Kolejek to tam raczej nigdy nie ma. Brat Eli obsługiwał starszą panią, więc ustawiły się za nią i spokojnie czekały. Z zaplecza dobiegły je, niczym nietłumione, głosy rozmowy.

— Mówię pani, niech pani zapisze wnuczkę do klasy „a",

tam są same bystre dzieci i w większości z naszej wsi. W „b"
są same odpady, zresztą ta pani Hania to kiepska nauczycielka — głos Elki nie był trudny do rozpoznania. Lukrecji aż
zjeżyły się włosy na karku. — Wypaliła się i powinna już iść
na emeryturę, bo do niczego więcej się nie nadaje. Teraz potrzeba młodych nauczycieli.

— A jak mi ją zapiszą do „b"? — właścicielką zatroskanego głosu okazała się jedna z sąsiadek, która niedawno się
tu osiedliła. Widać kobieta nie znała jeszcze natury Eli, bo
rozmawiała z nią otwarcie. Lukrecja dyskretnie szturchnęła
Olkę, żeby przysłuchiwała się rozmowie.

— To niech pani powie, że musi chodzić do „a", bo tam
jest jej koleżanka. Zresztą niech pani zerknie — nastała krótka przerwa — ja mam tu listę dzieci z tej klasy. Jest tu jakaś
jej koleżanka?

I tu rozmowa się skończyła, właściwie skończyło się pod-
słuchiwanie, bo trzeba było zrobić zakupy. Wychodząc ze
sklepu, Lukrecja spojrzała, kto wychodzi z zaplecza... i nie
myliła się. To pani Zosia, jedna z sąsiadek zza ogrodu. Szkoda, że kobieta nie zna Eli, bo pewnie nie wchodziłaby z nią
w żadne układy. Ela wyszła uśmiechnięta od ucha do ucha
i bez odrobiny zażenowania, spoglądając spod rudej grzywki
prosto w oczy swojej byłej szefowej, zapytała:

— I jak się wypoczywa, pani Lukrecjo?

— Ja nie jestem na urlopie, Elżuniu, zwolniono mnie...
zapomniałaś? — Lukrecja dumnie odwróciła się na pięcie
i wyszła ze sklepu. Olka podążyła za nią. Szybciutko dogoniły
panią Zosię.

— Dzień dobry pani. — Lukrecja ukłoniła się grzecznie.

— A nie lepiej pójść do szkoły i zapisać wnuczkę do konkretnej
klasy? — spytała. — Przepraszam, ale słyszałyśmy rozmowę.

— Właśnie tak zamierzałam zrobić, ale ta pani powiedziała, że układa listę według życzeń rodziców i potem odniesie ją do sekretariatu szkoły. Myślałam, że tutaj panuje taki zwyczaj.

— Pani Zosiu, nigdzie nie ma takich zwyczajów. — Lucia chwyciła ją za ramię. — I niech pani nie słucha opinii o pracy nauczycieli w sklepie. Proszę spytać dyrektorkę. A tak w ogóle pani Hania to najlepsza nauczycielka. Z dużym doświadczeniem, szanowana przez rodziców i jak żadna potrafi dyscyplinować dzieci. A małe dzieci potrzebują znajomości norm, niech mi pani wierzy, dziecko czuje się bezpiecznie, kiedy wie, co mu wolno, a czego nie. A tak jest u pani Hani. Mogę to powiedzieć, bo uczyła moje córki.

— O, Boże! — przejęła się sąsiadka. — To może ja jednak pójdę do szkoły? Pani przecież zna się na dzieciach jak nikt inny, pani Lukrecjo — zawahała się.

— Tak chyba będzie najlepiej — przytaknęła Ola.

Pani Zosia skręciła do szkoły, a kobiety poszły dalej. Mijały ogródki kolorowe od kwiatów, z krasnalami i innymi tego typu potworkami. Co rusz podbiegało do nich jakieś dziecko tylko po to, żeby się przywitać i spytać, kiedy będą zajęcia. Miło było iść przez wieś, oddawać pozdrowienia i uśmiechy ludziom, którzy cię znali i szanowali. W tym momencie Ola zrozumiała księdza Zygmunta i już wiedziała, dlaczego tak wolno jeździ tym swoim „trampkiem". Po prostu lubi ludzi. I to cała tajemnica.

Kiedy przechodziły nieopodal plebanii, dogonił je mały Łukasz, syn sąsiadów księdza proboszcza. Pod pachą miał jakiś stary zeszyt czy może dziennik szkolny.

— Proszę pani, proszę pani! — biegł za dwiema kobietami, gubiąc z nóg rozpięte sandały. — Znalazłem to w rowie. O, tam! — wskazał na rów melioracyjny zarośnięty krzakami, o których wykaszanie nikt ostatnio nie dbał. — Chciałem oddać księdzu, może to jego, mama kazała. Ale nikogo nie ma na plebanii.

— Pokaż, Łukaszku. — Lukrecja wzięła z jego rąk starą, niezbyt grubą książkę dużego formatu, w twardej oprawie w kolorach brązu i sepii. — Dobrze zrobiłeś, że chciałeś oddać. To może być bardzo ważne — wyjęła z koszyka pudełko ciastek, jedno z tych, które kupiły w sklepie. — Zaczekaj, weź te ciasteczka i bardzo ci dziękujemy. Jak będzie trzeba, oddamy to potem księdzu.

Kiedy Łukaszek podawał im księgę, Lukrecja zobaczyła pięknie wykaligrafowany napis „Kronika szkolna". Był to zeszyt z pożółkłymi kartkami w linie, trochę większy niż używany do dziś dziennik lekcyjny.

— Ola, zobacz — otworzyła kronikę na pierwszej stronie.

— Matko kochana! Widzisz? Rok 1889! Nie do wiary! Skąd to się wzięło?

— Lepiej chodźmy do domu — Ola z niepokojem rozglądała się dokoła. — Nie wiemy, czy ktoś tego nie szuka. W domu będziemy bezpieczniejsze.

Kłusem pobiegły do domu z ponadstuletnim skarbem, gnane ciekawością, co też kryją żółte kartki zapisane równiuteńko czarnym atramentem. Arogancja i brzydkie zagrywki rudej Elki już ich nie obchodziły, nie przetrwają do wieczora. Głupota z reguły szybko wyparowuje i nikt nie zapisuje jej dla potomnych. Na szczęście.

*

Nie mogłam wprost uwierzyć! Przyniosłyśmy do domu autentyczną kronikę szkolną z 1889 roku! Aż swędziały mnie ręce, żeby zaraz poprzerzucać pożółkłe kartki, ale Lucia stwierdziła, że najpierw musimy przygotować kolację, bo w przeciwnym razie przyjdzie nam zjeść tę kronikę.

To był świetny pomysł z kolacją dla nas czworga. Marcin jeszcze nie poznał Janusza, który oficjalnie nie jest z Lucią parą, ale coś mi się wydaje, że już niedługo to nastąpi. Janusz patrzy na nią tak, jakby wciąż była małą dziewczynką w granatowym fartuszku. Jakby zapomniał, że minęło prawie pół wieku. Tylko czasami nagły błysk w jego oczach nie jest już taki niewinny i zapowiada rychłą zmianę charakteru znajomości. Przynajmniej tak mi się zdaje, a zwykle się w tej kwestii nie mylę. Skąd on się nagle wziął? Taki facet? I do tego samotny?

Lucia mówiła, że rozwiedziony i że po rozwodzie wrócił do mieszkania po wujku w pobliskim mieście. Jest szefem wydziału kryminalnego… czy czegoś tam. W każdym razie ma dobrą pracę i więcej o sobie nie chce mówić. Może ma coś do ukrycia, nigdy nic nie wiadomo. Ważne, co Lucia ciągle podkreśla, że ma broń. Cholera! Ona chyba rzeczywiście chce tego rudzielca rąbnąć.

— To co? Wszystko mamy już przygotowane — rozejrzałam się po kuchni. — Może tylko posprzątam po tych wełniakach. Koniecznie musisz je wyeksmitować do chlewika — zmiatałam bobki z podłogi — albo rozścielić tu słomę.

— Ale one już się zadomowiły pod stołem. — Lucia rozłożyła ręce.

— No właśnie! Jutro zamówię u Nowaków ten balot słomy, co wygląda jak wielka szpula nici — zażartowałam.

Marcin przyjechał pierwszy. Przywiózł dwie butelki wina, białe i czerwone, za to oba wytrawne.

— Nie wiedziałem, jakie będzie menu — postawił butelki na szafce kuchennej.

— Mój drogi — Lucia machnęła ręką — po dwóch kieliszkach kolor już nie gra roli.

— A to dla koneserów — wyjął z siatki butelkę metaxy. — Ktoś się ucieszy — i spojrzał na mnie. Dobrze wiedział, jaki jest mój ulubiony alkohol, często sam mi go kupował. Kiedyś nawet się podśmiewałam, że celowo mnie upija, ale tak naprawdę wiedział, że lubię popijać metaxę po troszeczku, kiedy maluję na jedwabiu, smakując jej słodkawy smak i wdychając cudny aromat.

— No, co? Tylko ja to piję? — oburzyłam się.

— W takich ilościach tylko ty. — Lucia była okrutna.

— Z takim upodobaniem to tylko ty — poprawił ją Marcin, akcentując słowo „upodobanie".

— Każdy ma jakieś hobby — prychnęłam i odkręciłam butelkę. — Zatem będę konsekwentna i poproszę — podstawiłam szklaneczkę, czekając, żeby Marcin mi nalał.

Wiedziałam doskonale, że żartuje i moje upodobanie do tego trunku absolutnie mu nie wadzi. Z niemal każdej podróży, a jeździ niemało, przywozi mi butelkę jakiegoś specjalnego alkoholu. Ktoś, kto mnie nie zna, mógłby po tym sądzić, że piję jak smok wawelski. Czasami nawet zrobi mi się w bufecie niezły zapas, ale mam przyjaciół, którzy chętnie mnie od niego uwalniają. W moim domu, w salonie oprócz pianina, na którym czasami grywa Marcin (ja nie mogę, bo mój pies wtedy przeraźliwie wyje… zupełnie nie rozumiem dlaczego), i skórzanej współczesnej kanapy stoi też wielki stary bufet na lwich łapach. Tam skrywam zapasy trunków. Kiedy przychodzą koleżanki, muszę bardzo uważać, otwierając wielkie drzwi trunkowego skrzydła bufetu, żeby nie odkryć całego wnętrza. I nie dlatego, że w bufecie chowam absolutnie wszystko i jest tam niezły bałagan (sama też spokojnie do niego wejdę), tylko uchylając zanadto drzwi, otwieram bar. Bez określenia godziny jego zamknięcia. Czyli jak w przyzwoitym pubie… tak długo, jak są klienci. A czasami trwa to aż do ostatniej butelki.

Janusz i Marcin od pierwszej chwili przypadli sobie do gustu. Marcin, nieco od Janusza starszy, dowcipkował, co przełamałoby między nimi lody wielkości Antarktydy. Obu zafascynowała kronika, którą na zmianę kartkowali.

— Wiecie, że pierwsze trzydzieści stron jest w języku niemieckim? — Marcin zerkał znad okularów. — Nie znam niemieckiego na tyle, żebym coś rozumiał. Ale spójrzcie, jakie pismo. Aż przyjemnie patrzeć. Mój ojciec tak pisał. Za cholerę nie umiałem podrobić jego podpisu. W końcu wymyśliłem, że w dzienniczku, w miejscu podpisu rodzica, sam się będę podpisywał. I kłopot z głowy.

— Daj — Janusz wyciągnął ręce, by wziąć kronikę — ja dość dobrze znam niemiecki. Dziewczyny, dajcie mi coś do pisania.

— Chyba nie będziesz w niej pisał. — Lucia miała oczy jak piłeczki do ping-ponga, przerażona, że może pokreślić cenny skarb.

— Tego bym ci nie zrobił. Chcę zapisać, co uda mi się przetłumaczyć.

Tłumaczenie wciągnęło ich tak bardzo, że dwukrotnie musiałam ich wołać na kolację. Przygotowałyśmy makaron w sosie brokułowym z kurczakiem i białe wino. Lucia z Januszem piła wino, Marcin nie pił wcale, a ja nie lubię mieszać trunków. Kiepsko się to dla mnie kończy.

— Słuchajcie… „24 stycznia 1889 roku odbyło się otwarcie tutejszej katolickiej szkoły i wprowadzenie nauczyciela Antoniego Klopscha. Na uroczystość przybyli oprócz cesarskiego starosty pana Meidela, cesarski powiatowy inspektor szkolny pan Kichhorn, patron szkolny von Jonaczewski, przedstawiciel szkoły i wielu nauczycieli powiatu". — Janusz czytał z namaszczeniem. — Toż to czysta historia.

— Coś mi się zdaje, że dzisiejszy wieczór zejdzie nam na czytaniu — zabrałam się do nakładania makaronu. — Ale musimy cię maksymalnie wykorzystać — Marcin łypnął na mnie rozbawiony — znaczy... twoją znajomość języka — wybrnęłam.

— Ja dziękuję za makaron. — Marcin zatrzymał w powietrzu moją rękę z miseczką. — Odchudzam się, poproszę tylko zieleninę — westchnął i rzeczywiście sięgnął po półmisek z surówkami.

— A tobie co? — zdziwiłam się, bo wydawało mi się, że już przyzwyczaił się do brzuszka, który od pewnego czasu zapowiadał jego nadejście. Najpierw wyłaniał się brzuch, potem dopiero Marcin. Straciłam już nadzieję, że w końcu zadba o zdrowie i postanowi trochę schudnąć.

— Czy ty wiesz, Ola, co dziś powiedział mi twój syn? — udawał oburzenie, ale kiepsko mu to wychodziło. Uwielbiał Tytusa z wzajemnością. — Kiedy spytałem, co go zainspirowało do kupna basseta, bo chyba nie moja obecna sylwetka, to powiedział mi: „nie, skąd, ty masz zupełnie inne uszy".

Lucia parsknęła śmiechem i opluła winem bekulki, które znowu kręciły się koło stołu. Zdziwione nagłym winnym prysznicem spłoszyły się i zaczęły beczeć. Nieoczekiwane poruszenie w kuchni wystraszyło rudzielca, który zeskoczył z parapetu i czmychnął na ogród. Pewnie nie chciał ryzykować spotkania z rozbrykanym Cezarem.

— Lucia, nie płosz stada — śmiałam się i próbowałam uspokoić Kaśkę (nie mylić z wnuczką Luci).

— Nie wiem, co w tym takiego zabawnego? — Marcin obrażał się na niby, a w duchu pewnie był zadowolony ze swojego dowcipu.

— Kotku — pogłaskałam go po ręce — przecież od dawna łatwiej cię przeskoczyć, niż obejść — dusiłam śmiech — ale i tak cię kocham najbardziej na świecie. A ty mnie? — spytałam figlarnie.

Marcin siedział z nabitą na widelec sałatą i wpatrując się w nią, udawał, że się zastanawia.

— Chłopie… nie myśl tak długo — znad kroniki konspiracyjnym szeptem odezwał się rozbawiony Janusz — i tylko nie pytaj: „kto, ja?", ani nie każ jej definiować słowa „miłość". Masz powiedzieć: „uwielbiam cię". Dobrze ci radzę — i wrócił do lektury.

Lucia przyglądała się Januszowi z miną, jakby zobaczyła go po raz pierwszy. Widać nie znała go jeszcze z tej strony.

— No co? Tylko mu podpowiadam — odłożył kronikę.

— To dlatego się rozwiodłeś? — zaryzykowała pytanie. — Nie trafiłeś z odpowiedzią?

— Jeszcze na pytanie: „czy wyglądam grubo?", nie powiedziałem: „wyglądasz super!", tylko spytałem: „w porównaniu z czym?" — mrugnął do Marcina. — Mówię ci, uważaj na pytania i odpowiedzi.

Wieczór się rozkręcał i było bardzo przyjemnie. Słodki smak metaxy nie bardzo pasował do dania z białym sosem, jednak mnie zawsze pasuje, do wszystkiego. Przyjemnie szumiało mi w głowie, kiedy nagle Janusz zapytał:

— Skąd właściwie macie tę kronikę?

— Znalazł ją chłopiec niedaleko plebanii, leżała w rowie — wyjaśniłam krótko.

— Oglądałyście ją dokładnie?

— Niby kiedy? Mamy ją od popołudnia, a teraz wy się do niej przykleiliście. — Lucia wzruszyła ramionami.

— To nie wiecie, że wydarto kilka ostatnich kartek? — u Janusza obudził się instynkt policjanta. — Zapiski kończą się na roku 1959. I myślę, że to właśnie tego szukano w nocy w rzeczach ze strychu. W końcu to kronika szkolna.

— Tylko po co? — zastanawiałam się głośno.

— Co po co? — Lukrecja nie nadążała za moim tokiem myślenia.

— Po co komu te kartki? — dokończyłam zaczętą myśl.

— Jeszcze nie wiem. — Janusz drapał się po głowie. — Ale się dowiem. Może ma to związek z tym gościem z porzeczek? Może coś tam było zapisane. Kto pisał tę kronikę?

— A skąd mamy to wiedzieć? — odpowiedziałam pytaniem na pytanie. — Przecież nie wypuszczacie jej z rąk.

— Słuchajcie. — Marcin trzymał kronikę przed sobą. — „Dnia 13 września powrócił z niewoli niemieckiej były kierownik tutejszej szkoły — kapitan Michał Stanisławski".

— Dziadek! — Lucia aż podskoczyła na krześle. Zaczęła się wiercić, jakby krzesło parzyło ją w pupę.

— I dalej już pisze on sam: „Na skutek wybuchu wojny z Niemcami, powołany 1 września do kadry oficerskiej rezerwy, otrzymałem przydział do sztabu 35 brygady Obrony Narodowej pod dowództwem pułkownika Lindy Stanisława, gdzie byłem do dyspozycji dowódcy do specjalnych poruczeń. Wojna nieszczęśliwa! W dniu 18 września 1939 roku dostałem się z rozbitkami Obrony Narodowej Poznańskiej, kilka kilometrów na zachód od wioski Łaziska, przy przejściu przez Bzurę do niemieckiej niewoli…" — Marcinowi załamał się głos i zamknął kronikę. — Czy mógłbym ją kiedyś przeczytać?

— Prawdę mówiąc… miałam nadzieję, że ktoś to rozszyfruje. — Lucia westchnęła. — Ale, Marcin, wybacz, ja muszę to zrobić — potrząsała niecierpliwie rękami. — To pisał mój dziadek, może się jeszcze czegoś o nim dowiem.

— I chyba jego córka, bo jest tu zwrot „kiedy ojciec mój, obejmując stanowisko nauczycielskie w tutejszej szkole…" — Janusz przekładał żółte kartki.

— Ciocia Flora! — Lucia znów podskoczyła. — Co było na tych kartkach? I czy jest gdzieś reszta?

— Do kiedy dzieci chodziły do tej szkoły? — zapytał Janusz. Pewnie natura policjanta nie pozwalała mu spokojnie zjeść kolacji, kiedy w powietrzu wisiała tajemnica.

— Jeszcze w latach osiemdziesiątych była tu filia gminnej szkoły. Ale chodziły tu tylko dzieci z tej wioski i tylko klasy od pierwszej do czwartej. Właściwie jedynie kilkoro. Ale pamiętam, że dziadek często siadał przy biurku i coś pisał. Możliwe, że właśnie tę kronikę.

Kiedy byłyśmy na strychu, oglądałam piękne biurko. Według mnie pochodziło z pierwszej połowy zeszłego stulecia. Z ciężką szufladą z przepięknym uchwytem. Fronty szafek oklejone fornirem, dodatkowo zdobione rzeźbami pięknych splotów akantu. Chciałoby się je gładzić i podziwiać. Takie masywne i dostojne. Zrobione z drewna dębowego, częściowo fornirowane szlachetnym dębem, w ciemnej tonacji brązu. Marzę, żeby kiedyś siąść do takiego i pisać… tak, jak zapewne robił pan Michał. Nie wiem, co mogłabym napisać, ale już samo siedzenie przy takim meblu uduchowia. Może pisałabym pamiętnik? No, mógłby być z tego nawet jakiś bestseller. Trochę w tym życiu narozrabiałam. Ale przyjemnie byłoby posiedzieć przy takim biurku i poczytać.

— Jakaś ważna informacja musiała tu być… i myślę,

a właściwie jestem pewien, że ma to związek z nieboszczykiem z ogrodu. Lata się pokrywają. Leżał tam jakieś pięćdziesiąt lat, czyli od lat sześćdziesiątych właśnie. — Janusz popijał wolniutko wino z kieliszka na wysokiej nóżce. — Robi się ciekawie. Wieczór zszedł nam na czytaniu krótkich fragmentów kroniki, z których najbardziej zapamiętałam wstrząsające fragmenty o śmierci dwojga małych uczniów, którzy zmarli po operacji wycinania migdałków, i o ciężkich mrozach w lutym 1929 roku. Temperatura spadła do minus trzydziestu dziewięciu stopni, a na Wileńszczyźnie nawet do minus czterdziestu ośmiu. „Biada tym, których mroźna noc zastała bez dachu. Podróżni na wozach zamarzali na śmierć. W pobliżu lasu znaleziono pewnego poranka wóz cygański, przy którym koń zamarzł, a wewnątrz wszyscy Cyganie do jednego".

Muszę tę kronikę przeczytać całą. Jest niezwykła. Grubo po północy, kiedy już kleiły mi się oczy, Marcin zdecydował, że bierze mnie do miasta, do domu, i odstawi następnego dnia.

— Zostaniesz ze mną do rana? — pytałam już w samochodzie.

— Jasne — przytaknął. — Odwiozę cię do Luci na obiad. Tak się umówiłem z Januszem — mrugnął do mnie. — Bardzo chciał z nią dziś zostać, więc zdecydowałem, że nie będziemy im utrudniać.

Uśmiechałam się do własnych myśli i zastanawiałam się, czy aby dziś znów kolacja nie była za smaczna. Wina było aż nadto… zadbałyśmy o to, a panowie jeszcze donieśli butelki. Więc do domu nie będzie wracał. Chata wolna… a i miejsce jest.

O grze wstępnej i o tym, do czego w sypialni służą truskawki

„Pojechali. No, ładnie! Już słyszę te plotki w sklepie — myślała Lukrecja, dopijając swoje wino. — Ciekawe, czy się z nim prześpię? Żeby nie głęboka noc, to w sklepie pewnie już by wiedzieli. Zawsze wszystko wiedzą najlepiej, lepiej nawet niż sam zainteresowany. Cóż, taka natura. Jak mówi Olka, każdy ma jakieś hobby, a o gustach się nie dyskutuje".

— Lucia, znieś mi tu wszystko ze stołu, ja pozmywam. — Janusz przerwał jej rozmyślania i odkręcił kran. — Resztki już wrzuciłem do wiaderka, jutro zaniosę to kurom.

— Będą jadły swoją siostrę? Toż to kanibalizm. — Lukrecji troszkę szumiało w głowie, ale czuła się z tym nad wyraz dobrze.

— Z ich siostrą już się uporał kot — odwrócił się od zlewu i obdarzył Lukrecję widokiem swojego zadowolonego oblicza.

„Matko kochana! Czy ja śnię? Są tacy faceci na świecie?" — zastanawiała się. Nie mogła uwierzyć w to, co widziała i słyszała. Przystojny mężczyzna, ze spluwą za paskiem, stoi przy zlewie w jej kuchni i zmywa. Zaraz przypomniała sobie rozmowę, w której Olka opowiadała o mądrościach wyczytanych w tych jej poradnikach psychologicznych. Dla kobiety tak właśnie powinna wyglądać gra wstępna. Mężczyzna w kuchni przy zmywaniu, a kobieta w kąpieli z pianką. Według faceta wystarczy tylko szturchnąć partnerkę w łóżku i spytać: „Nie śpisz?". I cała filozofia. „Czyżby się coś kroiło? Jeśli tak, to muszę wziąć od Olki te książki — postanowiła. Widać wypadłam zupełnie z obiegu i muszę znów przejść kurs dla początkujących. Może jednak warto? Tylko po cholerę dokarmia mi tego rudego wroga pod moim własnym dachem? No tak! Męska solidarność. Chyba nie mam co liczyć na to, że wydostanie go z tej rudej skóry. Trudno" — westchnęła.

— Gotowe. — Janusż wytarł ręce i odwieszał ściereczkę.

— Rogacizna do kina... albo na podwórko! — otworzył drzwi na podwórze i zdecydowanie wyprosił owieczki z kuchni. Rudzielec wyszedł za nimi. — A ty, moja droga — podszedł do spłoszonej Lukrecji i odstawił na stół jej kieliszek wina — nie upij mi się, bo dziś na pewno nie pojadę do domu. A spać w aucie nie zamierzam — objął ją wpół i bez zbędnych ceregieli zaczął całować.

„Boże! Już zapomniałam, do czego jeszcze, oprócz mówienia i jedzenia, mogą służyć usta" — westchnęła. Kuchnia zawirowała, zrobiło się jej gorąco i to zdecydowanie nie z powodu menopauzy. Wybuchy gorąca już dawno miała za sobą. I nie przejmowała się, że owce beczały, świerszcze bzykały. Tej nocy, miała nadzieję, że nie tylko one. Janusz nagle wziął ją na ręce i ruszył w kierunku sypialni. „Ola, dzięki, że stargałaś ze mną ze strychu to wielkie łóżko — pomyślała. — Miałaś rację. Pewnie jeszcze do czegoś się przyda".

Przydały się też przyniesione z ogrodu truskawki i teraz już Lukrecja wiedziała, po co Janusz płukał je dokładnie na sicie i układał na szklanym półmisku. Ale dlaczego wybierał te z szypułkami? Kiedy ułożył Lucię na wielkim łóżku, poszedł na powrót do kuchni i wrócił z truskawkami i niedokończoną butelką białego wina.

— Do truskawek powinien być szampan — uśmiechnął się do nieco zdziwionej Luci — ale coś mi się zdaje, że dziś różnicy i tak nie poczuję.

Lukrecja patrzyła na niego z łóżka, leżąc na wznak oparta

na łokciach. „Co on zamierza robić? — zastanawiała się. — Nie najadł się podczas kolacji czy może nie dopił? To prawda, że kolacja była raczej lekka, ale alkoholu było aż nadto" — pomyślała. Przecież sama wcześniej to uknuła. A Janusz spokojnie przysunął do łóżka stołek, ustawił na nim przyniesione wiktuały, pozbierał porozstawiane po całej sypialni świece. Potem, wciąż zerkając na dziwiącą się kobietę, zapalał je i ustawiał na parapecie okna i na podłodze wokół łóżka. „Matko kochana — Lukrecja śledziła jego ruchy i zastanawiała się, co on wyprawia. — Zerkała, jak zapalał świece jedna po drugiej. — Niemożliwie! Trafił mi się policjant z duszą romantyka. Albo romantyk w ciele policjanta. No coś takiego!"

Kiedy wszystkie świece w sypialni zostały zapalone, mężczyzna wyszedł do kuchni i pogasił światła. Wchodząc do rozświetlonej światłem nisko stojących świec sypialni, zaczął rozpinać koszulę. Już od pocałunku w kuchni Lukrecja wiedziała, na co się zanosi, ale teraz była pewna, że to właśnie ta chwila. „Widać dobrze wyważyłam ciężkość kolacji i ilość wina" — pomyślała z zadowoleniem. Jednak takiej oprawy dalszego ciągu wieczoru się nie spodziewała. Patrzyła teraz łakomie na wyłaniający się spod koszuli męski tors i fala gorąca przepłynęła jej z twarzy w okolice brzucha. A potem jeszcze zdecydowanie niżej. „Matko kochana! Co mam robić? Jak się zachować? Co teraz?" — panikowała w myślach, ale chęć dotknięcia muskularnego torsu i przytulenia się do wpółnagiego Janusza zagłuszała jakikolwiek głos rozsądku i podsycała i tak już długo skrywane żądze. Nie musiała nic wielkiego robić. Janusz przyklęknął przy łóżku i sam zaczął rozpinać guziczki jej płóciennej bluzki. Lukrecja czuła, jak guziczek po guziczku potęgowało się jej podniecenie, i kiedy rozpiął najniższy, roztapiała się już jak wosk w płonących wokół łóżka świecach.

Przewidując finał kolacji, włożyła najseksowniejszą bieliznę, jaką miała, a był to prezent od córek pod choinkę. Czyżby w ten sposób chciały matkę do czegoś zachęcić? Już nieraz się nad tym zastanawiała. Teraz wreszcie przyszedł czas na popielatosrebrny komplet.

Już po chwili dowiedziała się, do czego Januszowi potrzebne były truskawki z szypułkami. Jedną z nich, trzymając za ogonek umoczył w kieliszku z winem i teraz muskał nią nagi brzuch kobiety. Lukrecja wstrzymała oddech. „O, matko... co się ze mną dzieje?" — zaczęła myśleć w popłochu, ale już po chwili zalała ją fala gorąca, płynąca z namiętnego pocałunku. Potem Janusz nagryzł owoc i znów umoczywszy go w winie, wodził nim po falujących z namiętności piersiach Lukrecji. Okrążał bogate koronki stanika i spoglądał na zastygające w bezruchu ciało. Znów nachylił się nad nią, ale tym razem zaczął zlizywać ślad po truskawce, zgrabnie odchylając palcami koronki. Gorący, mokry dotyk jego języka wprawił ciało kobiety w rozkoszne drgawki i choć zaciskała w dłoniach zmięte prześcieradło, niewiele to pomagało.

— O matko kochana. — Lukrecja już nie wytrzymała i z głośnym westchnieniem przyciągnęła Janusza do siebie. Spojrzała w jego rozgorączkowane oczy i zauważyła, że lekko się uśmiecha. — No, co? — spytała speszona.

— Nic — nie krył uśmiechu. — Cieszę się, że brałaś to dziś pod uwagę.

— Skąd wiesz? — próbowała się z nim przekomarzać.

— Zawsze nosisz taką seksowną bieliznę? — spoglądał na nią figlarnie.

„Jasne, że nie — pomyślała. — A za chwilę się dowie, że depilowałam się też specjalnie dla niego". — Jednak teraz było jej wszystko jedno, co sobie o niej pomyśli. Bezwiednie głaskała jego nagie ramiona i zastanawiała się, jak się wydostać z reszty ciuchów.

— Zawsze — powiedziała przekornie i pomyślała, że przyjdzie jej wymienić całą bieliznę. Janusz bardzo szybko wyswobodził ją z reszty ubrań i nawet nie wiedziała, kiedy pozbył się swoich. Teraz łapczywie przywierała do jego nagiego ciała i upajała się każdym uściskiem, każdym muśnięciem warg, każdym pocałunkiem, każdą najmniejszą pieszczotą. Potem odleciały wszelkie myśli, sufit zaczął wirować i blask światła świec wydawał się rozświetloną drogą do raju. Tak właśnie poczuła się Lukrecja, kiedy wyprostowała już rozkoszą wygięte w łuk plecy… zupełnie jakby zstąpiła z nieba.

Resztę truskawek dojedli po dłuższej chwili, kiedy zdyszani opadli na poduszki. Jednak już bez uprzedniego rozsmarowywania ich na brzuchu Luci. Lukrecja spełniona patrzyła w sufit i uśmiechała się bezwiednie.

— Uśmiechasz się… o czym myślisz? — Janusz spoglądał na nią oparty na łokciu.

Spojrzała na niego z tym uśmiechem i zupełnie spokojnie, bez najmniejszego skrępowania powiedziała: — Cudnie było — westchnęła — i zastanawiam się, gdzie posadzić więcej truskawek.

*

Obudziłam się wcześnie i spojrzałam na poduszkę obok. Marcin spał smacznie, a to raczej rzadki widok, nie tylko dlatego, że nieczęsto ze mną zostaje, ale też dlatego, że zwykle, kiedy otworzę oczy, on leży obok i patrzy na mnie. Potem zawsze się martwię, że może spałam z otwartą buzią, „na popielniczkę", jak mówi mój brat.

Noc była gorąca. W przenośni i dosłownie. Teraz rześkie powietrze wpadało przez otwarte okno i wschodzące słońce już rzucało koronkowy ślad na ściany. Jestem wrogiem falbaniastych firanek w oknie, ale uwielbiam ręcznie robione, płócienne firanki. Te w sypialni szyłam sama. Jednak tylko szyłam. Misterne, szerokie, niciane wstawki wszywane w płótno zrobiła mi koleżanka. Ma dziewczyna cierpliwość i sprawne palce. Na każdą szybę napięta była osobna firanka i z każdej inna róża rzucała teraz swój ażurowy obraz na niebieską ścianę. Lekko czerwone, wschodzące słońce zabarwiało wzorki na różowo. Piękny widok. Ten na ścianie i ten na poduszce.

Kiedyś bardzo chciałam, żeby Marcin każdego ranka budził się ze mną. Nie mógł, nie chciał… nie wiem. Wieczne czekanie i niecierpliwość doprowadziły mnie do takiej frustracji, że musiałam odejść. I musiałam spróbować „stadnego życia", żeby zrozumieć, że nie chcę tak żyć. Jestem jak ten rudy kot Luci… chodzę własnymi drogami i nikt nie ma prawa mi mówić, co mam robić. Trudno! Widać nie nadaję się do życia w parach. Zawsze sama decydowałam o sobie i o wszystkich życiowych decyzjach. O budowie domu, o zmianie pracy… o wszystkim. Z mężem też się rozwiodłam. Może jednak z innego powodu niż brak możliwości samostanowienia, bo od początku chodziliśmy własnymi drogami, więc stadne życie wyraźnie mi nie służy. Dziw nad dziwy, że wychowałam syna na porządnego człowieka, odpowiedzialnego, chociaż luzaka. Ale skoro podjął decyzję o kupnie domu i założeniu rodziny, to może chociaż on będzie miał udane „stadne życie"? Bardzo bym chciała. Uwielbiam jego dziewczynę… i to nic nie szkodzi, że zamiast dziecka planują mieć psa. Bylebym tylko nie ja musiała im go wychowywać.

Ciekawe, czy Lucia obudziła się z kimś obok na poduszce. Zasługuje kobieta na szczęście jak rzadko kto. I oby wreszcie nadeszła jej kolej. Dosyć się naczekała.

Nie wiem nic o Januszu, ale te kilka dni przekonały mnie, że to naprawdę porządny facet. Może trochę apodyktyczny, jak to policjant, ale Luci to najwyraźniej nie przeszkadza. Nie wiem, jakim mężem był Krzysztof, jakie życie Lucia woli: w parach czy solo? Ale chyba jednak jest typem kobiety rodzinnej. Chciałabym, żeby spełniły się jej oczekiwania i pragnienia, o których nawet boi się głośno mówić. Oprócz tego, o którym słyszałam już wielokrotnie... żeby Janusz kropnął jej rudzielca. Czymże zawinił jej ten kot, że tak go przegania? Przecież chyba żartowała, kiedy ją o to spytałam, a ona mi odpowiedziała:

— Bo jest rudy. A każdy rudy jest fałszywy... tak uważam.

Pewnie miała na myśli swoją byłą podwładną z biblioteki, Elkę. Ale przecież nie kolor włosów decyduje o poziomie wredoty we krwi. Paskudnym się jest albo nie. A kolor włosów to teraz kwestia dwóch godzin u fryzjera. Ale co tłumaczy brzydkie zachowanie Eli? Młodość? Naiwność? Dała się wypuścić wójtowi na Lucię i donosiła na nią. Może nie bezpośrednio na nią, ale jak się dowiedziałyśmy od Beaty, to właśnie ona szczuła zastępcę, mówiąc, że Lucia ma własny dom i zajmuje własność gminną. Nie wiadomo, dlaczego nie lubiła córek swojej szefowej, chociaż nic jej nie zrobiły. One zresztą też za nią nie przepadały i Lucia nie mogła się od nich dowiedzieć, jaki był tego powód. Dopiero teraz, kiedy wyszły na jaw jej zapędy na stołek Lukrecji, przyznały się, że organicznie nie znoszą prostactwa, co jednoznacznie wyklucza Elkę z kręgu ich znajomych.

Tak czy siak, rudy kot Luci wcale nie musi być wredny tylko dlatego, że jest rudy. Muszę już koniecznie wstać, bo głupoty przychodzą mi do głowy… jeszcze włosy mi zrudzieją. A wredoty we krwi pewnie bym nie zniosła i musiałabym sobie w łeb strzelić. A wreszcie jest z czego.

*

Marcin zawiózł mnie do Luci i zjadł z nami niedzielny rosół. Magda i Ewa z rodzinami wyjechały na wakacje, ale niedzielna tradycja… rzecz święta. Janusz musiał pojechać do pracy, cóż, służba nie drużba, a Marcin po obiedzie pożegnał się i zniknął. Jakiś ważny mecz czy coś innego… Już przywykłam. Nawet lubiłam, jak wyjeżdżał na te swoje sportowe imprezy. Miałam wtedy czas dla siebie. Nie ma nic gorszego od faceta bez zainteresowań, który próbuje żyć twoim życiem, bo własnego nie ma.

— Opowiadaj — postawiłam na stole dwa kubki kawy i usiadłam naprzeciwko niej.

— Oj, co mam ci opowiadać. — Lukrecja wzruszyła ramionami, ale tylko po to, by ukryć zażenowanie. W końcu jednak, kiedy upiła łyk kawy, uśmiechnęła się od ucha do ucha i powiedziała:

— Ola, było super. Już nawet nie pamiętałam, że może być tak rewelacyjnie. Janusz jest po prostu boski. Wprost idealny — zachwycała się już otwarcie. Mieszała łyżeczką w kubku z kawą tak zapamiętale, że zaczęłam ją podejrzewać o słodzenie kawy. A przecież pije gorzką. Widać trochę była zmieszana… jak ta jej kawa.

— Moja droga. Facet idealny jest tylko wtedy, kiedy pisze CV. Wtedy okazuje się, że posiada wszelakie cnoty — próbowałam to zbagatelizować i sprowadzić ją na ziemię.

— No, wiem, że teraz idealizuję — uśmiechała się lekko zawstydzona — ale tak dawno nie byłam w podobnym położeniu.

— Dobrze to ujęłaś — zachichotałam. — Położeniu.

— Matko kochana, Ola! Wiesz, o czym mówię. Po tylu latach kompletnej posuchy trafia mi się taki gość — zaczęła mówić z ożywieniem, jak nakręcona. — Już myślałam, że nic takiego mnie w życiu nie spotka, a tu masz! Truskawki, wino, płonące świece — lekko się rozmarzyła.

— No, kochana. Toś się przygotowała — pochwaliłam ją.

— To nie ja — zaprzeczyła z przebiegłym uśmiechem. — To Janusz wszystko zaaranżował.

— Co ty powiesz! — bardzo mnie tym zadziwiła. Muszę przygadać Marcinowi, ostatnio nieco mniej się stara.

— I nawet się wystraszyłam, jak wychodził rano do pracy, że może już nie wróci, a on spytał jakby nigdy nic, czy ma wstąpić po drodze do domu po jakieś zakupy — spojrzała na mnie uważnie. — Ola, słyszałaś? Powiedział „po drodze do domu".

— To już coś znaczy — przytaknęłam i pomyślałam, że jednak Lucia jest zwierzęciem stadnym. — To znaczy, że dziś śpię u siebie? — mrugnęłam do niej.

— Nie, zostań ze mną jeszcze. Przecież przyjechałaś na wakacje.

— Ale to Janusz z tobą zostanie — trochę byłam rozczarowana. Spodobało mi się buszowanie po strychu i nie mogłam się doczekać podziwiania kolejnych meblowych skarbów. Meble były jedną z moich miłości, a im starsze, tym lepsze. Specjalnym sentymentem darzyłam te z okresu secesji.

— Nie dziś. Mają jakąś akcję wyjazdową — machnęła ręką. — Zresztą on tylko chciał zrobić zakupy, a nie wprowadzić się do mnie. Nie zapomnij, że obiecałaś pomóc mi ogarnąć strych.

— Właściwie to nawet był mój pomysł — zauważyłam.

— No właśnie. — Lucia chwyciła w lot tę ideę. — Nie zostawisz mnie teraz z tym bałaganem.

— Coś ty! Uwielbiam strychy — westchnęłam z rozrzewnieniem.

I znów południe zeszło nam na myszkowaniu po strychu. Do plastikowych worów poszły wiechcie suszonych ziół, które wisiały pod belkami, jakieś pudła z orzechami, których daty zbioru Lucia nie mogła odgadnąć. Jeszcze jakieś tace z wyschniętymi cebulami kwiatów, o których wszyscy święci zapomnieli. Lucia też. Trochę tego wszystkiego było.

— Co zrobisz z tym biurkiem? — głaskałam rzeźbienia na drzwiach bocznych szafek. — To pewnie biurko twojego dziadka Michała.

— Nawet nie wiem, czemu się tu znalazło — siadła na starym kufrze i spoglądała na mebel — i kto je tutaj wtargał. Wygląda na strasznie ciężkie.

— Jest cudne — westchnęłam.

— Chyba po śmierci dziadka wylądowało na strychu — przyglądała się meblowi z wysokości starej skrzyni. Siedziała na niej okrakiem i nad czymś się głęboko zastanawiała. — Może urządzę tu sobie pokój do pracy, taki jak miał dziadek. O! I ta szafa z sypialni będzie do tego fantastycznie pasować — wreszcie się odezwała i zaraz zaczęła planować.

— A co w miejsce szafy?

— Może ten kufer — klepnęła dłonią w skrzynię, na której siedziała. Nawet nie wiedziałam, że w powietrze może się wzbić jeszcze więcej kurzu. — Tylko trzeba go odnowić. A ja nie mam za co — westchnęła.

No tak, wiedziałam, że wciąż ją to trapi. Nie pracuje... co prawda, coś tam jeszcze dostaje, bo z powodu zszarganych nerwów jest na zwolnieniu lekarskim. Uważa, że po tylu latach pracy bez chorowania i zwolnień chociaż tyle od ZUS-u jej się należy. — Same to zrobimy. Masz przed sobą fachowca, zapomniałaś?

I tak zaplanowałyśmy roboty na co najmniej kilka dni. Zniosłyśmy z góry kufer, a właściwie sam omal nie zjechał. Dopiero w świetle dziennym zobaczyłyśmy, jaki jest cudowny. Frontową część skrzyni rzemieślnik przyozdobił inicjałami i rokiem wytworzenia, stąd wiedziałyśmy, że zrobił go w 1910 roku niejaki K.D. Do wykonania tej wyjątkowo efektownej, a zarazem bardzo prostej skrzyni użyto drewna dębowego. Wieko opasane było metalowymi listwami z zawiasami i uchwytami na kłódki. Kufer można przenosić za pomocą uchwytów na jego bocznych ścianach. Powiedzmy, że można, bo ciężki jest niemiłosiernie. Przy znoszeniu go ze strychu o mało nie posłużyłam jako masa poślizgowa przy zjeździe skrzyni. Krawędzie też okuto ku zabezpieczeniu, co poczułam na prawej łydce. Wewnątrz, oprócz masy pudeł, pudełek i pudełeczek, był jeszcze dodatkowy mały schowek, umieszczony w górnej części bocznej ścianki.

— Patrz, Lucia! — trzymałam w rękach nowe znalezisko. Ze stosika fotografii w kolorze sepii uśmiechały się do nas namiętnie nagie damy. Długie cygaretki, kapelusiki podobne do czepków kąpielowych, zalotne pukle włosów wystające spod nich. I te spojrzenia… ni skrępowania, ni rozpasania.

— Matko kochana! Ile jeszcze tego znajdziemy? — wzięła z moich rąk otwarte już pudełko z retro golizną. — Gdzie to było?

— W tym małym schowku z boku — postukałam palcem w schowek, a drugą ręką pocierałam wciąż bolącą łydkę. — Ciekawe, kto tak skrzętnie to skrywał?

— Lepiej zapytaj, kto to kolekcjonował — westchnęła. — Obawiam się, że odpowiedź znamy obie.

— Twój dziadek? — specjalnie mnie to nie zdziwiło, bo przecież to tylko facet.

— No, a kto? Chyba nie babcia? — zrobiła skrzywioną minę. — Teraz chowają przed żonami „Playboya", a kiedyś takie fotki.

— E, to żadne przestępstwo. Sama lubię popatrzeć — wzruszyłam ramionami. — Dużo kobiet lubi… tylko która się do tego przyzna? Pokaż — wyciągnęłam rękę. — To te same modelki?

— Czy ja wiem? Przez te kapelusze są takie podobne. Chociaż… te są nieco bardziej współczesne. Może lata dwudzieste albo trzydzieste. Te kapelusiki, pończochy i długie cygaretki… Może to mojego taty? Nie, za stare.

— Kobietki?

— Zdjęcia. Nie, z całą pewnością dziadka. Już nawet boję się zaglądać do biurka — westchnęła. — A swoją drogą, skąd się bierze ta męska obsesja na punkcie nagich kobiet?

— Oj, Lucia. Od zawsze faceci gapili się kobietom na biusty. Opieprzeni o to, zwykle mówią: „wcale się nie gapiłem, ale jej piersi przysłaniały mi widok". Koń by się uśmiał.

— No tak, masz rację. Cycki to cycki. Obojętnie, do kogo należą. Wiesz, czasami się zastanawiam, czy to prawda, że rozmiar biustu jest odwrotnie proporcjonalny do poziomu inteligencji? — uśmiechnęła się pod nosem.

— Myślisz o Elce? — w mig się zorientowałam. Widziałam przecież jej byłą koleżankę.

— Nie, skąd — zaprzeczyła. Choć zdawało mi się, że już dopuszczała do siebie myśl, że jej podwładna nie była wobec niej lojalna.

— Moja droga, w przypadku kobiet niekoniecznie, jednak jeśli chodzi o mężczyzn... to im większy biust u jego kobiety, tym mniejsza inteligencja jej faceta.

Lucia spojrzał na swój dekolt i z powątpiewaniem pokiwała głową.

— Może się zgadzać — odetchnęła z ulgą. — To co teraz robimy?

— Najpierw ogarniemy kufer. Nie możemy zostawiać niczego na noc na podwórzu.

Kufer, pomimo stuletniego rodowodu, nie wymagał wielu zabiegów. Drewno było zdrowe, a okucia trochę tylko pordzewiałe. Wystarczyło je przetrzeć czymś lekko ściernym i nanieść preparat nabłyszczający, a szybko odzyskało swój dębowy blask. Za to wnętrze śmierdziało, jakby ktoś tam trzymał trupa.

— Matko kochana! Może niepotrzebnie się tak napracowałyśmy? — Lucia drapała się po głowie, co chwila nachylała się do wnętrza kufra i wąchała. — Śmierdzi jakby trochę mniej.

— Zostawimy kufer otwarty na jakiś czas, a potem spróbujemy czymś umyć — postanowiłam. — Teraz te wszystkie środki do mebli tak ładnie pachną. A jeśli nawet nic z tego nie wyjdzie, zawsze możesz postawić go w nogach łóżka, nakryć serwetą i używać jako stolika do śniadania.

— Albo zamknijmy w nim rudzielca — pociągnęła moją myśl Lukrecja, tym samym tonem co ja.

— Lucia!

— No co? Jak zdechnie, to chociaż będę wiedziała, dlaczego w nim śmierdzi — drażniła się ze mną. — Mam podejrzenia, że faceci w tym domu budują wspólny front. Ty się nie waż! — powiedziała do Cezara, grożąc mu palcem.

— Beee — baranek patrzył na Lucię i pojęcia biedak nie miał, o czym jego pani mówi.

Kufer wstawiłyśmy do chlewika, otwarłyśmy wieko i gorąco się modliłyśmy, żeby to pomogło. Retro porno dołożyłyśmy do poprzedniego zbioru, zamieniając pudełko na większe, bo przy tak gruntownym sprzątaniu kolekcja pewnie nam się jeszcze powiększy.

O plotkach, o znikającym dębie i o nawiedzonym strychu

Wieczorem odwiedziła nas Beata. A właściwie Lucię, ja w końcu byłam tam gościem. Ze szklaneczkami metaxy siadłyśmy przed domem. Oczywiście wiedziała, że Janusz spędził noc w domu Pani Ja, więc pewnie już cała wieś o tym mówiła.

— Lucia, przecież jego auto stało przed twoim domem. To myślałaś, że co? Nikt nie zauważy? Tę wiadomość dostałam w ramach promocji do bułek. Oczywiście ze stosownym komentarzem — zrelacjonowała Beata.

— Moja droga… nie mam piętnastu lat, nie jestem zamężna i nic mnie nie obchodzi, co się w sklepie będzie mówiło. — Lucia upiła większy łyczek. — I nawet nie miałam zamiaru tego ukrywać. A co! Elka bardzo była zgorszona? — zachichotała.

— Ona tak. Inni mieli to gdzieś, nawet jej brat. — Beata i Lucia stuknęły się szklaneczkami, kończąc temat plotek o swobodnym prowadzeniu się Lukrecji. — Podobno likwidujesz strych.

— O tym też słyszałaś? — zdziwiłam się. Na tej wsi nie uchowa się żadna tajemnica. Mam cichą nadzieję, że nie wszędzie tak jest. Przecież życie na wsi jest wciąż moim marzeniem.

— Kochana, wiem nawet, co jedliście wczoraj na kolację. — Beata triumfalnie spojrzała na Lucię.

— Czemu mnie to nie dziwi? — westchnęła. — Widzisz, Ola... to jest ta wieś, o której tak marzysz. Dobrze się zastanów, bo marzenia czasem się spełniają.

Wieczór był ciepły i przyjemny. Słońce już prawie zachodziło, komary cięły, jakby im ktoś za to płacił, ale i tak nie psuło nam to frajdy z wieczornej pogawędki przy drinku. Owieczki dawno już spały w kuchni pod stołem, a rudzielec przechadzał się wzdłuż ściany chlewika, gdzie wietrzył się jego przyszły sarkofag...

— Ale nie wiecie jeszcze najlepszego! — Beata aż podskoczyła. — Pamiętasz, Lucia, ten dąb przy kościele?

— No, piękny był, chociaż stary. Jeszcze wtedy pracowałam i przyglądałam się tej wycince — wspominała.

— Wyobraźcie sobie, że nie wiadomo, kto go wyciął! — wykrzyknął nasz gość.

— Jak to nie wiadomo? — zaciekawiło mnie. Drzewa to mój żywioł i wiedziałam, że tylko w jeden sposób można spowodować, żeby zniknęły... wyciąć je.

— Podobno nie wolno wycinać drzew bez zgody i teraz nikt nie chce się przyznać — powiedziała oburzona Beata.

— Czyjej zgody? Księdza? — Lucia próbowała dociekać.

— Nie. No co ty — wzruszyła ramionami — ochrony środowiska albo władz... chyba. Gdybyś tylko spróbowała ruszyć któreś z tych drzew koło domu, nieźle by ci się oberwało.

— To kto w końcu wyciął ten dąb? — zaczęłam dopytywać

zniecierpliwiona. Nie mieściło mi się w głowie, żeby ponad-stuletni dąb nagle zniknął. Takie drzewo jest pod ochroną. Ile mamy wokół takich pamiątek przeszłości?

— No właśnie nie wiadomo.

— Matko kochana, Beata! — Lucia strasznie się nakręca-ła. — Przecież dąb to nie kępa pokrzyw. Nie da się go wyciąć niepostrzeżenie, przecież wszyscy musieli to widzieć.

— Ano widzieli! — zgodziła się. — Tylko teraz nie ma zleceniodawcy. Teraz się okazuje, że nikt nie kazał go wycinać.

— To kto go, do cholery, wyciął? — domagałam się odpo-wiedzi i przypomniałam sobie wykład, jaki dałam Luci na ten temat, kiedy przymierzała się do wycięcia jednego modrzewia przed domem. Przysłaniał światło, przez co w mniejszej klasie było ciemno i ponuro. — Przecież musiały być jakieś piły, maszyny. Pilniczkiem do paznokci nikt tego nie zrobił!

— No nie — machnęła ręką. — Zrobiła to jakaś firma, tylko teraz nie wiadomo, na czyje zlecenie.

— Dziwne, że nasz proboszcz nie zareagował. — Lucia kręciła głową z niedowierzaniem.

— Lucia, jego wtedy nie było. — Beata chwyciła ją za ra-mię. — Pamiętasz, jak pojechał do swojego siostrzeńca, który leżał długo w szpitalu? — patrzyła na koleżankę, która usilnie starała się odnaleźć ten fakt w pamięci. W końcu przytaknęła.

— To było wtedy. Jak ksiądz Zygmunt wrócił po kilku dniach i upomniał się o swój dąb, to mu ludzie, którzy na to patrzyli, powiedzieli, że dąb podobno był wiarołomny.

— Wiatrołom — poprawiłam ją.

— No właśnie — przytaknęła niespeszona. — Ale ludzie porobili zdjęcia i wcale tak nie było.

— I co teraz?

— Nie wiem dokładnie, jak to dalej wygląda, ale zrobiła

się z tego niezła rozróba. Ktoś zgłosił to gdzieś do powiatu i teraz szukają winnych. — Beata rozsiadła się wygodniej na ławeczce.

— Nie pierwszy raz jest rozróba — westchnęła Lukrecja.

— Może ktoś w końcu dobierze się naszym władzom do skóry.

— Albo do tyłka. — Beacie odpowiadało bardziej dosadne określenie. Rozliczenie władz też byłoby jej na rękę.

Dziwne rzeczy dzieją się w tej wsi. Zanim nie zaczęłam śledzić jej losów i brać czynnego udziału w dramacie Luci, pomyślałabym, że to dobry materiał na scenariusz komedii. Ale to, niestety, nie było śmieszne. Szczególnie, kiedy siedziało się w samym środku i niesprawiedliwie obrywało. Boże, jaki ten świat jest dziwny.

Zrobiło się już niemal ciemno i Beata zbierała się do domu. Musiała wracać, póki jeszcze było widno, bo w ramach oszczędności, kiedy robi się ciemno, nie zapala się lamp na ulicach i zapanowują egipskie wprost ciemności. Żeby nie światła na podwórkach mieszkańców, za które płacą oni sami, można by podrapać sobie facjatę o pierwszy z brzegu płot. Mieszkańcy powoli przyzwyczajali się do wychodzenia z domu z latarką, a niektórzy zaopatrzyli się nawet w latarki czołówki. Wygląda to tak, jakby cała szychta górników wyszła na powierzchnię. Wiesia z poczty miała inny sposób. Kiedy wracała do domu po północy, bo i tak bywało, za azymut obierała bankomat. Tylko on się świecił na całej ulicy. Potem szło już łatwo... wiedziała bowiem, że mieszka dwadzieścia metrów za nim. Odliczała kroki. No cóż, każdy radzi sobie, jak może.

Po kolejnej szklaneczce alkoholu doszłyśmy do wniosku, że pora do łóżka. Wszystko przez te rozmowy o oszczędzaniu. Lucia wygłosiła gdzieś przeczytane zdanie: bogactwo to stan umysłu, nie konta. Wszystkie się z tym zgodziłyśmy, więc żeby nie stracić resztek majątku, szybciutko postanowiłyśmy iść spać.

*

— Ola, słuchaj. — Lukrecja szturchnęła śpiącą koleżankę łokciem i obudziła ją w środku nocy. — Słyszysz?

— Matko kochana! Co? — Ola wystraszona usiadła na łóżku. W jednej chwili oczy miała okrągłe i przytomne. — Co to było?

Obie spojrzały na sufit, bo wyraźnie coś się działo na strychu. Ucichło. Ola przestała oddychać, Lukrecja też patrzyła na sufit na zupełnym bezdechu. Potem powoli wstała z łóżka i zapalarką do grilla zapaliła lampion.

— Matko kochana! — powiedziała przerażona. — Że też nie mam w domu kija bejsbolowego albo jakichś innych widel. Jutro na pewno nie pójdę spać, zanim nie postawię łopaty przy łóżku.

Oczy Olki robiły się coraz większe, Lukrecji ze strachu wszystkie włosy stanęły dęba. Zaczęła rozglądać się po pokoju w poszukiwaniu jakiegoś oręża. Na próżno. Znów dobiegły je dziwne hałasy, jakby ktoś ciągnął coś po podłodze strychu. Przestało. Znów… ale jakby kroki.

— Jezu, Lucia! Nie zostawiaj mnie tu — szeptała Olka i na kolanach szła przez wielkie łóżko. Stanęła za przyjaciółką i chwyciła się jej koszulki. — Może to Pani Ja?

— Gdzie, na strychu? — szeptała wystraszona Lukrecja. — Co by tam robiła?

— No, co ty gadasz… ja tylko żartowałam. — Ola wyprostowała się nagle bardziej zdziwiona niż przestraszona. Ale wizja chodzącej po strychu cioci Flory ją samą nieco wystraszyła.

— Pomidory przecież posadziłam — cicho wyliczała Lukrecja — ale ciocia nie lubiła, jak chodziłam na strych… nie wiem dlaczego. Może nie podobają się jej nasze porządki? Eee, tam! Duchów nie ma — uspokajała przyjaciółkę.

— No właśnie!

— O, matko kochana, Ola! Lepiej, żeby to jednak były duchy.

Ola znów chwyciła się piżamy Luci i szła za nią jak cień. Trudno to jednak było nazwać chodzeniem. Obie skradały się przygarbione i jakoś żadna nie miała ochoty iść przodem. Jednak Lukrecja leżała w łóżku od strony drzwi, więc tak wyszło. Krok za krokiem zbliżały się do wyjścia. A szuranie nie ustawało.

— Yyy… — Olka zachłysnęła się powietrzem. — Ja pierniczę, ale się wystraszyłam — stała wyprostowana jak struna i patrzyła w lustro w drzwiach szafy. Jednak zaraz znów chwyciła się piżamy koleżanki i przytuliła do niej.

— Teraz mnie rozumiesz? — Lukrecja podążyła za jej spojrzeniem. Ich zgarbione rozczochrane odbicia patrzyły na nie wielkimi ze strachu oczami. — Zawału można dostać. Jutro wyciągamy te lustra.

— Lucia… ale dziwne, że bekulki spokojnie śpią. — Ola próbowała zza tyłów Lukrecji zajrzeć do kuchni, wciąż jednak trzymając się jej koszulki. Idąca przodem Lucia podeszła do zlewu i wyjęła z dzbanka z przyborami kuchennymi drewnianą pałkę do ciasta.

— Idziemy — machnęła nią niczym buławą i skierowała się w stronę drzwi na strych.

— Oszalałaś!? Chcesz tam iść? — Ola mocniej zacisnęła palce na materiale jej przyodziewku. — To chociaż puść przodem owce.

— Zwariowałaś? To nie lekka kawaleria — spojrzała na nią z wyrzutem. — Nie bój się... mam broń — uniosła pałkę do ciasta.

Owieczki, które wreszcie się obudziły, w popłochu kręciły się po kuchni. Szuranie na strychu ucichło. Ola capnęła nabierkę...

— Dobrze, że chociaż tę do zupy — drwiąco zauważyła Lukrecja.

Z kuchni wyszły na korytarz i wolniutko podeszły do schodów. Nerwowe stukanie kopytek na ceglanej posadzce w sieni nie było już takie głośne. Znacznie mocniej waliły serca wystraszonym kobietom. Przynajmniej Lukrecji. O mało nie wyskoczyło jej z piersi. Z Olką było podobnie, bo tak mocno ściskała piżamę na ramieniu przyjaciółki, że w pewnym momencie o mało jej nie ściągnęła.

— Ola, opanuj się, kobieto — Lukrecja opędzała się od jej rąk jak od natrętnej muchy — bo mnie rozbierzesz. Chociaż — nagle stanęła wyprostowana — może to byłby dobry pomysł?

— Co?

— No, rozebrać się... wtedy włamywacze sami zwieją — spojrzała na Olkę, prychnęła śmiechem i trochę się dzięki temu wyluzowała. Oli nie było do śmiechu, ale zaczęła poprawiać opadającą piżamę i przygładzać sterczące włosy.

— Nie przesadzaj, nie jest jeszcze z nami tak źle. — Ola szeptała pocieszającym tonem, ale chyba bardziej pocieszała siebie niż koleżankę.

— Kochana, już od dawna nie mam złudzeń. Co ty myślisz, dlaczego wyniosłam lampę z sypialni? — Lukrecja spojrzała na nią pytającym wzrokiem. — Janusz niech lepiej za wiele nie widzi... może jego domysły nie będą aż tak realistyczne, a mnie ten stres też nie jest potrzebny.

— To tak jak z moimi lustrami — mamrotała Ola pod nosem.

— Jakimi lustrami? — Lukrecja nie rozumiała, o co jej chodzi.

— Nieważne — machnęła ręką. — Idziemy! — i popchnęła ją ku drzwiom na strych.

— Czemu ja pierwsza? — Lukrecja próbowała ustąpić jej miejsca. Jakoś nie spieszyło się jej, żeby być na początku, i zaczęły się wzajemnie wypychać.

— Bo to twój strych i twoje duchy. — Olka stała z uniesioną nabierką w ręku i wyglądała przekomicznie. Blond czupryna zmierzwiona, gruba warstwa kremu nałożona wieczorem pod oczy pozostawiła pod nimi błyszczące plamy, a szare, wiecznie przydeptywane dołem jedwabne spodnie od piżamy znów lekko jej opadły. Obraz nędzy i rozpaczy. Ale z hardą miną i z nabierką w ręku, trzymając się blisko Luci, udawała odważną.

— Słyszałaś? — spytała Lucia.

— Nie. A co? — znów skuliła się i chwyciła Lukrecję za koszulkę.

— No właśnie nic. Uspokoiło się — obie stały już przy drzwiach. Ale żadna z nich nie okazywała chęci pójścia dalej. Zresztą na dwóch pierwszych stopniach wciąż stała sterta garnków i większych półmisków... jak zwykle. Lukrecja ruchem głowy wskazała na drzwi na strych. — To co? Idziemy?

— Może napijemy się najpierw herbaty? — Olka mówiła proszącym głosem. — Może przez ten czas sobie pójdą.

— Kto?

— No, nie wiem kto. I... tak właściwie to chyba nie chcę

się dowiedzieć — westchnęła. — Przynajmniej nie w tej chwili. Może rano? Co?

— Dobra. — Lukrecja chętnie się zgodziła. — Wstaw wodę.

Wróciły do kuchni, owieczki za nimi, bo chyba bały się bardziej niż obie kobiety. Zanim poszły do swojej stajenki pod stołem, pokręciły się jeszcze trochę po kuchni.

— Wiesz, Ola — Lukrecja spoglądała na zwierzątka — chociaż to tylko owce, to jakoś tak w kupie raźniej. No właśnie… w kupie — właścicielka inwentarza zaklęła po nosem. — Cholera! Wdepnęłam w coś.

— Lucia, dosyć tego dobrego! — Olka wskazała na drzwi na podwórko. — Jutro eksmitujemy je do chlewika.

— A rudzielca jak potrzeba, to nie ma! — gospodyni sprzątała teraz po wystraszonych wełniakach. Dzięki temu choć trochę zapomniała o własnym strachu.

— Kogo? Kota? — Ola parzyła na nią zdziwiona. — Lucia, przecież to nie tygrys. Też pewnie by się posikał ze strachu. Tak jak ja… o mało — mamrotała.

Woda się zagotowała. Lukrecja zerwała trochę liści melisy, którą wieczorem wstawiła do kubka z wodą… jakby czuła, że się przyda, i zaparzyła ziółka. Serce już powoli przestawało jej walić w piersi i żołądek nie podchodził już do gardła.

— Co można wynieść z tego strychu? — Ola zastanawiała się na głos. — Przecież zostało tam tylko kilka mebli. Chyba nikt nie miał zamiaru ich ukraść? Którędy by je wyniósł?

— Myślisz, że ktoś tam był? Może to tylko kuny? — Lukrecja postawiła kubki z melisą na stole i usiadła na krześle naprzeciwko Oli. — Szkoda, że nie ma tu faceta — westchnęła.

— Jakiegoś konkretnego? — Ola próbowała ukryć za kubkiem szeroki uśmiech. — Jeśli myślisz, że czułabyś się bezpieczniej… to niekoniecznie, moja droga. Mam znajomą, której mąż jest zapalonym myśliwym. Wiesz, co niedziela strzelanie do rzutków albo polowanie. Więc fuzja zawsze jest pod ręką — zaczęła opowieść z cyklu „dawno, dawno temu".

— Pewnego razu w nocy coś usłyszeli. Ona obudziła męża, tak jak ty mnie dzisiaj. Tylko u nich ktoś buszował na parterze, a oni spali na piętrze. Kazała mężowi wziąć broń i poszli. Kiedy doszli do schodów i trzeba było wreszcie zejść na dół, on pchnął ją do przodu i wskazał lufą: „Idź przodem, będę cię ubezpieczał".

— No, jeśli wyglądała tak jak my dzisiaj, to mogłaby wystraszyć włamywaczy. — Lukrecja podśmiewała się pod nosem.

— Nieeee, to było bardzo dawno temu, kiedy jeszcze byli młodzi i ładni — wyjaśniła Ola.

— Ty też mnie pchałaś do przodu — przypomniała Lukrecja.

— Ale ty miałaś broń — odpaliła i spojrzała z uznaniem na pałkę do ciasta, którą na wszelki wypadek Lucia wciąż miała pod ręką.

Dopiły melisę do końca, rozmową dodając sobie trochę otuchy. Potem pospały jeszcze chwilę, jednak już nie bezbronne. Pod poduszką Lukrecji spoczywała pałka do ciasta, Ola zasnęła z nabierką do zupy w ręku. W końcu jakąś broń trzeba przy sobie mieć, żeby odstraszać duchy. A tej nocy takowe spotkały. Nawet dwa. Oba w lustrze szafy.

*

Ranek był słoneczny, bo czułam pod powiekami ażurowe muśnięcia promieni, ale nie chciało mi się jeszcze otwierać oczu. Coś jednak uwierało mnie w przedramię. A to co?!

Nabierka do zupy? Co w łóżku robi nabierka? I wtedy sobie przypomniałam. Lucia leżała obok i też już nie spała. Zatopiona w rozmyślaniach, nieruchomym wzrokiem patrzyła w sufit.

— To nam się, Olka, nie śniło — wciąż patrzyła w sufit.

— Tam ktoś był.

— Eee, sama mówiłaś, że może kuny — próbowałam bagatelizować całe nocne zajście, bo miałam nadzieję, że nie będzie ciągu dalszego.

— To musiałyby być wielkości konia. — Lucia odwróciła głowę na poduszce i z powątpiewaniem patrzyła na mnie. — Musimy tam iść, nie ma rady.

— O matko — stęknęłam.

— No.

— Ale najpierw kawa, dobrze? — próbowałam odwlec ten trudny moment. — Bez wspomagacza nie wlezę na górę.

— To może coś mocniejszego? — zaproponowała, ku mojemu zdziwieniu, bo nie była miłośniczką mojego trunku. A już na pewno nie od rana.

— Może — podniosłam się z łóżka. — Razem z kawą.

Poczłapałyśmy do kuchni, nie patrząc na szafę, a raczej w lustro w szafie, bo po nocnych przygodach miałyśmy zdecydowanie dosyć wszelakiego stresu. Owieczki już stały przy drzwiach i skubały wycieraczkę. Pomyślałam, że z tą słomą to byłby jednak dobry pomysł.

Poranna kawa na słoneczku, na ławce przed domem. Och, jak ja to lubię! Sama też często, jeszcze w piżamie, piję kawę na moim tarasie. Siadam wtedy na najwyższym stopniu krętych schodów, prowadzących do japońskiego ogrodu. Poduszka pod pupą i kubek w różyczki... to już mój stary rytuał.

Ogród był moją terapią na zszargane nerwy. I gdyby nie

potrzeba skupienia się na projekcie i jego wykonaniu, to pewnie tak łatwo bym się nie pozbierała. A tak? Przy minimalnym wsparciu leków antydepresyjnych uleczył mnie mój ogród. Odmienił też moje życie. Zanim się nim zajęłam, byłam zwykłą nauczycielką sztuki… no, może nie taką zwykłą, raczej trochę zakręconą. Ale po tej awanturze z księdzem musiałam coś ze sobą zrobić. Dobrze, że mogłam uciec w sztukę. Aj, co ja się oszukuję! Jaką sztukę?! Rzemiosło. Ale malowanie zawsze mnie uzdrawiało, szczególnie to odpłatne. I zawsze podreperowywało moją kieszeń. A ponieważ samotnie wychowywałam syna, często zdarzało mi się sięgać dna. Oczywiście — dna kieszeni, ale zawsze wtedy coś wymyśliłam. A to malowanie na szkle, a to na jedwabiu, a ostatnio też… na ścianach. Ale już za konkretne pieniądze. Dzięki ci, Boże, że nie poskąpiłeś mi talentów!

— To co? Po jednym i na strych? — Lucia obudziła mnie z zadumy.

— Może jednak to odłożymy? — spojrzałam na nią błagalnie, ale na nic to się zdało. Sama miała panikę w oczach.

— Ola, chodź tam ze mną, bo inaczej będę musiała pójść sama… i mogę nie wrócić.

Dolała nam do kawy po sporej porcji szkockiej i upiła duży łyk. Głęboko westchnęła. Oj, znam to… to nerwy. Szarpałam się tak przez wiele miesięcy. Tego nie da się ukryć.

— Spokojnie, Lucia… jasne, że pójdę tam z tobą, i gwarantuję, że niczego nie znajdziemy — zrobiło mi się jej strasznie żal. Sama miałam pełną piżamę strachu, ale dla przyjaźni czasami można zaryzykować nadprogramowe pranie. Dużymi łykami piłam kawę z alkoholową wkładką, była znacznie smaczniejsza niż ta zwykła, pita o poranku. Z każdym następnym łykiem nabierałam odwagi i woli walki. Nie dziwota, że na wojnie tyle się piło gorzały.

— Lucia... idziemy! — dałam hasło do boju i podciągnęłam opadające spodnie.

— Idziemy — powtórzyła jak echo, wzięła z ławki pałkę do ciasta, z którą się już nie rozstawała, i ruszyłyśmy do drzwi kuchni.

— Czekaj! — cofnęłam się na podwórko, a ona patrzyła na mnie zdumiona. Zdecydowanym ruchem wyrwałam z pniaka siekierę. — Teraz możemy iść.

— Matko kochana! Ola!

— Co matko? Co matko? — wzruszyłam ramionami. — Nie pójdę tam bezbronna. I puść mnie przodem... mam ostrą broń.

Odstawiłyśmy gary ze stopni przed drzwiami, które z żałosnym skrzypnięciem odsłoniły nam schody na strych.

— Odsuń się — ruchem ramienia zrobiłam sobie miejsce i poszłam przodem. Lucia ze swoją drewnianą pałką gotową do użycia szła za mną. Stare dechy stopni, wydeptane od wiekowego chodzenia po nich, lekko się uginały i cicho trzeszczały. Noga za nogą, stopień za stopniem... byłyśmy coraz wyżej. Jeszcze dwa kroki i ogarnęłam wzrokiem podłogę strychu. Promienie słoneczne wpadające przez okna oświetlały zakurzone deski. W tych słonecznych mackach widziałam drobiny kurzu unoszące się nad deskami, które poruszając się w delikatnych ruchach powietrza, tańczyły jak baletnice w snopach świateł sceny. Ładny widok. Magiczny. Z uniesioną siekierą stanęłam na podłodze strychu.

— Nikogo tu nie ma, chodź — zachęciłam Lukrecję ruchem ręki.

Wdrapała się na górę i stanęła obok. Rozglądała się dokoła, przyglądając się dokładnie podłodze. Szukała pewnie śladów nocnych odgłosów. Bałam się, że coś jednak znajdzie.

Obeszłyśmy komin i stanęłyśmy przed drzwiami wędzarni. Stalowe drzwiczki z piękną drewnianą i gładką od ciągłego używania gałką były otwarte i ukazywały okopcone, ceglane wnętrze. Drążki do wieszania wędlin przed wędzeniem wciąż były na miejscu, jakby czekały na ich kolejną porcję.

— Otwierałaś te drzwiczki? — spojrzała na mnie z uniesionymi ze zdziwienia brwiami.

— Nie. A ty? — Lucia zagryzła zębami dolną wargę. — Eee, może się same otworzyły — wzruszyłam ramionami.

— Niemożliwe — powiedziała zdecydowanym tonem, co sprawiło, że ciarki przeszły mi po plecach. — Zamykałam je na zasuwkę. To było nie tak dawno, pamiętam.

Zaczęłyśmy dokładnie zaglądać w kąty za starymi meblami, oglądać podłogę deska po desce. Wciąż trzymałam uniesioną siekierę, choć ręka już bardzo mnie bolała. Właśnie odsuwałam krzesło przy biurku dziadka Michała, kiedy nagle otworzyły się drzwiczki szafki pod blatem biurka, blokowane przez nogę krzesła, i z przeraźliwym miauczeniem wyskoczył z niej rudzielec. Cały zjeżony i wystraszony. Siekiera wypadła mi z ręki i wbiła się w deskę podłogi. Podskoczył raz jeszcze i jeszcze głośniej miauknął.

— O, kurde! — wrzasnęłam. — O mało nie padłam na zawał!

— Cholera! Szkoda. — Lucia zaklęła i patrzyła na tę scenę, podpierając się pod boki. Kiwała głową z wyraźnym ubolewaniem.

— Co, że nie padłam? — obraziłam się.

— Nie! Że nie trafiłaś w tę paskudę — spojrzała na przerażonego kota. — Ola… ktoś tu był.

— Wiem — westchnęłam. — Może lepiej zadzwoń po Janusza?

— Dziś nic nam nie pomoże, nie ma go w pobliżu.

— To może chociaż kogoś tu przyśle? Niech lepiej oni przejrzą górę, co? — patrzyłam na nią błagalnie. Chyba procenty z kawy już się ulotniły, bo poziom odwagi spadł mi do normalnego... albo nawet nieco poniżej. — Chodźmy stąd. Trochę się boję.

— No, złazimy. — Lucia podbiegła do schodów, żeby zdążyć przede mną. Tempo w dół miałyśmy dużo większe niż w przeciwną stronę. Tętent naszych kroków, a właściwie susów, wzbijał kurz na schodach, a słychać nas było chyba na plebanii. — Gdzie jest ta paskuda? — Gdy byłyśmy już na podwórku, Luci przypomniało się o kocie.

— Dawno już nawiał. Jeszcze przed tobą — zaśmiałam się zdyszana. Wbiłam siekierę w pieniek i wzięłam kubki. — Zrobię jeszcze kawy.

— Coś ty! Dawaj te kubki — już odkręcała trunek. — Muszę się wyciszyć — odpowiedziała na moje zdziwione, pytające spojrzenie i porządnie przechyliła butelkę.

*

Dwóch mężczyzn przyjechało po niespełna półgodzinie. W obu kobiety rozpoznały policjantów wydziału kryminalnego, którzy brali udział w czynnościach operacyjnych podczas wydobywania szczątków w ogrodzie. Odbezpieczyli broń i poszli na strych. Lukrecja zaparzyła kawę i obie czekały na nich w kuchni. Ani jedna, ani druga nie miały specjalnie ochoty pójść za nimi. Po kilku minutach policjanci jednak je zawołali. Poszły, aczkolwiek bardzo niechętnie.

— Czy to okno było wybite? — młodszy z nich wskazywał na wybite okno od strony zachodniej.

— Nie — odpowiedziała Lukrecja, rozglądając się po

kątach. — Wczoraj jeszcze nie. Ale dziś nie spojrzałyśmy na nie.

— Za to ktoś otworzył drzwi wędzarni... — zaczęła Ola, pokazując żeliwne drzwiczki z dość ciężką zasuwką.

— A na pewno zamykałam je na zasuwkę — uzupełniła Lukrecja. — No i ktoś zamknął kota w biurku i zastawił krzesłem — dodała. — Nie ja! — natychmiast zaprzeczyła, bo ten drugi spojrzał na nią dość wymownie. „Skąd wie, że nie lubię kociska?" — pomyślała.

— Czy coś zginęło?

— A kto to wie?! Nie wiemy w ogóle, co tu było. Nie skończyłyśmy jeszcze inwentaryzacji — zaśmiała się Ola. — Nie mamy pojęcia, do czego jeszcze możemy się dokopać. Tyle tu ciekawych rzeczy — rozglądała się dokoła z błyskiem w oku, jak u dziecka, które zauważa prezenty pod choinką.

— No właśnie — jeden z nich westchnął. — Ktoś pewnie myśli podobnie, bo z wybitego okna zwisa sznur — wskazał na kotwiczkę zahaczoną o ramę.

— Patrz! To jednak nie były duchy! — ożywiła się Ola. — Dobrze, że nie przyszłyśmy tu w nocy. Ty, Lucia, z tą twoją pałką do ciasta — zaśmiała się drwiąco.

— No, moja droga... twoja nabierka nie była dużo lepsza. — Lukrecja natychmiast się jej zrewanżowała.

Policjanci patrzyli na kobiety zaskoczeni, kompletnie nie rozumiejąc, o czym mówią. Pokręcili się trochę, młodszy zrobił kilka zdjęć i wszyscy zeszli do kuchni. Jeszcze tylko sprawdzili sznur wiszący z okna. Po chwili siedli do stołu i zabrali się do pisania, popijając przy tym kawę. Jak zwykle w takich sytuacjach, pisania było więcej niż działania.

— Pod oknem nie ma śladów, wszystko wysypane kamykami. Przed domem szyszki i też nic nie widać. Żadnych odcisków butów — rozłożył ręce ten starszy. — Ale sznur wisi. Miałyście panie rację… ktoś tu był.

— Wiecie co, panowie… muszę się do czegoś przyznać. Jest mi ciężko, ale muszę — westchnęła Lukrecja. — Mam wrażenie, że mój apodyktyczny dziadek, wzór cnót wszelakich, chyba jednak taki kryształowy nie był. I to może mieć związek z tym całym bałaganem.

Po tym wstępie wstała i poszła po pudełko z retro porno. „Cóż — pomyślała — może to być ważne… dziadku, nie gniewaj się, że zdradzam twoje tajemnice".

— W tym bałaganie, który w większej części już posprzątałyśmy, znalazłyśmy to — i podała im pudełko po czekoladkach.

Młodszy wziął z rąk gospodyni pudełko z namaszczeniem, z jakim sama mu je podała, spojrzał na partnera i otworzył.

— Noo… ładne du.., o przepraszam. Ładne rzeczy! — oczy mu się zaświeciły.

„Jasne — pomyślała Olka — cały facet. Jak zobaczy goły tyłek, to mu cała krew z mózgu spływa znacznie niżej i myślenie mu się wyłącza. Po co im to pokazała? Już chyba nie pogadamy".

— Wie pani, my to zatrzymamy jako dowód w sprawie… oczywiście potem oddamy — zapewniał starszy.

— Oczywiście, jakżeby inaczej. Dowód w sprawie — Olka mruczała pod nosem. — Nie spytacie, panowie, jaki to może mieć związek z włamaniem?

— No właśnie… jaki?

— Kiedy pierwszy raz ktoś przetrząsnął nam graty na podwórku, myślałyśmy, że właśnie tego szukają — wyjaśniła.

— Może to czyjeś krewne?

Młodszy zamknął pudełko, położył na nim obie dłonie, jakby chciał je chronić, spojrzał na kolegę, który dopijał kawę.

— Zdaje się, że szef ma jakąś teorię. On jutro wraca, więc mu to przekażemy, razem z protokołem z dzisiejszego zajścia — postukał palcami w blaszane pudełko. — A wy, panie, nie bójcie się. Nikogo tam nie ma. Wszystko sprawdziliśmy.

— Może tylko poproście kogoś, żeby naprawił okno, bo nietoperze się wam zalęgną — dodał drugi.

Policjanci pozbierali się i pojechali. Linę z okna zdjęli i zabrali jako dowód. Tak jak znalezioną galerię retro porno.

— Cholera! Nie zdążyłam sobie pooglądać. — Olka głośno żałowała. — Mogłaś poczekać z tym pokazywaniem golizny — robiła Luci delikatne wyrzuty. — Potem już nie dało się z nimi pogadać.

— Teraz wiesz, dlaczego zazwyczaj chodzą dwójkami? — Lukrecja śmiała się pod nosem. — Jeden umie pisać, a drugi czytać.

— Ale na obrazkach znają się obaj — westchnęła Ola.

Dopiero teraz zabrały się do śniadania. Ze stresu nie zdążyły jeszcze nic zjeść i burczało im w żołądkach, a w głowie miały niezły mętlik. Olce przyszła ochota na świeży chleb, więc wsiadła na rower i popędziła do sklepu. Lukrecja dopiero potem pomyślała, że przecież nie była zupełnie trzeźwa. „No, ale w razie zatrzymania chyba nie będą jej kazali dmuchać w balonik. Chociaż kto to wie?" — niepokoiła się w duchu.

Położyła na stole twaróg, szczypiorek, rzodkiewki, pomidora i ogórka. Wiejskie śniadanko z owcami pod stołem.

— Bułek nie kupiłaś? — spytała Lukrecja, kiedy Ola wyłożyła wszystkie zakupy na stół.

— Wolę chleb, a ty nie prosiłaś.

— I co tam w sklepie? Już wiedzą o naszych nocnych manewrach? — dopytała Lucia, kiedy siadały do stołu.

— Nic nie słyszałam. Nikt mnie nawet nie zagadywał. — Ola wydawała się rozczarowana. — Chyba trochę przesadzasz z tymi plotkami.

— Ale bułek nie kupiłaś — powiedziała Lucia dość dobitnie — więc bonusa nie dostałaś. Kochana... plotki tylko do bułek.

Ola patrzyła na koleżankę z pewnym zdziwieniem i myślała, że z tymi bułkami to żart. Okazało się, że jednak nie.

Późne śniadanie spałaszowały błyskawicznie. I chyba alkohol na czczo wzmógł ich apetyt, bo zjadły prawie cały, niemały zresztą, chleb. Lukrecja nie zapomniała jednak o rudym kocie. Pokroiła w kostkę posmarowaną pasztetem kromkę, dołożyła jeszcze resztkę twarogu, który zalegał w lodówce, i wyniosła posiłek do miseczki na progu.

— Ty, Lucia — nagle Olkę olśniło — skąd na strychu wziął się kot? Przecież po linie nie wlazł, drzwi były zamknięte, a po ścianie to on chyba jednak nie chodzi — mówiąc to, obgryzała z ośródki skórkę od chleba.

— Nie wiem, ale kuny kędyś wchodzą. Może tymi szparami między dachówkami i belkami? Pojęcia nie mam. Ale na tym wielkim modrzewiu już go kiedyś widziałam — przypomniała sobie. — Szkoda, że nie umie mówić. Może powiedziałby nam, kto go tam zamknął.

— Taaak. Akurat tobie by powiedział — stwierdziła z powątpiewaniem Olka. — Pewnie z wdzięczności za to, że chcesz go obedrzeć ze skóry? Taki głupi to on chyba jednak nie jest — zaśmiała się — chociaż rudy.

Resztę dnia spędziły na przeglądaniu mebli na strychu. Bardzo chciały je znieść na dół, ale musiały to dobrze zaplanować.

W domu Pani Ja była wolna jeszcze jedna klasa. Nie tak wielka jak ta z zielonym piecem, ale całkiem, całkiem. Ciężkie drzwi z korytarza, ozdobione rzeźbami, pomalowane były na biało, jak zresztą wszystkie pozostałe. Szkoda, bo gruba warstwa farby ukrywała piękno prac snycerza. Lukrecja obiecywała sobie, że może kiedyś doprowadzi drzwi do pierwotnego stanu. Patrzyła na podłogę w klasie, pomalowaną farbą w kolorze wiśni.

— Ohyda! Ale to najłatwiej zmienić — skrobała paznokciem po malowanej desce. — Potem można by znieść dziadkowe meble i przenieść tę nieszczęsną szafę na książki — planowała już zakres prac. Meble postanowiły doprowadzić do porządku, nie znosząc ich ze strychu. To na wypadek, gdyby policjanci nie mieli racji i jakieś duchy jednak tam mieszkały. Gdyby się pojawiły, kobiety zawsze mogły przerwać pracę, zejść i zająć się czymś innym.

*

Na pierwszy ogień poszła szyfonierka czy też bieliźniarka. Jak zwał, tak zwał. Lucia bardzo chciała ją wstawić do sypialni, w miejsce szafy. Wcale się jej nie dziwiłam. Kiedyś, nie wiem jeszcze kiedy, będę mieszkała na wsi i urządzę sobie dom takimi właśnie meblami. Kocham stare meble. Czuję ich ducha i wiem, że jeśli poświęci się im nieco czasu i pracy, będą ozdobą każdego wnętrza. Jak mój bufet na lwich łapach.

Szyfonierka była śliczna, secesyjna… mój ulubiony styl, z pełnego dębu w półmacie w kolorze mahoniu, co wskazuje na pomieszanie stylów, bo w czasie secesji preferowano raczej ciemne brązy lub naturalny dąb. Nadstawka zdecydowanie przypominała wystrojem styl eklektyczny, sekretarzykowy. Półki w nadstawce mogą służyć do przechowywania różnych bibelotów, których w domu Luci nie brakowało. Tylko to lustro... znów będzie narzekała, że musi się przeglądać. Ale na szczęście było nieco matowe, jak lustro mojej cioci Stefy. W zamkach tkwiły oryginalne klucze, a boki zdobiła piękna, już typowo secesyjna snycerka. Te płynne linie łodyg kwiatowych i pnączy, wysmukłe pąki kwiatów wzniesione ku górze... Taki mebel każdemu wnętrzu nada niewątpliwą klasę, a ma około stu lat.

Z szuflady i półek na bieliznę wygarnęłam masę szmat. Stare ubrania, jakieś narzuty, których żal było wyrzucić, a do użytku już się nie nadawały. Niektóre chyba też sięgały epoki secesyjnej.

— Lucia — próbowałam przyciągnąć jej uwagę, siedząc po turecku przed otwartą bieliźniarką, ze stertą starych łachów — co z tym zrobić? Przeglądamy?

— Sama nie wiem, coś się z tego wybierze?

— Nie sądzę. I lepiej nie przeglądać, bo nagle zaczniesz odkładać je powrotem do szafy i porządki szlag trafi. A na pierwszy rzut oka nie widzę tu żadnych tekstylnych skarbów.

— Wywalić! — padła komenda. — A właściwie... daj. Zaraz zniosę je na dół.

— Nie myślisz chyba, że zostanę tu sama — skoczyłam na równe nogi. — Nie ma mowy! Idę z tobą.

Lukrecja wyszła zza komina, niosąc w rękach foliowe worki, wypchane nikomu niepotrzebnymi rzeczami. Czyjeś życie, zgniecione i wciśnięte w foliowe reklamówki współczesnych firm, jak zderzenie epok. Jak wymiatanie z kątów życia historii. Trudno rozstawać się z przeszłością. Mimo żalu trzeba czasami zrobić porządek i pozamiatać we własnym życiu.

Kiedy ja walczyłam z bieliźniarką, Lucia wymontowała wybite okno. Nie było to zbyt trudne, bo ze starości samo wypadło. Spróchniała nieco rama przynajmniej raz już była łatana.

— Co zrobimy z tą dziurą w ścianie? — wskazałam na pusty oczodół. — Może czymś zabić? — rozglądałam się po kątach strychu. I znalazłam kawał dykty. — Póki co, wystarczy. Przynajmniej nietoperze tu nie wlecą.

Do nocy szykowałyśmy się jak pod Racławice. O ścianę przy łóżku oparłam widły, a Lucia przyniosła siekierę. Nie wiadomo, czy buszowanie intruza po strychu się nie powtórzy. Żeby wystraszone bekulki nie przerywały nam snu, zostały wyeksmitowane do chlewika. I chyba nawet im się to spodobało. Brykały w rozścielonej słomie z wyraźnym entuzjazmem. Wieczorną melisę wypiłyśmy na podwórku, przyglądając się wełniaczkom, które to wchodziły, to wychodziły z chlewika. Rudzielec siedział na parapecie i lizał łapkę z miną zwycięzcy. Chyba odzyskał kuchnię. Nam też humory poprawiły się nieco. Ale jeśli Lucia udawała odwagę tak jak ja… to lepiej zamiast melisy było napić się szkockiej.

O plebanii, o tolerancji i o boskim smaku żeberek w coli

Noc minęła bez problemu. I nam, i wełniaczkom. Kiedy z poranną kawą wychodziłyśmy na ławeczkę, Lucia otworzyła chlewik i sprawdziła — zwierzaki jeszcze spały. Przytulone do siebie, na odgłos otwieranych drzwi podniosły łebki. Ulżyło nam. Nie działa im się żadna krzywda. Kręciłam się po kuchni i marudziłam, że mam ochotę na świeży chleb.

— Skoczę do sklepu — zaproponowałam. — Daj listę, co jeszcze mam przywieźć.

— Ja pojadę. Ty nakryj do stołu. — Lucia szybko chwyciła torbę na zakupy i rzuciła się do drzwi. Pewnie miała ochotę na bułki, a ja mogłabym znów o nich zapomnieć.

Wsiadła na rower z koszyczkiem na zakupy z przodu i paradnie pojechała przez wieś. Stary rower klekotał luźnymi częściami, głośno oznajmiając zbliżającą się Lukrecję. Nigdy nie myślała o zakupie innego, bo zwykle przemieszczała się pieszo lub, jeśli trzeba było, też nieco wiekowym samochodem. Jadąc na starym rowerze, przybierała dostojną pozę i myśleć by można, że rower klekoce, bo tak właśnie ma być. A nie dlatego, że jest stary i zardzewiały. Ledwo co zdążyłam wrócić z warzywniaka ze świeżym szczypiorkiem i miętą, gdy wpadła na podwórze jak torpeda.

— Ola! — wołała już z podwórza. — Ktoś splądrował plebanię. Mówili w sklepie. Szybko — sapała — biegniemy do księdza Zygmunta.

Niemal w biegu ukroiłam wielką kromę chleba i z kawałkiem suchej kiełbasy w drugiej ręce pognałam za nią, gubiąc w pośpiechu klucz do drzwi. Cholera! Podnosząc go, upuściłam kiełbasę, z czego pewnie ucieszył się rudzielec. Suchy chleb, na szczęście, też lubię. Na plebanii już była policja. Ci sami policjanci, którzy wczoraj sprawdzali nasz strych, i jeszcze kilku innych krzątało się po obejściu.

— Czy to jakaś epidemia? — zaśmiał się młodszy na nasz widok. — Wejdźcie, panie, ksiądz jest bardzo przejęty... — ruchem głowy wskazał na zatroskanego plebana — pobądźcie z nim. Przetrząsnęli mu nie tylko biuro. Zresztą same zajrzyjcie — zatoczył ramieniem wokół. — My już czynności operacyjne zakończyliśmy.

— Czyli co? Można posprzątać? — spytałam.

— Można. Powodzenia — uśmiechnął się ze współczuciem starszy policjant i dał znak ekipie do wyjścia. Technicy pozbierali swój sprzęt i pospiesznie zapakowali się do samochodów.

Ksiądz Zygmunt siedział w kuchni przy stole i wpatrywał się w kubek z ziółkami.

— No to teraz przyszła kolej na mnie — westchnął. — Lucia, dziecko... zaparzcie sobie herbaty czy na co tam macie ochotę.

— Zginęło coś? — zapytałam ostrożnie, bo księżulo był wyraźnie przybity.

— Pieniędzy z kasetki nie wzięli... co mnie dziwi, bo to było w biurze najcenniejsze — mówił spokojnie i powoli się rozchmurzał. — Tylko bałagan taki zrobili, że chyba przez tydzień tego nie sprzątnę.

— Niech się ksiądz nie martwi. — Lucia już stukała kubkami. — Posprzątamy z Olką, a ksiądz tylko powie, co i gdzie poukładać. Do obiadu się uwiniemy, spokojnie.

— Dobre dzieci jesteście — poklepał Lucię po dłoni, kiedy przechodziła obok. — A ty co, Olka?

— A o co chodzi? — nie rozumiałam.

— Przybiegłaś tu z tą kromą? — wskazał na wielki kawał mojego chleba. — Tam w szafce jest masło i miód. Nie jedz suchego chleba.

Rozkroiłam tę połówkę bochenka, którą już zaczęłam nadgryzać, posmarowałam masłem i otworzyłam słoiczek z miodem. Lucia zerknęła na mnie i zaśmiała się.

— No, moja droga, widać, że bardzo chciało ci się tego chleba, skoro nie wypuściłaś go z ręki — pokiwała głową.

— Nie wzięłam całego — broniłam się przed uznaniem

mnie za obżartucha. — Odkroiłam kawałek na potem. Ale za to teraz możesz ze mną zjeść. Ksiądz też skosztuje? — zaproponowałam.

— Mnie się odechciało z tego wszystkiego — westchnął. — Zresztą takiego świeżego nie mogę... szkodzi mi. Ale wy jedzcie, nie krępujcie się.

Wsunęłyśmy przyniesiony chleb i, zachęcane przez gospodarza, prawie cały słoiczek miodu. Pycha! Rzeczywiście, specjał nad specjały. Nie dziwię się, że schodzi na pniu. Potem zabrałyśmy się za sprzątanie. Porozrzucane książki leżały na podłodze grzbietami do góry. Jakby ktoś między stronami czegoś szukał.

— Co mogło być schowane między kartkami? — siedząc na podłodze biura parafialnego, Lucia przeglądała i ostrożnie odkładała na miejsce każdą książkę. — Pieniądze były w kasetce... — mówiła jakby do siebie — może jakieś pismo?

Nagle wstała z podłogi i wyprostowała się, chwytając ręką za kręgosłup.

— O, matko! — stęknęła. — Mówił kiedyś ksiądz o jakiejś wiadomości od księdza Mariana. Pamięta ksiądz? Na moim podwórku... kiedy nam przetrząśnięto rzeczy ze strychu — starała się przypomnieć mu naszą rozmowę.

— Następnego dnia po tym, jak raczyliśmy się metaxą — próbowałam pomóc Luci. — Mówił ksiądz, że nie pamięta, gdzie to jest zapisane.

Księżulo drapał się po głowie i patrzył w obrazek albo raczej ikonę ze świętym na ścianie. Nie znam gościa... nie wiem, kto to. W czerwonej opończy przerzuconej przez ramię, z krzyżem w jednym ręku i krótkim mieczem w drugim. Pośród rozrzuconych książek i poprzewracanych sprzętów on jeden pozostał na miejscu, choć też mu się lekko oberwało, bo wisiał krzywo.

— Nie wiem, dziecko, nie pamiętam — rozłożył ręce. — Ale wiesz co? Czuwała przy nim też mama twojej sąsiadki, Bożenki. Czekaj... pani Helena. Oboje zajmowaliśmy się księdzem Marianem niemal do końca. Może ona coś wie?

— Chyba trzeba będzie zapytać. — Lucia dalej układała książki na półkach.

Sprzątanie trwało aż do obiadu, bo oprócz książek trzeba było jeszcze ogarnąć potłuczone naczynia, wyrzucone z doniczek rośliny, kartki i karteczki, papiery i papióreczki... istny sajgon. Czytałam na głos początek każdego pisma, a ksiądz wskazywał, gdzie to włożyć. Nie oszczędzono nawet ksiąg parafialnych. Pod koniec roboty mogłabym już prowadzić biuro parafialne. No, to byłby numer! I tak się dziwiłam, że niebo się nie rozstąpiło i Pan Bóg nie trzepnął mnie gazetą po głowie, kiedy przestąpiłam progi plebanii. Widać tolerancja Jego jest ogromna.

Wieść o splądrowaniu plebanii obiegła lotem błyskawicy całą okolicę. Dobra jest ta Elka! Tylko dlaczego potem dodawała, że to pewnie Lucia i ja? Nie wszyscy we wsi jednak słuchali jej opowieści, bo szczęśliwie dla nas mieszkali tu też ludzie rozsądni.

*

„No i masz! Olka pojechała" — martwiła się Lukrecja, bo już się przyzwyczaiła do obecności zwariowanej przyjaciółki. Ale dzwonił Michał, że pilnie potrzebują jej pomocy na jakimś podwórku we Wrocławiu, więc pewnie nie będzie jej przez parę dni. Lukrecja postanowiła więc, że jeśli będzie musiała zostać w nocy sama, to z powrotem sprowadzi owce do kuchni.

— Bo na tego fałszywego rudzielca liczyć nie mogę. A sama nie zostanę, za nic na świecie! Przynajmniej jeszcze nie teraz. Albo pójdę spać do dzieci — planowała przy pożegnaniu. Ola wyjechała nieco uspokojona.

— Myślałaś, że zostawię cię tu samą? — Janusz uśmiechał się już od drzwi. — Ola do mnie zadzwoniła i powiedziała, że porzuciła cię na placu boju, więc jestem. Przegonisz mnie? Niosę dary — uniósł siatki z zakupami. — Dziś ja gotuję.

Lukrecji mowę odebrało. Stała na środku kuchni z poważną miną, a w środku aż ją roznosiło z uciechy. „Zgłupiałam czy jak? — pomyślała. — Kobieta lat pięćdziesiąt i pięć, a cieszę się jak nastolatka na randkę. I w nosie mam, co ludzie na to powiedzą".

— Fajnie, że jesteś — powiedziała i dodała: — Tyle się wydarzyło.

— Wiem — postawił siatki na szafkach — czytałem raporty i koledzy resztę mi dopowiedzieli. Trochę się pewnie wystraszyłyście? — uśmiechał się pod nosem.

— Trochę? — oburzyła się. — Człowieku, o mało nie umarłam ze strachu, a Olka spała z nabierką do zupy.

— Ty podobno z kulką do ciasta — zerkał na nią wyraźnie rozbawiony całą sytuacją. — Wyobrażam sobie, jak się skradacie na ten strych.

— Na strych szłyśmy już uzbrojone i na dopingu — powiedziała dumnie Lukrecja. — Ola wzięła siekierę. Ale to było już rano.

Opowiedziała mu przebieg ostatnich dni ze wszystkimi szczegółami, siedząc przy stole i patrząc, jak Janusz kręci się po kuchni i przygotowuje kolację. Nawet z jej mężem Krzysztofem takie rzeczy się nie zdarzały. Owszem, pomagał jej w kuchni... ale nie sadzał z kieliszkiem wina i nie kazał zabawiać się rozmową. Przyjemnie było patrzeć, jak Janusz świetnie sobie radzi z nożem i innymi kuchennymi przyborami. „Tylko po jakie licho przyniósł colę? — zastanawiała się. — Do mojego domu? Cola to mój wróg największy". — Od zawsze była przeciwnikiem barwionych wód gazowanych, gdyż uważała, że najzdrowsze są kompoty z owoców z ogrodu. Córki Lukrecji śmiały się z tego i czasami w tajemnicy przed matką kupowały colę, a potem chowały butelki po kątach. A teraz same wprowadziły maminy zakaz do swoich domów.

„Więc po co cola?" — zastanawiała się. Wkrótce się dowiedziała. W życiu nie jadła takich żeberek! A żeberka darzyła specjalnym sentymentem i trochę już ich w swoim życiu zjadła. Żeberka w coli… pycha! I sama już nie wiedziała, co było przyjemniejsze: przyglądanie się, jak Janusz kroi mięso, miesza składniki glazury i układa żeberka na półmisku czy pieczenie ich na grillu na podwórku, kiedy boski zapach rozchodził się po okolicy, czy może konsumowanie ich i delektowanie się winem. A jak się wkrótce okazało, najprzyjemniejsze miało dopiero nadejść. Co nie miało związku z żeberkami… chyba że jej własnymi, i na co, po truskawkowych doświadczeniach, trochę liczyła.

*

— Jutro pójdę do mamy mojej sąsiadki i spytam, czy pamięta coś z tamtych dni, kiedy opiekowała się księdzem Marianem — zakomunikowała Lukrecja, uznawszy, że to najszybszy sposób zbadania tajemnicy dziadka Michała. Dotrzeć do osoby zorientowanej.

— Myślisz, że coś wie? — Janusz wygodnie ułożył się na poduszkach.

— Pewnie tak. Pytanie tylko, czy coś pamięta. — Lukrecja ciężko westchnęła. — Bo jeśli jej pamięć jest taka, jak cioci Flory pod koniec życia, to niewiele się pewnie dowiem. A nie bardzo się orientuję, w jakiej jest kondycji. A raczej w jakiej kondycji jest jej pamięć.

— Wiesz, jestem przekonany, że te brakujące kartki kroniki były jakąś wskazówką. Tylko co za baran porzucił jej resztę? Jak już ją ukradł, to mógł zniszczyć… żeby sprawa się nie wydała — zastanawiał się na głos. — Kazałem sprawdzić zaginionych mężczyzn, około lat czterdziestu, w latach sześćdziesiątych, ale tylu ich było, że nie sposób dopasować tej historii do któregoś bez bliższych wskazówek.

— Janusz… — musiała się w końcu przyznać, że się boi zostać sama. — Mógłbyś dziś zostać na noc? Chyba trochę się boję.

— Trochę? — spojrzał na widły przy łóżku, które zapomniała odnieść do składziku. Szczęśliwie siekiery nie zauważył. — Nie myślisz chyba, że zostawiłbym cię tu na pastwę duchów — nie potrafił ukryć rozbawienia. Po chwili dodał: — Jeśli chcesz, to dopóki Ola nie wróci, mogę z tobą pomieszkać. Mam trochę urlopu i chętnie spędzę go na wsi. Co ty na to?

— Serio? Możesz? — ucieszyła się.

— Tylko pomyśl, co ludzie powiedzą. Mogą cię obgadać — uśmiechał się pod nosem i zaczepnie na nią spoglądał.

— Już i tak powiedzieli, co chcieli. Nawet na wyrost — znów westchnęła.

— Nadrobimy, moja złociutka, nadrobimy — i wyciągnął jej poduszkę spod głowy, żeby łatwiej znaleźć się nad nią. „O, matko kochana! A niech tam sobie gadają. Na zdrowie!" — pomyślała z błogością i utonęła w powodzi pocałunków.

*

Kiedy Lukrecja obudziła się rano, zaczęła się zastanawiać, czy pamięta, jak to jest budzić się u boku faceta. Nie, nie pamięta — stwierdziła — za dużo czasu minęło. „Szkoda, że nie jestem już młoda koza i nie zrywam się z łóżka jak sprężyna — pomyślała. — Mogłabym przebiec przez pokój w ponętnej koszulce i pokręcić biodrami. A tak? Ledwo mogę opuścić nogi z łóżka, a i w krzyżu boli mnie wciąż tak samo. Oj, szkoda, szkoda".

Z tym ruszaniem biodrami to dla Lukrecji też już nie była taka prosta sprawa. No i raczej wolała spać w długich spodniach… pomimo upału. Cellulit przerażał ją dużo bardziej. Jej własny, rzecz jasna. W lustro też wolała nie zaglądać, nie chciała wiedzieć, jak wygląda. „Może wreszcie czas wyjąć z szafy te nieszczęsne lustra — zastanawiała się. — Co taki facet robi obok starzejącej się kobiety?"

— Jak spałaś, Lucia? — wziął ją za rękę.

— Cudnie — westchnęła — nic nie straszyło. Ty coś słyszałeś? — zaniepokoiła się odrobinę.

— Moja złociutka — podparł się na łokciach i odwrócił głowę w jej stronę. — Przecież ty tak chrapiesz, że wszystkie duchy wystraszysz — zaśmiał się. — Oprócz ciebie nie słyszałem nikogo.

„Jeszcze i to! I diabli wzięli cały romantyzm!" — zaklęła w duchu. Zupełnie o tym zapomniała. Ola się nie skarżyła, bo zasypiała, zanim wsunęła pod kołdrę drugą nogę, a w młodości nie chrapała. Co prawda córki mówiły jej czasem, że chrapie. Myślała nawet, że robią sobie z niej żarty, bo ciocia Flora nie narzekała. Ale ona pod koniec życia była głucha jak pień.

— O matko kochana! Serio? — zawstydziła się nie na

żarty. Zmartwiła się, że teraz to już zupełnie niczego atrakcyjnego w niej nie dostrzeże. Jednak Janusz widział w niej wszystko dokładnie to, co widzi w kobiecie zakochany mężczyzna. I na pewno nie jest to cellulit.

— Nie przejmuj się — pocieszał ją. — Ja podobno też chrapię… tylko nigdy siebie nie słyszałem. Ale na wyjazdach moi „współspacze" proszą, żebym poszedł spać na samym końcu, jak oni już zasną, albo wziął dla siebie osobny pokój. Więc widzisz, moja złociutka, tworzymy niezły duet. Pod tym względem też pasujemy.

„A pasujemy? — uchwyciła się tego słowa. — Nie myślałam jeszcze o tym. No, jasne!" — zaśmiała się do własnych myśli. Prawda była taka, że Lukrecja nie myślała o niczym innym. Jednak czuła, że to już chyba ostatni dzwonek, by pomyśleć o sobie i próbować się do kogoś dopasować. Nawet jeśli chrapanie miałoby jej w tym dopomóc. Leżała teraz obok fajnego faceta i nie przejmowała się już swoim chrapaniem. „Jeśli w takim tempie będę odkrywać swoje wstydliwe tajemnice, to pewnie ta kusa koszulka też jeszcze nie jest zupełnie stracona. Z kręceniem biodrami może być jednak problem… stawy mi chrupoczą jak łańcuch przy moim rowerze. A co tam! Włączę muzykę, to zagłuszy" — uśmiechała się do swoich robaczywych myśli.

*

Po śniadaniu z bułeczkami z „centrum informacji gminnej" Lukrecja czuła się dziwnie pewnie, więc zaraz potem została wysłana z misją do pani Helenki. Janusz postanowił zabrać się za pokój, w którym chciała urządzić gabinet. Taki, w jakim przesiadywał jej dziadek Michał. Chciał wynieść resztę starych ławek i przyjrzeć się podłodze. Postanowiła, że nie będzie mu przeszkadzać, choć całą drogę miała obawy, czy zrobi to dobrze. Tak to już jest, gdy kobieta musi radzić sobie ze wszystkim sama. Potem myśli, że nikt nie zrobi tego tak dobrze jak ona. Wolała więc na to nie patrzeć, żeby nie wyjść na Zosię Samosię.

Pani Helenka mieszkała na drugim końcu wsi, u swojej najmłodszej córki. Lukrecja wsiadła więc na rower i pojechała z misją. Kiedy mijała dom swojej szkolnej koleżanki Marylki, zwolniła, bo ta stała z miotłą na ulicy i pewnie tylko czekała na jakiegoś przechodnia, żeby go złapać jak pająk łapie muchę w pajęczynę, i trochę poplotkować. Lubiła to. Stała tak oparta o miotłę i już z daleka dawała Lukrecji sygnały, żeby się zatrzymała.

— No, tak — Lukrecja mamrotała cicho — nasłucham się teraz jak świnia grzmotu. — Była pewna, że Marylka nie omieszka skomentować porannej wizyty Janusza w sklepie. Ale przecież Lukrecja wiedziała, że tak będzie, i już wcześniej się z tym pogodziła.

— Lucia, Lucia! — machała ręką Marylka. — Cześć! Dawno cię nie widziałam — zaczęła przyjaźnie.

— Cześć, Marylka. — Lucia zatrzymała rower i zsiadła z niego, bo i tak znajoma zagrodziła jej drogę miotłą.

— Słyszałaś najnowsze wieści? — zaczęła scenicznym szeptem, oglądając się na sklep.

„Co miałam nie słyszeć?" — pomyślała Lukrecja. Była przekonana, że wie, co Marylka chciała jej powiedzieć. Jednak uśmiechnęła się miło… lubiła Marylkę, bo nie robiła nikomu wielkiej krzywdy.

— Nie — odwlekała chwilę, w której dowie się całej prawdy o sobie. — A co?

— Zamykają sklep. — Marylka ruchem głowy wskazała

na wioskowy konfesjonał. — Plajtują — z wyraźną satysfakcją potwierdziła kiwnięciem głowy.

— Tak? — Lukrecja zdziwiła się nieco. I bardziej tematem nowiny niż bankructwem sklepu rodzeństwa. — Co się stało?

— Tak dokładnie to nie wiem. Ale kto tu przychodzi? — wzruszyła ramionami. — Chyba tylko po świeże bułki i chleb. A i to jest wysoce ryzykowne.

— Ryzykowne? Czemu? — zdziwiła się rozmówczyni, choć doskonale wiedziała, jaki bonus dostaje się do świeżych bułek.

— Gadasz, jakbyś była nietutejsza — oburzyła się nieco Marylka. — Przecież wszyscy wiedzą, skąd biorą początek wiejskie ploty.

— Marylka, nie ma pewności. — Lukrecja próbowała łagodzić niezbyt przyjazne nastawienie koleżanki, która też lubiła poplotkować. — A zresztą — poddała się i machnęła ręką — zawsze tak było.

— No tak! Ale ich wujek nie plotkował, tylko zabawiał klientów. No, takie miał chłop hobby, co zrobić. Przekazywał czasami to, co usłyszał, i specjalnie niczego nie dodawał. No i nie był złośliwy, więc ludzie go lubili.

— To prawda. — Lukrecja uśmiechnęła się na samo wspomnienie byłego właściciela sklepu, miłego, pogodnego, grubiutkiego pana, który z nudów zagadywał klientów i czasami coś tam chlapnął.

— A ona robi to złośliwie. Przecież doskonale o tym wiesz. I rad takich udziela, jakby kto o nie prosił — prychnęła. — Nikt już tego nie chce słuchać, to i przestają tu przychodzić.

— Marylce też trudno było przerwać.

— Wiesz, Marylka, jak znajdziesz trochę czasu, to przyleć do mnie do domu — szczerze zaprosiła ją Lukrecja, bo zawsze się lubiły. Czasami nawet częstowała ją kawą w bibliotece. — Możesz nawet na tej miotle — zaśmiała się i wsiadła na rower.

— Lucia! — zawołała za nią. — Cieszę się, że znów się uśmiechasz. Przylecę.

Do domu pani Heleny Lukrecja dojechała już bez przystanków. Mały domek z białą elewacją wyglądał uroczo z pnącą czerwoną różą przy drzwiach. Pojedyncze róże z jasnym środkiem. Niby niepozorne, a w pełnym słońcu wyglądały jak w pełni rozwinięte piwonie, wspinające się po białej ścianie domu. Pani Helena zawsze bardzo lubiła kwiaty. Kiedyś, kiedy jeszcze mieszkała opodal cioci Lukrecji, często wymieniały się cebulkami, sadzonkami i karpami kwiatów. Wiecznie wędrowały między ogrodami z czymś na łopacie, co właśnie wykopały dla sąsiadki. Teraz pani Helena mieszka u najmłodszej córki i nie ma już wiele siły, ale ogródek wciąż jest imponujący. Ogródek sąsiadki Lukrecji, Bożenki, przypomina dla odmiany busz porzeczkowy Luci. „Może też kogoś tam ukrywa?" — pomyślała trochę złośliwie. — Może męża, który pewnego razu zniknął i już nigdy więcej nikt go we wsi nie widział? Ale on uciekł do innej i to wiedzieli niemal wszyscy".

Jakież było jej zdziwienie, kiedy weszła do zawsze otwartego domu i zobaczyła przy stole… zastępcę wójta gminy.

— Lucia! — ucieszyła się pani Helenka. Już nie mogła się wycofać. — Jak dobrze cię widzieć.

Wyciągnęła do niej ramiona, więc chcąc nie chcąc, Lukrecja musiała podejść i pozwolić się uściskać. Odwzajemniła uścisk, bo rada była widzieć ją w dobrym zdrowiu.

— Dzień dobry, pani Lukrecjo — powiedział mężczyzna i zmieszany poprawiał podstawek pod filiżanką. To zawsze Lukrecja lubiła u pani Helenki, że ta podawała kawę w filiżankach, chyba jedyna we wsi.

— Dzień dobry — odpowiedziała. Cóż było zrobić? Wszak zawsze uważała się za kobietę z klasą. — Może przeszkadzam, pani Helenko? — Lukrecja nie wiedziała, jak się wycofać, a siedzenie przy jednym stole z wrogiem zdecydowanie wykraczało poza wytrzymałość jej ledwo ukojonych nerwów.

— Nie, nie — szybko zaprzeczył. — Ja już właśnie wychodzę — i poderwał się zza stołu. — Żegnam panią — ucałował rękę starszej pani, a Lukrecja szybko zaczęła wiązać sznurówkę przy trampkach. — Do widzenia — powiedział skonsternowany jej nagłym unikiem, do czubka jej głowy.

— Do widzenia — odburknęła, rada że nie musi już na niego patrzeć.

Ukłonił się raz jeszcze w drzwiach i wyszedł. Kiedy już serce przestało jej walić jak młotem (wciąż na jego widok podchodziło jej do gardła), usiadła na stołku przy staruszce, jak kiedyś, kiedy była mała, gotowa słuchać jej opowieści. A starsza pani opowiadała pięknie, zwykle opowieści biblijne, i pewnie dlatego tak dobrze żyła z księdzem Marianem.

— Po co on tu był, pani Heleno? — wzięła ją za pomarszczone dłonie i gładziła po zgrubiałych od artretyzmu kostkach palców.

— A wiesz, Lucia? — staruszka uśmiechnęła się bezzębnymi ustami. — To miły człowiek. I lubi ze mną rozmawiać. Rzadko kto tak uważnie słucha… no, może jeszcze ty.

— Bo pani tak ciekawie opowiada — wciąż trzymała ją za dłonie. — Opowiada mu pani to, co mnie? — ciekawość aż ją rozsadzała. „Czego może chcieć od starej kobiety? — zastanawiała się. — No chyba nie posłuchać o Dawidzie i Goliacie. Albo o mądrym królu Salomonie. Większości przypowieści pewnie i tak by nie zrozumiał".

— A nie, kochana — wskazała na czajnik i filiżanki w witrynce. — Luciu, zrób sobie kawę. Mnie coś dzisiaj łamie w kościach — westchnęła.

Lukrecja pokręciła się po kuchni, sprzątnęła filiżankę po gościu, umyła ją i odłożyła na suszarkę. Wzięła inną. „Nie będę po nim piła. Za nic!" — zaklinała się w duchu.

— To czego on od pani chce? — powtórzyła pytanie.

— Bardzo interesuje go nasza parafia — uśmiechała się zadowolona. — Musi być bardzo pobożny — kiwała głową z wyraźnym szacunkiem.

— No, jasne. — Lucia zamruczała z powątpiewaniem.

— I co chce wiedzieć? — nie ustępowała. Stała odwrócona plecami do starszej pani i przygotowywała sobie kawę. Nie chciała też, żeby staruszka widziała złość w jej oczach, a tego nie potrafiła opanować.

— Pytał o księdza Mariana, o plebanię, o to, jak długo znałam księdza i czy byłam z nim do końca. Aha… i o szkołę też pytał. A właściwie o twojego dziadka — zrelacjonowała zadowolona.

— Co go to obchodzi? — Lukrecja lekko się zirytowała. „To już lekka przesada! — oburzała się w duchu. — Nie dość, że o mały włos wyrzuciłby mnie pod most, to jeszcze interesuje go moja rodzina. Może wie coś o tych fotkach porno? Eee, nie… to nie to".

— Nie wiem. Ale mówił, że trzeba rozmawiać ze starszymi ludźmi, bo można w ten sposób poznać historię regionu — pani Helena zapewne dosłownie powtarzała słowa swojego gościa, którymi tak gładko tłumaczył cel swojej wizyty.

„No, ładnie jej mydli oczy!" — pomyślała Lukrecja. Już wtedy zaczęła podejrzewać, że on coś ukrywa. Tak szybko się ulotnił, jakby bał się zdradzić prawdziwe powody odwiedzin.

— Był tu pierwszy raz? — spytała, obawiając się, że jednak nie.

— O, nie! — uśmiechnęła się. — Już chyba czwarty albo trzeci. Nie pamiętam dobrze, Luciu. Ale moja kawa mu smakuje.

„Akurat!" — Lucia oburzyła się w duchu. Wiedziała, że zastępca wójta lubi mocną kawę, taką z trzech łyżeczek, a to co wylewała do zlewu, to była żałosna namiastka kawy z jednej płaskiej łyżeczki. Takiej, jaką pije starsza pani. Po tym Lucia natychmiast się zorientowała, że musi mu bardzo zależeć na tych opowieściach, bo z całą pewnością nie przychodzi tu dla cienkiej kawy pani Heleny. Siadła z filiżanką na stołku i trzymając ją w obu dłoniach, dmuchała na nią, a para rozpływająca się po kuchni, unosiła cudny aromat mielonych w starym młynku ziaren kawy.

— Pani Helciu — zaczęła delikatnie — pani była przy śmierci księdza Mariana, prawda?

— On pytał o to samo — starsza pani poruszyła się nagle na krześle i zrobiła zdziwioną minę. — Ale to wikary był wtedy przy nim. Nie ja.

— Mówił coś o moim dziadku? Pamięta pani coś, pani Helciu? — popatrzyła błagalnie. — Bardzo mi zależy na wspomnieniach o dziadku Michale. Wie pani… razem z koleżanką zaczęłyśmy sprzątać strych. Chcemy odnowić meble dziadka i urządzić taki gabinet, jak miał kiedyś.

— A wiesz — staruszka nagle się ożywiła i oczy jej zabłysły — on też pytał o wasz strych.

— O strych? — po plecach Lukrecji przeszły ciarki. „Czyżbym widziała przed chwilą strychowego ducha? O co tu chodzi? Dlaczego chciał koniecznie kupić mój dom? Dla strychu?" — denerwowała się. — Co dokładnie mówił? — spytała.

— Nie pamiętam już dobrze, bo o to pytał poprzednim razem... chyba. Nie pamiętam, Luciu, trochę mi się miesza — pani Helenka wyraźnie była już zmęczona.

— Nieważne. Jak się pani przypomni, to powie mi pani innym razem — pogłaskała ją po dłoniach. Pomyślała, że dość już zafundowała emocji staruszce, która powinna teraz doznawać zewsząd czułości, miłości i opieki, a nie wchodzić w wir intryg gminnych.

— A jak sobie radzisz bez Flory, Luciu? Nie brakuje ci jej? — starsza pani uśmiechała się dobrotliwie.

— Brakuje... nawet bardzo. Chociaż na końcu nie było mi już lekko — westchnęła. — Zostałam teraz sama w tym wielkim domu.

— Słyszałam, że jednak nie sama — pani Helena zrobiła groźną minę. Lucia pomyślała, że cioci Florze też by się pewnie to nie podobało. Nagle uśmiechnęła się, odsłaniając nagie dziąsła, i poklepała Lukrecję po rękach. — Dobrze robisz. Na nikogo się nie oglądaj — i wzruszyła ramionami.

— Nawet nie wiesz, jak życie szybko mija. Łap je, Lucia! Nie tak jak Bożenka. Już nie można z nią nawet normalnie rozmawiać, zupełnie zdziwaczała — pani Helenka głęboko westchnęła i z ubolewaniem pokręciła głową. — Dlatego wolę mieszkać z Małgosią, chociaż pracuje i dużo siedzę sama. Ale i tak wolę z Małgosią — powtórzyła.

— Polecę już, pani Helenko. — Lukrecja podniosła się ze stołka. Sprzątnęła filiżankę i poprawiła koc na nogach staruszki, bo chociaż było ciepło, siedziała szczelnie okryta. — Mogę do pani czasami zajrzeć? Mam teraz dużo czasu — spytała już przy drzwiach. I przez chwilę pomyślała, że może zastępca wójta miał rację i trzeba rozmawiać ze starszymi, żeby ratować dziedzictwo kulturowe? — No, jasne! — otrząsnęła się na samą o tym myśl.

— Kiedy tylko chcesz — ucieszyła się staruszka. — I pamiętaj, Lucia, na nic się nie oglądaj, żyj, kochana, żyj! Życie przecieka przez palce jak woda i na starość zostaną ci tylko pomarszczone ręce i wspomnienia — uśmiechała się do Lukrecji, jakby chciała dodać jej odwagi na przyszłość. — A powiedz mi, kochana, czy to prawda, że w bibliotece są takie książki, co można ich słuchać z kasety?

— Tak, pani Helciu. Poproszę kogoś z biblioteki, żeby coś pani przynieśli — obiecała.

— Tylko nie tę Elkę ze sklepu — zawołała za wychodzącą już Lukrecją. — Nie lubię jej.

„Nie tylko pani, pani Helciu" — pomyślała i kiwnęła jej głową z uśmiechem. Jeszcze chwilę podziwiała czerwone plamy róż na fasadzie domu, wsiadła na swój rozklekotany rower i pojechała do domu. Przez całą niemal drogę dzwoniły jej w uszach słowa staruszki: „Pytał o księdza, szkołę i twojego dziadka". Zastanawiała się po co. Co knuje w tajemnicy przed swoim kompanem, bo z jakiegoś powodu do starszej pani przychodzi sam. „Jeśli to on był na moim strychu, to czego tam szukał? I kto mu dał prawo pastwić się nad moim kotem? Kot jest mój! I tylko ja mogę go nie lubić. Nikt inny. A z całą pewnością to nie jest mój wróg największy. Biedne kocisko! — prowadziła w głowie monolog. — Matko kochana! Muszę wkładać kapelusz, bo chyba słońce mi zaszkodziło" — uśmiechnęła się na wspomnienie rudzielca.

*

Jakież było jej zdziwienie, kiedy wróciła do domu, a na podwórzu piętrzyły się już wyniesione z klasy sprzęty. Stare ławki z miejscem na kałamarz, tablica szkolna, pamiętająca chyba czasy cesarza Wilhelma, i mnóstwo desek, różnych drewnianych części czegoś, czego przeznaczenia nie dało się już odgadnąć. Janusz szalał. Przebrany w roboczą odzież, umorusany od potu i kurzu zalegającego pomieszczenie, co rusz jeszcze coś wynosił. Po chwili zmęczony zdejmował z siebie zakurzoną, mokrą od potu koszulę.

— Matko kochana! — Lukrecję zamurowało na ten widok. — To wszystko było w tej klasie?

— Moja złociutka… to jeszcze nie wszystko — przysiadł na drobiowym ołtarzu ofiarnym. — Ale mam dla ciebie dobrą nowinę. Podłoga jest zdrowa, wymaga tylko cyklinowania i lakierowania albo zapuszczenia oleju. Twój zięć Andrzej już ją oglądał — spojrzał na nią ciekawy reakcji na wspomnienie zięcia. — I obiecał pomóc.

— Rety! — zrobiło jej się strasznie głupio. — Zapomniałam, że już wrócili z wakacji. Przepraszam cię, Janusz, że zostawiłam cię samego — nie wiedziała, co powiedzieć. Przepraszać czy pytać o reakcję zięcia, który pewnie się zdziwił, ujrzawszy w domu obcego, półnagiego faceta, który porządkuje dom. — Pewnie się zdziwił na twój widok?

— Wyobraź sobie, że nie. Podszedł do mnie z wyciągniętą ręką i zapytał: „Pan Janusz, prawda?", i przywitał się. — Janusz wycierał brudne ręce w ścierkę i uśmiechał się pod nosem. — Fajnego masz zięcia. Zaraz poszedł obejrzeć podłogę, no i oczywiście pomógł mi to wszystko wynieść. Nie myślisz chyba, że dałbym sobie radę sam.

Ulżyło jej. Dzieci na szczęście ma bardzo liberalne, ale nic nie wiedziały o jej nowym szaleństwie i trochę bała się ich reakcji.

— Jutro przyjdą na rosół — klepnął ręką w pieniek. — Mam się wynieść? Może nie chcesz mnie im pokazywać?

— No coś ty! — oburzyła się. — Jest mi tylko strasznie głupio, że przy tobie zupełnie o nich zapomniałam.

Rzeczywiście było jej wstyd. Nowe życie tak ją pochłonęło, tak dobrze czuła się u boku Janusza, że nagle przestała dostrzegać nieobecność własnych dzieci. Może to właśnie jest powrót do życia… własnego życia. Już na to nie liczyła. A coraz bardziej zaczynało jej się podobać.

— To co, Lucia? Utłuc kurę?

— Ty? — Lukrecja zdziwiła się, że i ten rytuał ktoś od niej przejmie. — Zawsze sama to robiłam. A potrafisz?

— Jak wyjmiesz wreszcie siekierę spod łóżka, to tak — uśmiechnął się od ucha do ucha. — Z broni palnej mógłbym nie dać rady. Na strzelnicy raczej do kur nie strzelam.

— O matko! Widły też tam jeszcze stoją — przypomniała sobie nagle. Tak zaabsorbowało ją spotkanie Janusza z Andrzejem, że zapomniała opowiedzieć o wizycie u pani Helenki. — A wiesz, kogo spotkałam u pani Helenki? — nie czekając na reakcję, weszła do domu.

— Czyżby wójta? — zawołał za nią.

— Jego zastępcę — cofnęła się zdziwiona. — A skąd wiesz?

— Zapomniałaś, gdzie pracuję? — wstał i poszedł do sypialni po widły i siekierę. Wrócił po chwili, odstawił widły do komórki, a siekierę wbił w klocek. Miaauu… rudzielec natychmiast wskoczył na parapet. — Co wyście zrobiły temu kotu? — spojrzał zdziwiony na przerażone kocisko.

— Zaraz tam zrobiły! — Lukrecja broniła się oburzona, z wysoko podniesioną głową. — Może kilka razy upadła nam siekiera obok niego i jakiś taki lękliwy się zrobił — wzruszyła ramionami. — Trauma taka.

— Tak zupełnie przypadkiem? — zerknął na nią.

— Najzupełniej — odpowiedziała, podniosła głowę jeszcze wyżej, obróciła się na pięcie i niemal defiladowym krokiem weszła do kuchni, grożąc kocisku palcem. — Na szczęście teraz nie naskarży, że jest prześladowany, a do Wigilii jeszcze daleko. Może zapomni — pomyślała. — Co miałeś na myśli, mówiąc, że pracujesz w policji?

— Tu i tam mówi się, że ci zacni panowie, co tak strasznie zaleźli ci za skórę…

— Nie tylko mnie — natychmiast uzupełniła.

— Nie tylko tobie — zgodził się. — Otóż panowie, a szczególnie jeden z nich, bardzo interesuje się plebanią, starą szkołą i historią wsi. Wypytuje wszystkich dookoła i podejrzewam, że nawet mają ludzi, którzy robią to na ich zlecenie. Mam powody sądzić, że twoja sąsiadka zza drogi, ta Bożenka, też bierze w tym udział. Dlatego Luciu, proszę cię, nie rozmawiaj z nią na te tematy. Najlepiej z nikim nie rozmawiaj.

Lukrecję trochę zatkało. „O co tu chodzi?" — pomyślała. Siadła ciężko na krześle i podparła głowę rękami. Nie myślała o niczym, myśli tak kotłowały się w jej głowie, że próba ich ułożenia mogłaby skończyć się dla niej szaleństwem. Janusz mył ręce nad zlewem i uspokajał ją.

— Nie myśl, złociutka, o tym — wycierał ręce w ścierkę — już ja się tym zajmę. Ty tylko zaplanuj, co chcesz mieć zrobione w tym pokoju. O podłodze już wiem, ale jeszcze wybierz kolory ścian, zdecyduj, czy chcesz tapetę, czy może mam ci zrobić gładź na ścianach?

— A potrafisz?

— Zamówić fachowca? — uśmiechnął się. — Jasne!

— Nie mam pieniędzy na fachowca — zmartwiła się natychmiast.

— A mówiłem coś o pieniądzach? Za kogo ty mnie masz, Lucia? — oburzył się. — Lepiej zjedzmy jakiś szybki obiad, bo chciałbym jeszcze dziś pociąć te stare dechy na podwórzu. Twój zięć przyjdzie po południu z piłą łańcuchową. Mówiłem, że możemy zrobić to jutro, a on zapytał mnie o zamiary wobec ciebie.

— Co? — Lukrecja nagle uniosła głowę i zrobiła wielkie oczy.

— Powiedział, że jeśli są poważne, to lepiej zrobić to dziś, bo mogłabyś nie przeżyć pracy w niedzielę — mówił to zupełnie poważnie, ale oczy mu się śmiały. — Zapomniałem, że tak właśnie żyje się na wsi. Niedziela to dzień święty.

O, tak! Niechby tylko ktoś próbował pracować w niedzielę. Bywało, że nieskończona w tygodniu robota leżała i aż się prosiła o dokończenie, ale nikt nie śmiał jej tknąć. Trudno. Musiała poczekać do następnego roboczego dnia. Takie zasady Lukrecja wyniosła z domu i te same przyświecały cioci Florze. W niedzielę po mszy był obiad, potem wspólne sprzątanie po obiedzie i deser. Wtedy na stół wjeżdżało przygotowane wcześniej ciasto i kawa. Bywało, że na tę część niedzieli wpadali jeszcze jacyś goście i zwykle było miło i rodzinnie. Familijne pogawędki przy kawie, spacery po sadzie i do pobliskiego lasu. Ewentualnie w samotne niedzielne popołudnie lektura... to można było zaliczyć do niedzielnego rytuału. Ale żeby porządki na podwórzu? Nigdy! Tego by Lukrecja nie zniosła. Podwórze musiało być posprzątane i zagrabione najpóźniej w sobotę wieczorem.

Sobotnie popołudnie minęło więc pracowicie. Gospodyni skubała uśmierconą przez Janusza kurę i przygotowywała warzywa do rosołu, Janusz z Andrzejem cięli stare szkolne meble i drewno wyniesione z klasy. Pod wieczór dołączył do nich Maciej i układał pocięte drewno na stos. Zgodnie stwierdzili, że przyda się do kominka. Nieźle się razem przy tym bawili. Lukrecja udawała, że nie przysłuchuje się ich rozmowom, ale pewne fragmenty docierały do jej uszu, szczególnie te, po których wszyscy się śmiali.

— Mieszkasz z naszą mamusią? — Maciej przysiadł na ławce i nalewał sobie kompotu z dzbanka. Zawsze nazywali Lukrecję „mamusią", żeby nie nazywać... teściową.

— Tylko chwilowo jej pilnuję — odpowiedział. — Trochę się tu działo i bała się.

— Dobrze, że ma wreszcie na kogo liczyć. — Andrzej wtrącił się do rozmowy. — Fajna jest. Jak czasami w pracy chłopaki opowiadają o swoich teściowych, to włosy stają mi dęba.

— O, właśnie dziś usłyszałem, czym teściowa różni się od wściekłego psa. — Maciej zrobił minę, jakby odkrył Amerykę, jednak kiedy słuchacze nie spytali, sam sobie odpowiedział: — Szminką na ustach — zaśmiał się ze swojego dowcipu, ale kiedy nie było odzewu, zaklął cicho pod nosem. — Cholera! Coś mi dzisiaj nie idzie.

— Ona jest zupełnie inna — kontynuował Andrzej.

„Matko kochana! — pomyślała. — Swatają mnie. No, ładne rzeczy!" Ale specjalnie kręciła się opodal drzwi w nadziei, że usłyszy ciąg dalszy. Kiedy zorientowała się, że najzwyczajniej w świecie podsłuchuje, zaśmiała się z siebie i pomyślała, że tak skoncentrowana na słuchaniu mogłaby konkurować z nietoperzem, bo chyba już nawet odbierała ultradźwięki.

— Nie musisz się przecież z nią żenić. — Maciej wyjadał

rozgotowane jabłka z kompotu, które zostały na dnie szklanki. — Bywa, że ślub wszystko zmienia.

— Narzekacie? — Janusz odłożył piłę i sięgnął po kompot.

— Nie, skąd! Córki są świetne i pewnie wdały się w matkę.

— Więc co?

— Bo wiesz... pewien facet poprosił kobietę o rękę. — Maciej sięgnął wreszcie zakrzywionym palcem jabłkową miazgę z dna szklanki i nagarnął ją sobie do ust. — Nie przyjęła oświadczyn.

— I co? — nawet jego szwagier się zaciekawił.

— I nic. Odtąd żył długo i szczęśliwie — dokończył historyjkę, ale jakoś bez radości z puenty. „Co mu się tak dziś zebrało na dowcipy?" — zastanawiała się ukryta za drzwiami Lukrecja.

Andrzej spojrzał na niego zdziwiony, wyraźnie nie rozumiejąc, co szwagier chciał przez to powiedzieć.

— Żyłeś kiedyś samotnie? — Janusz zapytał Macieja, uważnie mu się przypatrując. — Jestem sam od ponad siedmiu lat. Żona odeszła ode mnie, a przedtem zginął nasz syn. Za wszystko winiła mnie. Wtedy postanowiłem wrócić tu, gdzie się urodziłem, i zostałem zupełnie sam. Wierz mi, przyjacielu... to żadne szczęście.

Wciąż stała za drzwiami i przysłuchiwała się. I dopiero teraz się dowiedziała, jak to się stało, że Janusz jest samotny, i dlaczego tak bardzo chce mieć rodzinę.

— Sorry, nie wiedziałem. — Maciej się wycofał.

— Bo i skąd mogłeś wiedzieć — usprawiedliwił go Janusz. — Nie powiedziałem nawet Luci. Boję się ją spłoszyć — mężczyzna odstawił na parapet pustą szklankę. — Jest taka niezależna i odważna. Może wcale nie chce, żebym wkraczał w jej życie. Doskonale radzi sobie sama. Cieszyłem się, kiedy powiedziała, że po wyjeździe Oli boi się zostać sama. — Zaśmiał się i cicho dodał: — Dobrze jest czuć się potrzebnym.

— Życzymy ci tego. — Andrzej poklepał go po ramieniu.

— To naprawdę fantastyczna kobieta.

— No. — Maciej z przekonaniem pokiwał głową, na swoje szczęście, bo Lucia zaczęła się już zastanawiać, co miały dziś znaczyć te jego dowcipy.

„Chyba pomyślę o lepszych gwiazdkowych prezentach dla moich zięciów. Tylko za co je kupię?" Lukrecję cieszyło to, co usłyszała (czy raczej podsłuchała), ale specjalnie się nie zdziwiła. Zawsze starała się być obiektywna w stosunku do obu swoich córek i ich mężów. Nie wtrącała się w ich sprawy, nie radziła, kiedy jej o to wyraźnie nie poproszono. Nie komentowała ich czasami głupich zachowań i nie moralizowała. Może taka właśnie powinna być teściowa? A może po prostu miała tak wiele roboty ze starą ciocią, że na bycie zołzowatą teściową nie miała już czasu? W każdym razie dobrze się złożyło. Wyszło na to, że jest „fajna", i teraz zyskała niezłych swatów.

— Jak idzie robota? — wyszła z ukrycia i przemaszerowała przez podwórze, żeby zanieść owieczkom obierki jarzyn. A może raczej, żeby ukryć zmieszanie i wypieki na twarzy. „Żaden ze mnie konspirator" — pomyślała, czując rumieniec na twarzy.

— Niech się mamusia nie martwi. — Maciej szczerzył zęby. — Do wieczora nie będzie po tym śladu.

I nie było. Klepki ze starych ławek zostały równiutko poukładane pod ścianą chlewika, a podwórko zagrabione. Panowie wykąpani i pachnący siedzieli w ogrodzie pod drzewem i popijali zimne piwo. Lukrecja sama po nie pojechała, bo stwierdziła, że zasłużyli. I wcale nie miała na myśli tego, co podsłuchała, stojąc przyklejona do ściany kuchni, przy drzwiach na podwórze. „Zasłużyli, bo ciężko pracowali — utwierdzała się w tym przekonaniu, wioząc piwo dla panów. — Ależ ja kłamię — zganiła się w myślach. — Chyba muszę pogadać z księdzem Zygmuntem. O matko kochana! A co mu powiem, jak spyta o Janusza? Eee, takie tam małe kłamstewko… szkoda staruszkowi głowę zawracać" — zdecydowała.

*

Lukrecja trochę się denerwowała niedzielnym obiadem, choć zięciów, czemu była rada, miała już po swojej stronie. I po cichu liczyła, że przygotują jej córki do spotkania z Januszem przy ich niedzielnym rytuale. Ale jednak nerwy były! Przecież córki nigdy nie mówiły: „mamo, znajdź sobie kogoś", nie zachęcały do spotkań, wyjść czy wyjazdów. Może z czystego egoizmu — miały ją w końcu tylko dla siebie, potem dla swoich dzieci — a może nie chciały ranić jej uczuć, wiedziały przecież, jak kochała ich ojca. Ale jednak kupiły jej seksowną bieliznę. No chyba nie na wizyty u doktora! I tak, targana emocjami, niedzielny obiad traktowała jak mały sprawdzian. „Okaże się, co naprawdę myślą moi najbliżsi i jak widzą jej przyszłość" — martwiła się ociupinkę.

— Babcia! — Kacperek z rozpostartymi ramionami biegł prosto do Lukrecji, ale zmienił kierunek, kiedy zobaczył owieczki. Ruszył w ich kierunku, te zerwały się do ucieczki i zaczęła się szalona gonitwa. Babcia biegła za wnukiem, Kacper za bekulkami, te, same spłoszone, wystraszyły też rudzielca i brakowało tylko gdaczących kur, które zwykle Kacper kopniakiem bezceremonialnie przepędzał z drogi, kiedy tylko weszły mu pod nogi. Kaśka beczała (nie mylić z owcą), bo Magda trzymała ją za rączkę i nie chciała puścić w pogoń za inwentarzem. Oto niedzielny rytuał! Kiedy Lukrecja goniła

Kacperka, zięciowie już zdążyli dokonać prezentacji. Cieszyła się, że chociaż to miała za sobą. Dziewczyny przyjaźnie rozmawiały z Januszem, wypytywały o postępy w śledztwie, jednak Ewa bacznie mu się przyglądała.

Rosół wszystkim smakował, tylko Maciej podśmiewał się pod nosem i w końcu nie wytrzymał:

— Mamusia czasami nie przesadziła z lubczykiem?

— Nie, czemu? — zmieszała się. — Dodałam tyle co zwykle.

— Jakiś taki wyraźniejszy jest dzisiaj. — W tym momencie Ewa kopnęła go pod stołem. — No, co? Pożartować nie można? — bronił się.

— Rosół jest przygotowany jak zwykle, za to drugie danie to niespodzianka — zakomunikowała z uśmiechem Lukrecja i tłukła garnkami przy zlewie, bo czuła się jak na cenzurowanym. — Jak rozpalicie grilla, to się przekonacie.

Już tylko było słychać stukanie łyżek o talerze, nawet Kacpra i Kaśki nie trzeba było namawiać do jedzenia, wszyscy chcieli jak najszybciej przekonać się, co będzie na drugie danie. Zwykle Lukrecja podawała potrawkę z ryżem i groszek z marchewką albo dolewkę rosołu. Panowie poszli do ogrodu rozpalić grilla, zabrali ze sobą dzieci, a dziewczyny uparły się, żeby pomóc matce w zmywaniu. Lukrecja doskonale wiedziała dlaczego. Koniecznie przecież musiały ją przepytać.

— Mamuś — zaczęła Ewa. — To już tak na poważnie? — nie patrzyła na matkę, tylko zadała pytanie, cały czas wycierając naczynia, które Lukrecja odkładała na suszarkę.

— Co mam wam powiedzieć? — była bardzo zmieszana. Płukała naczynia pod bieżącą wodą znacznie dokładniej niż zwykle. Nie wiedziała, jak rozmawiać z córkami. Nie o mężczyznach. Przynajmniej nie o swoim.

— Powiedz, że się zakochałaś, mamuś... powiedz. — Magda oparła się o kuchenną szafkę i bezceremonialnie zaglądała jej w twarz. Uśmiechała się przy tym figlarnie.

— A jeśli nawet, to co? Jestem już za stara? — nieco obrażona wyprostowała się przy zlewie. Trochę byłoby jej przykro, gdyby tak właśnie uważały jej córki.

— Coś ty, mama! — Ewa nagle się ożywiła. — Jest super! Pamiętasz tego Krzysia, w którym kochałam się w technikum? Był boski, męski i taki, taki... jak Rhett Butler z *Przeminęło z wiatrem*. Pamiętasz? — usilnie starała się przywołać jego wspomnienie. „Rzeczywiście — przypomniała sobie Lukrecja. — Ewa strasznie była w nim zakochana, a on powiedział, że chciałby, żeby została kiedyś jego żoną, ale jeszcze musi się wyszumieć. Tego dumnej Ewie było za wiele. Ale jeszcze długo za nim tęskniła". — Janusz jest do niego podobny. Może bardziej domowy, szczególnie gdy przygotowuje coś do jedzenia. Ale — cmoknęła — niezły jest, mamuś.

— No właśnie, mamo. Co będzie na drugie danie? — Magda pakowała do koszyczka butelki z piwem i kartoniki z sokami.

— Chodźcie, to zobaczycie.

Poszły do ogrodu, za nimi pobiegły owieczki, a zaraz za wełniakami rudzielec z dumnie uniesionym ogonem. W ogrodzie już pachniało mięsem, aromat rozchodził się po całej okolicy. Dzieci bawiły się pod drzewem, ale na widok wełniaków rzuciły się do ich łapania. Stół był nakryty, krzesła ustawione, mężczyźni czekali tylko na przybycie reszty obiadowiczów i na piwo, rzecz jasna.

— Co tak ładnie pachnie? — Magda wciągnęła zapach, podchodząc bliżej skwierczących żeberek.

— Żeberka w glazurze z coli — wyrecytował pouczony już Andrzej.

— W coli? Dobrze usłyszałam? — Magda nie wierzyła.

— No, tak. W coli. — Lukrecja przytaknęła. — Już jadłam — przewróciła oczami na wspomnienie ich smaku i zrobiła błogą minę. Przypomniała sobie też, co nastąpiło po konsumpcji żeberek, więc może to nie o jedzenie chodziło? Nieważne. — Pycha!

— Oj, Janusz… przełamujesz tabu w tym domu. — Maciej z uznaniem kiwał głową. — Dotąd nikomu się to nie udało. Cola jest surowo zabroniona.

— Przynajmniej była — dodała jego żona. — Do teraz.

— Dajcie już spokój z tą colą — zrzędziła lekko zmieszana matka. Wciąż czuła się pod obstrzałem. Patrzeli na nią inaczej niż zwykle, badawczo, z pewnym zaciekawieniem. Zupełnie jakby widzieli w niej kogoś innego.

Janusz przekładał żeberka na ruszcie, a ona doskonale wiedziała, że chce coś powiedzieć. Pod nosem błąkał mu się niecny uśmieszek i zaczepnie spoglądał na kobietę. — Matko kochana! — przeraziła się nagle. — Tylko niech mu nie przyjdzie do głowy mówić o innych tabu. Zresztą… dawno wypadłam z obiegu, więc dla młodych to z całą pewnością już nie jest żadne tabu — uspokoiła się nieco.

— A powiedz, Lucia, jaka cola jest pyszna ze szkocką — nie wytrzymał, a Lukrecji kamień spadł z serca. Na szczęście chodziło tylko o to.

— Maaamo! — zawołali niemal chórem. Patrzyli na nią jak na jakiegoś dziwoląga. Dotąd niewiele piła, a już na pewno nie takie trunki.

— Mamo, mamo — przedrzeźniała ich ze śmiechem, wzruszając ramionami. — To mnie już nic nie wolno?

— Ale szkocka? — Ewa miała wielkie oczy.

— Ale cola? — dziwiły się z Magdą niemal jednocześnie i nie wiadomo było, co dla nich gorsze. — Przecież wyklęłaś colę.

— I nie lubisz whisky.

— Osobno… nie — broniła swoich nowych upodobań.

— Ale okazało się, że razem świetnie smakują.

— Ciekawe, jakich jeszcze nowości się dowiemy. — Maciej zerkał na Janusza, a ten oparł się jedną ręką o drzewo, w drugiej uniósł do góry szczypce do mięsa i wyglądał, jakby chciał wygłosić jakieś oświadczenie.

— Dosyć już gadania. — Lukrecja poderwała się i zagoniła wszystkich do stołu. — Maciej, lepiej zawołaj owce.

— Chyba dzieci. — Magda ruszyła do pomocy szwagrowi.

— Zostaw dzieci, same przyjdą — machnęła ręką. — Widzisz przecież, że chodzą stadem.

Obiad przeciągnął się do wieczora. Było miło i rodzinnie. Maciej wspomniał, że ktoś jest zainteresowany kupnem części ogrodu pod budowę domu. Ale wszyscy doszli do wniosku, że może na razie nie warto się spieszyć, bo pieniądze nie są im teraz pilnie potrzebne. Lukrecję uspokoiła już sama myśl, że jest sposób, żeby oddać im te pożyczone pieniądze. Ale skoro nie ma pośpiechu?

— Mamuś, co się działo na strychu? Ktoś tam był, prawda? — Między pierwszą a drugą porcją żeberek Magda nagle poruszyła temat włamania.

— Chyba tak. Zostawił zwisający sznur z okienka — westchnęła. — Ale nie mam pojęcia, czego tam szukał. Zostały tylko meble po dziadku… nawet papierzyska już przejrzałyśmy.

W tym miejscu Lukrecja zaczęła się zastanawiać, czy powiedzieć dzieciom o swoich podejrzeniach co do hobby ich pradziadka. „To byłby numer! — pomyślała. — Takie odkrycie!" Dotąd dziadek Michał był przedstawiany jako wzór cnót wszelakich, bo nawet nawrócił się na starość… a może po prostu przestał się przejmować przynależnością do jedynie słusznej partii? Czy może przyjaźń z plebanem zmieniła jego nastawienie? Tego się już nikt nie dowie. W końcu zdecydowała, że poczeka, aż policja odda jej kolekcję, przez co będzie miała czas do namysłu.

Janusz umówił się z chłopakami na cyklinowanie podłogi w pokoju przeznaczonym na gabinet. Zanim przyjdą, Janusz miał podobijać gwoździe i przygotować front robót, łącznie z cykliniarką. Obejrzeli też okienka na strychu i ustalili, że trzeba koniecznie je wymienić, co zadeklarował zrobić Maciej. W końcu jest architektem.

— Oj, będzie zadyma! — znów się martwiła gospodyni.

— Trudno, przyjdzie i to przetrzymać.

Jednak córki bardziej przejęły się włamaniem na strychu i naradzały się, jak pomóc samotnie mieszkającej matce. Po cichu wyznaczały sobie dyżury.

— Mamo, może zostać z tobą, jeśli się boisz? — zatroszczyła się Ewa, bo już wcześniej się zdarzało, że któraś z córek zostawała z matką, szczególnie wtedy, kiedy ciocia Flora była bardzo chora.

— Nie ma takiej potrzeby. — Janusz uśmiechnął się od ucha do ucha. — Jeszcze parę nocy mogę wam mamy popilnować.

Lukrecja poczuła, jak oblewa się rumieńcem i nie było to uderzenie gorąca. Głupio jej się zrobiło, bo już wiedziała, że córki domyślają się celu tych nocnych straży. „Domyślają się, na bank! — patrzyła na nich kątem oka. — Głupie nie są. Po takich rodzicach?" Jej zaróżowiona twarz rozśmieszyła wszystkich, Lukrecja nie umiała tego ukryć, choć próbowała zrzucić

winę na żar z grilla. „Może chociaż naiwność mają po mnie"
— westchnęła z nadzieją.

O remontach, o magicznej lampie i o tym, po co kobietom skrzydła

Podwórko wyszło bajecznie. Dzięki ci, Panie, za trawniki
w rolkach i rośliny w pojemnikach! Sprawa była dość pilna, ale
zimą przygotowałam sobie nieco projektów na zapas. Kiedy
mam trochę czasu pomiędzy zamówieniami na obrazy (wciąż
maluję na jedwabiu obrazy dla pewnej sieci hoteli i chyba są
niezłe, bo często im giną), wtedy tworzę nowe projekty. Lubię
to. Często przeglądam albumy z pracami starych mistrzów,
zdjęcia prac grafficiarzy, prace firm reklamowych i szukam
inspiracji. Nigdy się nie nudzę. Na szczęście nie mam większych kłopotów z kasą, więc tworzę dla samej pasji tworzenia.
Eee, nie. Naciągana sprawa. Robię to wszystko nie tylko dla
samego tworzenia. Zarabiam przy tym przyzwoite pieniądze.
Przyzwoite w porównaniu z pensją nauczyciela, co wskazuje,
że wcale nie są to ogromne kwoty. Ale zawsze wytyczałam
sobie jakiś cel i próbowałam go osiągnąć. Niektóre wynika-
ły z konieczności życiowych, takich jak spłacenie kredytów
zaciągniętych na wybudowanie domu, utrzymanie go i wy-
kształcenie Tytusa. Potem spełnianie zachcianek typu auto
moich marzeń, ogród japoński… zawsze coś. Teraz marzę
o domu na wsi. Ale po drodze chciałabym jeszcze pomóc Ty-
tusowi spłacać jego dom, który właśnie kupił. W życiu trzeba
stawiać sobie cele, tylko wtedy człowiek się rozwija. I trzeba
spełniać własne marzenia. A jakby udało się jeszcze spełnić

cudze? Zawsze większą radość sprawiało mi uszczęśliwienie kogoś niż siebie samej. Tak jakoś dziwnie mam.

Malowane podwórka spełniają czasami cudze marzenia. Lubię patrzeć na zachwyt w oczach odbiorców naszej pracy i wyobrażać sobie, jak dwoje staruszków siedzi na ławeczce, na tle czasami domalowanej zieleni, i gawędzi, pilnując wnucząt bawiących się w minipiaskownicy albo rozchlapujących wodę z kamiennych fontann. Jedni beneficjenci tych podwórek dbają o nie, jakby dostali wspaniały dar, inni mają to w nosie. Nic się na to nie poradzi, tak to już jest.

To podwórko miało świetne warunki słoneczne i mogliśmy nasadzić dużo roślin, przywiezionych w pojemnikach. Nie wtrącałam się tym razem w ich dobór. Michał i Robert wcześniej już to zaplanowali, zaprojektowali też czasowe podlewanie i inne „ułatwiacze" życia. Ale zostały dwie ściany, które musiałam stopić z pięknym, zieleniącym się już podwórkiem. Jedna ściana zupełnie bez okien i drzwi, druga z małymi okienkami, zupełnie jak okienka piwniczne.

Jednak na wszystko znajdzie się rada. Na pustej ścianie nagle zjawiły się okna z kolorowymi zdobieniami, z firankami i doniczkami z pelargoniami oraz piękne rzeźbione stare drzwi z okuciami. Tajemnicze, ciężkie… prowadzące donikąd. Żeby rozświetlić ścianę, chłopaki zamontowali latarnię, idealnie pasującą do drzwi. Michał wyszukał ją gdzieś na wystawkach, jest w tym mistrzem. Nigdy nie zapomnę fontanny, którą oddał przy realizacji jednego z pierwszych podwórek. Mnie by chyba nie było na to stać. Była taka romantyczna, z aniołem, który zmoczywszy skrzydła, nie mógł się z niej wydostać. Pamiętam, że gdy Michał ją przytaszczył, musiałam zmienić gotową już prawie fasadę, domalowując na niej grono aniołków czekających na niego. Ale warto było. To moje ulubione podwórko i ilekroć jesteśmy w pobliżu, odwiedzamy je. Mam do niego szczególny stosunek, wtedy tak bardzo zatęskniłam za Marcinem, za tym, jak zwracał się do mnie słowami „mój aniołku". I chyba właśnie wtedy uświadomiłam sobie, że chcę go odzyskać.

Małe okienka powiększyłam, domalowując im okiennice pasujące do drzwi donikąd, i zaproponowałam zawieszenie skrzynek na kwiaty. To ściana ze wschodnią wystawą, więc powinny tam całkiem nieźle rosnąć kwiaty lubiące półcień, choćby niecierpki, a może nawet pelargonie. Nad oknem domalowałam ozdobne gzymsy imitujące piaskowiec, zresztą całą ścianę przemalowaliśmy na bardziej piaskowy kolor. Niektóre uszkodzenia elewacji tuszowaliśmy, w innych miejscach robiliśmy je specjalnie, żeby dodać jej charakteru. Wschodnia ściana była dość wysoka, więc postanowiliśmy jeszcze domalować piętro. Rzadko to robimy, ale to podwórko bardzo na tym zyskało. Nad małymi okienkami pojawiły się wysokie okna balkonowe z łukowatymi wykończeniami i ze szprosami, i oczywiście z prawdziwymi kutymi balustradkami, wyszperanymi gdzieś przez Michała. Wyszło odjazdowo. Lubię to, lubię coś tworzyć.

Do przygotowania podłoża panowie mnie nie dopuścili, śmiejąc się, że przy moim szczęściu mogłabym wykopać kolejnego nieboszczyka, jak w ogrodzie Luci. Głupio żartowali i mieli niezłą zabawę przez kilka dni, ale miny im zrzedły, kiedy instalując latarnię, wykopali jakieś szczątki. Na szczęście psa.

— Mówiłem ci, że to czarownica. — Michał śmiał się oparty o łopatę i mrugał do Roberta. — Ciesz się, że to tylko zwierzęcy pochówek.

Ale śmichy-chichy się skończyły, ja zyskałam przydomek czarownicy, a Michał grabarza.

*

Dni mijały jeden za drugim, każdy następny przybliżał moment powrotu do domu gromady szkolnych dzieci… taką przynajmniej Lukrecja miała nadzieję. A tu prace rozgrzebane i sama już zaczęła wątpić, że to się kiedyś skończy.

Strych zyskał nową parę okien. Maciej stwierdził, że nie będzie wymieniał jednego, bo za chwilę drugie i tak wypadnie, a ze względów estetycznych lepiej wymienić oba. No chyba że mamusia wolałaby, żeby — jak u psów rasy husky, które często mają jedno oko w innym kolorze niż drugie — jedno okno było stare i wypaczone, a drugie nowe. — Może wtedy dom zyskałby na szlachetności i ukazałby swoje „rasowe" pochodzenie — żartował Maciej. Jednak właścicielka wolała, żeby oba okna były niebieskie, piwne… albo zielone. Obojętnie, byle takie same.

Większość mebli stała na podwórzu, bo jak już zięciowie Lukrecji wypożyczyli cykliniarkę, to poszli na całość. I nagle spod wiśniowej i orzechowej farby wyłoniły się całkiem solidne dechy. Może wizualnie nie były najwyższej jakości (gdzież im do powtarzalnego wzoru desek na panelach, Lukrecja ich nie cierpiała), za to szlachetność ich faktury można było wyczuć, głaszcząc wyszlifowaną deskę czy stojąc na niej bosą stopą. Pomiędzy deskami została farba, nie można jej było do końca usunąć, ale szpary udało się zaszpachlować przed lakierowaniem i efekt końcowy był niczego sobie. Lukrecji nie przeszkadzały nawet tu i ówdzie podobijane gwoździe, bo nadawały podłodze charakter.

Ściany powoli pokrywały się tapetami i zyskiwały wzory i kolory, które wcześniej sama dobrała. Trochę się bała, czy wybrała odpowiednie, ponieważ nie zdążyła wcześniej skonsultować się z Olką, która zniknęła na dość długo. Odzywała się co prawda, informując, że ma dużo pracy, ale Lukrecja podejrzewała, że chciała dać jej szansę powrotu do życia rodzinnego. Kiedyś wspominała Oli, że życie małżeńskie jej służyło. — No, cóż — westchnęła, patrząc na nowe ściany — najwyżej skrytykuje.

Do mniejszej klasy udało się wtaszczyć szafę z sypialni. Po zastąpieniu luster szybami i dorobieniu kilku półek powstała pojemna biblioteka. Akurat do gabinetu. W miejscu szafy znalazła się bieliźniarka i kufer, z którego — po przemyciu ostrymi środkami i przemalowaniu wnętrza — okropny zapach się ulotnił. Gdyby było inaczej, nadawałby się chyba tylko na sarkofag dla kota. A tak można będzie w nim przechowywać zapasową pościel i koce, a jak twierdzi gospodyni, na to zawsze brakuje w domu miejsca. Czas było zabrać się za zniesienie biurka ze strychu.

— Nie będzie to łatwe zadanie, ale w końcu jakoś tam wlazło, to i zejść musi. — Lukrecja rozważała głośno, spoglądając na strome schody. Bała się już nawet planować to przedsięwzięcie, bo zaraz przypomniała sobie Olkę, która o mały włos nie padła ofiarą zjeżdżającego ze stromych schodów kufra. Na szczęście ucierpiała tylko jej łydka.

— Mamusiu — zięć Maciej w uśmiechu pokazywał równe zęby — nie przejechałaby się mamusia po piwo? Strasznie chce się nam pić, a kompotu już mamy dosyć. Bo my musielibyśmy się doprowadzać do porządku...

— Jasne — zgodziła się bez wahania, bo rzeczywiście wyglądali jak zapracowana ekipa malarska.

Wsiadła więc do auta i pojechała do sklepu na nowym osiedlu. Nie wskoczyła na rower, bo nie chciała dzwonić butelkami, pedałując przez całą wieś. Planowała też zrobić jakieś konkretne zakupy, ale okazało się, że w lodówce niczego nie brakuje. Nie wiadomo, jakim cudem Janusz odgadywał, co jest w domu potrzebne, i co rusz przywoził jakieś zakupy. A może po prostu czuł, że u Luci nie za dobrze z kasą. „Co jest z tym facetem — zastanawiała się — że żadna go jeszcze nie złowiła. Facet jak z obrazka, defektów żadnych nie ma, z dobrą pracą, bez zobowiązań i taki pracowity. No chyba że o czymś nie wiem. Może jakaś wada ukryta?"

Kiedy wróciła, biurko stało już w gabinecie. Zadowoleni panowie siedzieli na podłodze, a przed nimi leżały rozsypane zdjęcia retro porno. Co rusz podtykali sobie któreś pod nos z miną wyrażającą uznanie czy może raczej męskie zaintere-sowanie.

— No, masz! Do biurka jeszcze nie zdążyłyśmy zajrzeć. — Lukrecja ze zrezygnowaną miną westchnęła głośno.

— Mamusia… to tego było więcej? — Maciej szczerzył zęby z lubieżnym uśmiechu.

— Dużo więcej. — Janusz uderzał plikiem zdjęć o kolano. — Fajne hobby miał twój dziadek — i mrugnął do Lukrecji.

— To dziadka Michała? — Andrzej zrobił wielkie oczy. Znał opowieści o surowości i zasadach legendarnego seniora rodu.

— Na to wygląda. — Lukrecja przytaknęła z nieszczęśli-wą miną. — Kiedy znieśliście to biurko? — dopiero teraz się zorientowała.

— Jak mamusia myśli… czy my rzeczywiście musieliśmy napić się tego piwa? — Andrzej zmrużył oczy i spoglądał na nią z zadartą do góry głową.

— Chcieliście się mnie pozbyć — dopiero dotarło do niej. — Ładne rzeczy!

— To była zdecydowanie męska robota, a mamusia na

pewno dawałaby nam dobre rady. I co się miała mamusia denerwować? A tak jest już po wszystkim.

Za dobrze ją znali. Wiedzieli doskonale, że stałaby i dyrygowała. Zięciowie nie lubili tego i często wykonywali różne prace dla teściowej pod jej nieobecność. Rozumiała ich, też by tak robiła, choć zawsze starała się nie marudzić. Ale czasami robiła to zupełnie nieświadomie. Widocznie to było silniejsze od niej.

— Co zrobimy z tymi zdjęciami? — Andrzej trzymał w ręku całkiem niezły plik fotek.

— A róbcie z nimi, co chcecie — machnęła ręką. — Byle nie wystawę prac fotograficznych.

— To nawet niezły pomysł!

— Maciej! Ja żartowałam — wystraszyła się, Maciek znany był bowiem z odważnych pomysłów.

— Ale niech mamusia zobaczy — podsunął zdjęcia nieco bliżej jej oczu — to naprawdę dzieła sztuki.

— Matko kochana! Nawet mnie nie straszcie. Przecież nie wiemy, kto na nich jest. Może to ktoś stąd? Jeśli wam się podobają, to je sobie weźcie, ale, na litość boską, nie pokazujcie ich nikomu — nakręcała się coraz bardziej w obawie, że młodzi mężczyźni pochwalą się znaleziskiem z początku XX wieku. Jeszcze do końca dnia przekomarzali się z Lukrecją i co rusz ogłaszali nowe pomysły związane z ekspozycją zdjęć, ale w końcu Janusz przyszedł jej z odsieczą.

— Jeśli obiecacie zachować je dla siebie, to dostaniecie jeszcze te, które ma policja. Oczywiście, gdy zostaną nam zwrócone. I jeżeli czasami dacie pooglądać — dodał cicho.

— Umowa stoi. — Maciej odpowiedział za siebie i szwagra.

„Jasne! Faceci zawsze trzymają się razem — pomyślała

Lukrecja i pokiwała głową. Ale dzięki temu gabinet był prawie gotowy. Trochę jeszcze pustawy, ale niemal gotowy. Lukrecja stała w progu i podziwiała zmiany. — Jeszcze tylko fotelowe krzesło do biurka i można siąść przy nim i pisać — myślała. — Tylko co? Dziadek miał swoją kronikę i okazuje się... swoje tajemnice. A ja? Nawet tajemnice mam mniej sprośne i chyba już nie są tajemnicami" — westchnęła. Spojrzenia dzieci Lukrecji zdradzały daleko idące zrozumienie, więc zabawa w udawanie i tajemnice pewnie była już zbędna.

*

— Lucia! Ale zmiany — aż mnie zamurowało, kiedy weszłam do sypialni. Lawendowe ściany z paskiem gałązek fioletowych ziółek, oddzielającym optycznie obniżony biały sufit. Żeby uzyskać taki efekt, białą farbą pomalowali prawie metrowej szerokości pas i na połączeniu znalazł się ów lawendowy pasek wykończeniowy. Przeciągnięte białą bejcą wycyklinowane deski podłogi rozjaśniły ją i całemu wnętrzu nadały szlachetność. Spod bejcy widać było słoje drewna i delikatne spękania. Efekt wprost kapitalny. W miejscu szafy stała bieliźniarka i kufer. Wszędzie porozstawiane lampiony z białymi świecami, wewnątrz których upalone knoty wskazywały na używanie ich, a po ubytku wosku można było sądzić, że palono je dość często. No i to boskie łoże!

Gabinet dziadka po prostu zwalił mnie z nóg. Tapeta w pasy w kolorze indygo i kremu waniliowego do wysokości obniżonego sufitu, polakierowane surowe deski podłogi i ciemne secesyjne meble. W szafie za szybą poukładane ukochane książki Luci, na biurku kryształowy kałamarz i inne przybory piśmiennicze dziadka Michała... i laptop.

— O, w mordę!

— Też mi się podoba. — Lukrecja wyraźnie była zadowolona ze zmian. — Jeszcze tylko okna i drzwi. Janusz chce je opalić ze starej farby i doprowadzić do porządku. Ale póki co urlop mu się skończył, więc będzie to robił z doskoku.

— Znaczy co? — zaśmiałam się. — Remonty?

— To też — odparowała.

— Ależ ci się dowcip wyostrzył — pocmokałam i pokiwałam głową. Wydawało mi się, że przyjaciółka sprawia wrażenie wyluzowanej, zadowolonej, po prostu… szczęśliwej.

— I jak ci z nim jest? — rozsiadłam się przy stole ciekawa relacji. — Opowiadaj. Minęło tyle dni, więc chyba masz już jakieś rozeznanie.

— Sama nie wiem — przyniosła do stołu kubki z parującą kawą i usiadła naprzeciwko. — Nie chce mi się wierzyć, że może być tak fajnie — uśmiechała się, mrużąc oczy. — Wciąż się boję, że coś ukrywa, że ma jakąś mroczną tajemnicę i pewnego razu ją odkryję. A wierz mi, nie chciałabym się zawieść. Póki co, odkrywam swoje.

— Co, ty masz jakieś tajemnice? — zdziwiłam się nieco, bo byłyśmy w bliskiej przyjaźni i sądziłam, że nie mamy przed sobą sekretów.

— Czy ty słyszałaś, żebym w nocy chrapała? — zaatakowała mnie, jakbym była czemuś winna.

— Nie, a co? Chrapiesz? — zdziwiłam się, bo wydawało mi się zawsze, że zasypiam po niej. Ale oczywiście mogło mi się tak tylko wydawać. Z zasypianiem nigdy nie miałam problemów. W swojej sypialni zawsze nastawiałam automatyczny wyłącznik w telewizorze na dziesięć minut i się z nim ścigałam. Jeszcze nigdy nie widziałam momentu, kiedy telewizor się wyłączał. Zawsze wygrywałam.

— I to podobno głośniej od niego — westchnęła.

— No, to jedno masz już z głowy. O poranku też cię pewnie już widział, więc i to masz zaliczone.

— Mój cellulit też już widział…

— I dobrze. Nic więcej nie powinno go wystraszyć. A wiesz, dlaczego faceci nie mają cellulitu? — spytałam poważnie. Spojrzała na mnie z zaciekawieniem. — Bo jest nieestetyczny. Wszystko, co nieładne, nam się trafia. Obwisłe cycki, cellulit, fałdy na brzuchu, opadłe policzki. Facet jak się starzeje, siwieje i szlachetnieje, często nawet taki nieciekawy. A kobieta? „Papucieje". To wysoce niesprawiedliwe.

— Dlatego to w większości kobiety mają depresję — upiła łyk kawy, po czym poszła po tabliczkę gorzkiej czekolady. Połamała ją, wysypała kawałki na kryształowy talerzyk, zapewne z babcinego kompletu. — Najlepsze lekarstwo na doła.

— Masz doła? — zdziwiłam się.

— Ja? Nie — zaprzeczyła. — Myślałam, że ty masz.

— A skąd! Nie patrzę w lustro po przebudzeniu, a jak już spojrzę, to w łazience. Tam jest słabe światło i podczas mycia zębów wmawiam sobie, że jestem mądra i wartościowa — zdradziłam jej swoje techniki dowartościowywania siebie.

— Myślałam, że ładna i zgrabna.

— Tego to już sobie nie potrafię wmówić nawet przy zgaszonym świetle — westchnęłam z żalem. — Co mam się okłamywać. Lepiej powiedz, czy coś słychać w sprawie tych włamań — ciekawiło mnie. — W końcu minęło kilka dni.

Bardzo się zdziwiłam na wiadomość, że w tę sprawę zaangażowanych jest więcej osób, ale obecność wśród nich panów wójtów jakoś mnie nie zaskoczyła. Lukrecja opowiedziała mi o wizytach zastępcy u pani Heleny i o jego wybiórczej ciekawości historii wsi. Wciąż jednak nie rozumiałyśmy, dlaczego ktoś porzucił kronikę, która nawet bez tych końcowych kart stanowiła jakiś ślad. I jaki udział w tym wszystkim ma sąsiadka Luci, Bożenka?

— Ostatnio widywałam u niej takiego wsiowego pieniacza z obłędem w oczach. Niski, nieforemny, nie rzucający się w oczy, ale strasznie hałaśliwy. Romek ma na imię. Wydziera się o wszystko i każdą sprawę w ten sposób załatwia. A tylko spróbuj wejść mu w drogę, to na środku wsi zmiesza cię z błotem. — Lucia opowiadała dość obrazowo. — Jak wyproszą go jednymi drzwiami, to włazi oknem z jeszcze większym krzykiem.

— I co on tu robił?

— Właśnie nie wiem. Dorywczo chwyta się różnych zajęć, bo w domu im się nie przelewa, a kilkoro ich tam jest.

— Może coś Bożence naprawiał? — zastanawiałam się na głos.

— Może. Ale jak tak sobie składam wszystko w całość…

— To co?

— Ola, pomyśl tylko — zawiesiła głos. — Czy któryś z wójtów wlazłby na strych przez to niewielkie okno?

— Cóż, szef pewnie by się zmieścił.

— No może i tak — zastanowiła się chwilę. Ale czy ryzykowaliby, że złapią ich na włamaniu? Przecież znani są właśnie z tego, że wysługują się głupszymi od siebie, obiecując im jakieś profity. To nie byłby pierwszy raz — stukała palcami o kubek, jakby grała na fortepianie.

— Nie pomyślałam o tym wcześniej — przyznałam. — Ale jak się tak zastanowić… Lucia, to nie może chodzić o te zdjęcia. Te zdjęcia to pryszcz. Nikt nie ryzykowałby dla kilku gołych dup.

— Właśnie — zgodziła się ze mną. — Więc o co tu chodzi?

— Nie mam pojęcia. Jednak coś mi się wydaje, że to ma związek z Panem Porzeczkowym. Jestem tego pewna!

Cholera! Że też nie mam bardziej analitycznego umysłu, jak większość mojej rodziny. Wszyscy to albo księgowi, albo analitycy finansowi, albo inne diabły ze ścisłym umysłem. W kogo ja się wrodziłam z tym moim malowaniem? Chyba jednak w tatę, krawca artystę. Przepięknie projektował i szył. Kostiumy jego pomysłów i wykonania nadal noszę i wciąż są modne. Tato zawsze tworzył rzeczy ponadczasowe. Ale rozwiązania sprawy raczej sobie nie namaluję.

Potem powiedziała mi, że Janusz przejrzał bazę danych osób centralnej agencji poszukiwawczej, ale niewiadomych wciąż jest zbyt dużo. Próbował nawet przez Interpol, ale do tego denat musiał być zgłoszony jako osoba poszukiwana. I wtedy po ustaleniu podobieństwa do osoby poszukiwanej można przez badania DNA potwierdzić tożsamość szczątków. Bez tego trudno jest cokolwiek ustalić. Teraz czaszkę wysłali do analizy i mają nadzieję, że to coś pomoże. Nadal jednak nie wiemy, kim był gość z krzaków i czego tu szukał. Bo że zakopał go tam dziadek Michał, raczej nie budziło niczyich wątpliwości. Tylko dlaczego? Czemu tego nikomu nie zgłosił? Może to on go zabił? Tylko dlaczego?

— Nie odpowiedziałaś mi na pytanie. Jak ci się żyje z Januszem?

— Jeśli tak miałoby wyglądać wspólne życie, jestem za — uśmiechała się znad kubka kawy. — Jest mi zdecydowanie łatwiej. Pomaga mi, remontuje dom, przynosi zakupy… i co dla mnie ważne, choć krępujące, nie chce słyszeć o pieniądzach. Trochę mi głupio.

— Lucia, nie o to pytam — położyłam dłoń na jej dłoni.

— O łóżko? — zmrużyła oczy, przechyliła głowę i zdawało mi się, że lekko się zmieszała.

— Nie — powiedziałam poważnie, a ona spojrzała na mnie z zaciekawieniem. — Pytam, czy dodaje ci skrzydeł?

— Czego? — szeroko otworzyła oczy i zdziwiła się.

— Pamiętasz skrzydła nad moim łóżkiem? — spytałam, choć wiedziałam, że kiedyś zwróciła na nie uwagę, ale nie zaciekawiło jej wtedy, skąd się tam wzięły. — Lucia, kobietom takim jak ty i ja nie jest potrzebny facet do płacenia rachunków, tylko taki, który cię uskrzydli. I obojętnie, czyje to będą skrzydła; anioła, kruka, bociana czy kolibra. Byle cię uniosły ponad wyobrażenia o własnych możliwościach, byle pomogły ci spełnić swoje marzenia. — Lukrecja patrzyła na mnie jak na dziwoląga, wielkimi oczami. — I niech ci się nie zdaje, że płacenie rachunków cokolwiek załatwi, bo to tylko cię usidli. Nigdy na to nie pozwól, Lucia… niech cię uskrzydla. A jeśli nie potrafi, to znaczy, że to facet nie dla ciebie.

Trzymałam ją za rękę i tak bardzo chciałam, żeby posiadła tę mądrość, którą ja zyskałam w wyniku smutnych doświadczeń. Żeby nie musiała przez to przechodzić i zmagać się sama ze sobą. Też kiedyś myślałam, że opoką jest ktoś, kto pomaga ci w życiu codziennym. Dzieli z tobą koszty utrzymania domu, pomaga w pracy. Nic bardziej bzdurnego w życiu nie wymyśliłam! Może przynosić ci kasę do domu i trzepać dywany, ale jeśli nie dostrzeże w tobie twojego wnętrza, twojej duszy, twoich pragnień i marzeń, to tylko będzie cię ściągał w dół i trzymał jak kotwica i wtedy niech lepiej od razu spada na drzewo.

— Fajne te twoje książki — po dłuższej chwili Lucia odezwała się wreszcie i ścisnęła mi dłoń.

— To nie książki — spojrzałam jej głęboko w oczy i wydęłam policzki. — To moje życie.

Patrzyła na mnie, jakby widziała mnie po raz pierwszy. Czyżbym powiedziała coś odkrywczego? Przecież nie jest żadną marudą, którą trzeba prowadzić za rękę. Jest dzielna i niezależna. Nie może pozwolić odebrać sobie swoich pragnień. Ale do tego musi chyba dojść sama. Nie powiedziałam jej też, że skrzydła zostały mi po przebierankach, które czasami urządzam sobie z Marcinem, że nie wspomnę o uszach i ogonku króliczka. Te jednak nie wiszą nad łóżkiem, są ukryte w szufladzie, ale o tym jej nie powiem, bo raczej mętne byłyby to zeznania.

*

Janusz nadal mieszkał w domu Lukrecji i bardzo była mu za to wdzięczna. Wakacje Oli dobiegły końca i wpadała tylko co jakiś czas. Kiedy była ostatnio, Lukrecję akurat odwiedziła Marylka. Nie przyleciała na miotle, jak żartobliwie zapowiedziała jej odwiedziny Lucia, tylko przyjechała na skuterze.

— Ta to ma fantazję — powiedziała do Olki Lukrecja, z uznaniem kiwając głową na jej widok. Ale bardzo była zadowolona, że ją odwiedziła, bo — jak mówi Janusz — rzuciła nowe światło na sprawę. Ona sama żadnego światła nie dostrzegła. I nie zobaczyłaby, nawet gdyby dostała nim po oczach, żartował z niej Janusz. Dla dochodzeniowca sprawa nabierała rumieńców.

— Mówię ci, Lucia, co się teraz wyrabia. — Marylka wcinała czekoladę i popijała czarną kawą. Przed opowieścią jednak spytała: — Czekolada bez wizerunku… mam nadzieję? Tamtej nie trawię — przewróciła oczami dość wymownie. — Znasz tego wrzaskliwego Romka? — nie czekała na potwierdzenie. — Pewnie, że znasz. Wyobraź sobie, że dostał robotę w urzędzie gminy. Kiedyś się chwalił, że coś dla wójta załatwiał, bo obiecał mu pracę.

— Co załatwiał? — Ola nagle się zainteresowała. Pewnie pokojarzyła go z wizytami u sąsiadki Lukrecji.

— Tego nie wiem. A co? Masz jakąś robotę dla niego? — spojrzała na koleżankę zdziwiona. — Lepiej poszukaj kogoś innego. Jego ci nie polecam. Nie odczepisz się później od niego i tyłek ci zrąbie przed całą wsią. I jeszcze na ciebie nawrzeszczy.

— Nie, nie — zaprzeczyła. — Tylko widywałam go u Bożenki i zastanawiałam się, co on tam robi.

— Nie mam pojęcia, ale w urzędzie jest konserwatorem. — Marylka bez zbędnych ceregieli zajadała czekoladę kawałek po kawałku. „Widać ma doła" — pomyślała Lukrecja.

— Jak zwał, tak zwał — westchnęła Ola, bo pewnie tak jak Lukrecja obawiała się, że Romek jest człowiekiem do zadań specjalnych.

— Ale ty, słyszałam, nie potrzebujesz pomocnika. — Marylka spoglądała spod przymrużonych powiek i zaciekawiona czekała na odpowiedź, uśmiechając się znacząco do Olki.

— Raczej nie. Zięciowie mi pomagają. — Lukrecja zbyła ją i miała nadzieję, że ucięła temat, ale doskonale wiedziała, co przygnało tu Marylkę.

— No, moja droga... tak się nie wymigasz — pogroziła jej palcem. — Wszystko wiem, nie myśl, że ludzie nie gadają. Ale wiesz co? — nabrała powietrza w płuca i wstrzymała oddech. Potem powiedziała jednym tchem: — Miej to wszystko gdzieś!

Lukrecja uśmiechnęła się do własnych myśli. Nie miała najmniejszego zamiaru przejmować się plotkami. Stwierdziła, że jest za stara na to, żeby pozwolić sobie na tracenie czasu czy szansy na nowe życie. Już nie. Wiele okazji zmarnowała, ale teraz postanowiła, że nowe, lepsze życie będzie też jej udziałem.

Kobiety siedziały jeszcze troszkę nad kawą, potem gospodyni pokazała Marylce wyremontowane pomieszczenia. Ola nie omieszkała dać jej wykładu o secesyjnych meblach. Lukrecja pomyślała, że naprawdę ma bzika na ich punkcie. Marylka zachwycała się nimi, a w końcu zapytała:

— Lucia, skąd masz tę bieliźniarkę? — wskazała na zniesiony ze strychu mebel. — Wcześniej jej tu nie widziałam.

Kiedy Lukrecja jeszcze nie mieszkała z ciocią, Marylka czasami odwiedzała Panią Ja i przynosiła jej zakupy i lekarstwa. Lucia była jej za to bardzo wdzięczna, dlatego czasami wypijały sobie małą kawkę w bibliotece. Jak wielu innych, Marylka bardzo szanowała starą nauczycielkę i nigdy nie było jej za ciężko napalić jej w piecu czy pomóc przy sprzątaniu. Potem już siostrzenica musiała zamieszkać z ciocią i zająć się wszystkim sama.

— Stała na strychu, jak inne meble po dziadku Michale — odpowiedziała, wzruszając ramionami. — Dlaczego pytasz?

— Bo takiej szukam. Też chciałabym mieć taką w sypialni — westchnęła. — I rozpytywałam na imprezie z okazji pięćdziesiątki mojej kuzynki, wiesz, tej z gospodarstwa. Ludzie często mają takie graty na strychu albo w piwnicy i nie mają pojęcia, że ktoś może o nich marzyć — patrzyła z rozrzewnieniem na mebel i umilkła.

— I? — Ola nie wytrzymała przydługiego wstępu i nerwowo przestępowała z nogi na nogę. Czuła, że Marylka ma w zanadrzu jakąś sensację.

— No i właśnie głupi Romek, o, przepraszam, powiedział, że ty masz taką — wskazała na bieliźniarkę i spojrzała na Lukrecję lekko zaskoczona. Nie mniej zresztą niż one same. Spojrzały na siebie porozumiewawczo.

— Marylka, kiedy byłaś na tej imprezie? — Lukrecja aż podskoczyła, nie potrafiąc ukryć emocji. Coś jej zaczęło świtać w głowie. Olce chyba też, bo aż zagryzła zębami dolną wargę, a w jej przypadku był to odruch zupełnie niekontrolowany. Robiła tak zawsze, gdy się zdenerwowała i nie mogła opanować napięcia.

— Dwie soboty temu. Fajnie było, tylko chłopy się napiły i trzeba było holować niektórych do domu. Nie pierwszy raz zresztą — wzruszyła ramionami. — A co? Stało się coś? — przyglądała się kobietom nieco zaniepokojona. Ola aż sapała z emocji i na próżno próbowała to ukryć. Marylka nie rozumiała, o co w tym wszystkim chodzi, a one nie miały zamiaru jej wtajemniczać. Jest w porządku, ale im mniej zainteresowanych sprawą… tym lepiej.

Marylka pochwaliła jeszcze odnowione podłogi, popytała o szczegóły, bo została jej część domu po mamie, gdzie na podłogach królował podobny odcień orzechowej brzydoty. Lukrecja obiecała jej namiary na fachowca od cyklinowania i nazwę bejcy, która tak ciekawie rozbieliła stare deski. Po czym Marylka wsiadła na swój skuter i odjechała.

— Cholera! Lucia, chyba mamy naszego ducha. — Ola spojrzała na przyjaciółkę poważnym wzrokiem.

— No. Obawiam się, że masz rację.

Siedziały na ławeczce i delektowały się ciepłym popołudniem. Kiedy zrozumiały, że być może odkryły tożsamość strychowego intruza, każda zatopiła się we własnych rozmyślaniach. Lucia podciągnęła nogi pod brodę, wsparła ją na kolanach i przyglądała się, jak jej owieczki kręcą się koło swojej komórki. To wchodzą, to wychodzą. Zupełnie jakby nie mogły się zdecydować, co zrobić… pójść spać czy potowarzyszyć zamyślonym kobietom.

— Dobrze, że nie poszłyśmy wtedy na strych. — Lukrecja nagle przerwała milczenie i powiedziała w zamyśleniu. — Ten Romek… nas może by się nie wystraszył, ale my jego na pewno. Zobaczyć takiego gościa po ciemku to jeszcze gorzej niż zobaczyć siebie w lustrze szafy.

— No… i lustro można stłuc — dodała zamyślona Ola.

*

Janusz specjalnie się nie zdziwił, kiedy Lucia z wypiekami na twarzy relacjonowała mu nasze spotkanie z Marylką i swoje podejrzenia. Spokojnie wysłuchiwał, jak jedna przez drugą próbowałyśmy podać wszystkie informacje.

— To było do przewidzenia — pokiwał głową nad garnkiem z przygotowywaną przez siebie kolacją.

— Co? — spytałam znad szklaneczki z metaxą. Dla mnie nadal to wszystko nie układało się w jedną całość, a może wypiłam już za dużo. Albo jeszcze za mało.

— To, że komuś zlecono to plądrowanie. Nie myślicie chyba, że nawet jeśli umoczony jest w to zastępca wójta, to osobiście zajmuje się brudną robotą? — zaśmiał się. — Taki głupi to on nie jest. Może wypić kawę ze starszą panią i wypytać ją pod pretekstem poznania historii wsi, ale do takich zadań znajduje kogoś innego. Pewnie coś mu za to obiecał?

— Podobno zatrudnili tego Romka jako konserwatora w urzędzie — wtrąciła się Lucia.

— Sprawdzimy, sprawdzimy — mówił jakby do siebie.

— Co sprawdzimy? — już zupełnie nie nadążałam.

— Wy... nie — pogroził nam drewnianą łyżką. — My sprawdzimy.

Kolacja okazała się bardzo sycąca, co tym razem nie powstrzymało Marcina przed konsumpcją. Kolacji, rzecz jasna. Ja byłam za bardzo zawiana. Posiedzieliśmy jeszcze troszkę na podwórku, bawiąc się z łaszącymi się jak psiaki owcami. Kot patrzył z parapetu z nieukrywaną pogardą i lizał rude łapki. Potem wsiedliśmy do auta i pojechaliśmy do domu.

— Fajnie im tak... razem — wzdychałam.

— Tak myślisz?

— Nie widzisz? Lucia wprost promienieje — cieszyło mnie szczęście przyjaciółki.

— Chciałabyś tak? — spytał nagle i spojrzał na mnie z poważną miną. — Nie czułabyś się usidlona?

Usidlona? Co to ma być? O co mu chodzi? Czy to przymiarka do oświadczyn, czy inne podchody? Sama nie wiedziałam, co mam o tym wszystkim myśleć. Może rzeczywiście boję się usidlenia, już to przerabiałam. Może jestem z tych, co to nie kupują całego browaru, jeśli mają ochotę tylko na jedno piwo. A może Marcin jest taki sam? Szlag by to trafił! Do samego domu zastanawiałam się, co Marcin miał na myśli. Nic nie wymyśliłam. Tej nocy nie było ani piwa, ani browaru. I dobrze! Nie mieszam trunków. Szkodzi mi.

*

Ostatni tydzień wakacji. Dużo się przez minione miesiące w życiu Lukrecji wydarzyło. Więcej niż przez pięćdziesiąt pięć lat. Straciła pracę, ale stworzyła nieformalną świetlicę wiejską, omal nie straciła domu, który teraz jest jej własnością (nie licząc pieniędzy dzieci, bo Olce już oddała), prawie go wyremontowała i, co najważniejsze, nie sama. Janusz to największa zmiana w jej życiu. Zjawił się jak spod ziemi. Mały Januszek z pierwszej klasy. Właściwie spod ziemi to wyciągnęły Pana Porzeczkowego i stąd wziął się Janusz.

Lukrecja siedziała zamyślona w kuchni nad otwartym albumem ze zdjęciami i spoglądała na dziadka Michała w kolorze sepii. „Dziadku Michale, nie wiem, jaki miałeś udział w tej sprawie, ale dziękuję ci bardzo". Lukrecja pomyślała o nim czule i dotknęła palcem jego twarzy na zdjęciu. „Może właśnie tej części mojego życia dotyczyła twoja przepowiednia? Tylko gdzie to bogactwo? — uśmiechała się do zdjęcia. — A może miałeś na myśli bogactwo ducha? Może". Lukrecja pamiętała, że dziadek Michał zawsze filozofował. Lubił wygłaszać różne sentencje i złote myśli gdzieś przeczytane, gdzieś zasłyszane. Taki właśnie był. Choć wciąż zastanawiały ją te odważne zdjęcia, jednak stwierdziła po namyśle, że każdy ma jakieś tajemnice i każdy ma do nich prawo. Ale inaczej patrzyła teraz na dumnie wyprostowaną postać swojego dziadka.

— Lucia — z zadumy wyrwała ją Olka. Stała w otwartych drzwiach prowadzących na strych i machała na nią ręką. — Chodź na górę. Widziałaś ten obraz z jakimiś świętymi?

Lucia poczłapała za nią po stromych schodach na strych, gdzie Olka zaprowadziła ją do niesprzątniętego jeszcze kąta. Na deskach podłogi leżał wielki obraz, który kiedyś chyba wisiał nad łóżkiem w sypialni dziadków, ale raczej nie za długo, bo Lukrecja słabo to pamiętała.

— To Święta Rodzina. I co? — spojrzała na Olę, nie rozumiejąc, skąd jej podekscytowanie.

— No, wiem przecież. Popatrz na ramę... prześliczna. Dawno takiej nie widziałam — patrzyła z nieukrywanym zachwytem. — Grubo złocona, szeroka, bogato zdobiona, lekko spatynowana… — Lukrecja przerwała jej, bo pewnie jeszcze długo słuchałaby o przymiotach leżącego na podłodze obrazu, a raczej jego ramy. Bo o spoglądających na nie świętych Ola jakoś się nie rozgadywała.

— Ola, jestem wierząca i praktykująca. Ale nie myślisz chyba, że powieszę sobie Świętą Rodzinę nad łóżkiem, żeby patrzyli, co w nim wyrabiam — nie rozumiała, o co jej właściwie chodzi. I zupełnie nieoczekiwanie jej się wyrwało: — Jeszcze mi się Janusz spłoszy i przestanie przynosić kajdanki.

— Ej! O tym mi nie mówiłaś. — Olka nagle przestała interesować się obrazem. Podparła się pod boki, zaczęła przytupywać stopą i uśmiechała się sprośnie. — Mów jak na spowiedzi. — Teraz Lukrecja obawiała się, że Ola jej nie odpuści.

— Kto kogo przykuwa?

— Różnie. — Lukrecji zrobiło się strasznie głupio. „Jak mogło mi się to wyrwać?" — zganiła się w myślach.

— Nie mów — dała przyjaciółce lekkiego kuksańca w ramię. — Cieszę się, że się dobrze bawisz — i po chwili dodała: — Ale kajdanek to ci zazdroszczę. My musimy zadowalać się jedwabnymi chustkami, tego akurat mam pod dostatkiem.

Lukrecji ulżyło. Olka jest otwarta i bezpruderyjna, ale mimo to krępowało ją zdradzanie tajemnic alkowy. Gdyby jednak miała o tym komuś powiedzieć, to tylko Oli.

— I co z tym obrazem? — wróciła do przyczyny wdrapywania się na górę.

— Do diabła z obrazem! O, przepraszam, chodzi mi o ramę. Zostały ci te nieszczęsne lustra z szafy?

— No jasne. Są kryształowe — oburzyła się na samą myśl, że mogłaby je potłuc.

— Super! — ucieszyła się Ola. — Wyobrażasz sobie takie lustro w tej ramie? — wciąż patrzyła na ramę jak na skarb największy i mrużyła oczy. Z całą pewnością już je widziała na ścianie.

— Teraz ma mnie straszyć lustro w ramie? — Lukrecja nadal nie odgadywała intencji przyjaciółki.

— Nie mówię, że masz je wieszać w sypialni, chociaż… — uśmiechnęła się promiennie i Lucia już wiedziała, jakie myśli krążą pod tą blond czupryną. — Myślę o korytarzu. Dobrze mieć lustro w niezbyt jasnym wnętrzu i móc się przed wyjściem przejrzeć w całości.

— Czemu w „niezbyt jasnym"?

— Po co ci stres związany z upływającym czasem? To lustro i tak jest bardzo okrutne — westchnęła.

— Okrutne? — ciągle jej nie rozumiała.

— Oj, Lucia — westchnęła Ola. — Jak ty nic nie rozumiesz. Miałam na myśli, że jest takie bez skaz i nie zmatowiało. Nie tak jak to, które mam po cioci Stefie.

— To chyba dobrze, nie? — Lukrecja wciąż nie wiedziała, o co chodzi z tymi lustrami.

— Dobrze? To przejrzyj się, moja droga, w tym lustrze w pełnym świetle, a potem zrób to samo na korytarzu. Będziesz wiedziała, o czym mówię — powiedziała i machnęła ręką. — Łap się za ten obraz! — rozkazała. — Tylko nie uszkodź ramy.

Po karkołomnym schodzeniu wreszcie przymierzyły obraz w pozycji pionowej do jedynej wolnej ściany na korytarzu, który prowadził do drzwi frontowych, do gabinetu dziadka Michała i dużej klasy, w której miało się wkrótce zaroić od dzieci, i do kuchni.

— Drzwi tu od cholery. — Olka rozglądała się po ścianach. — Dlaczego ta ściana jest wolna?

— Tu jest komin. — Lukrecja stuknęła otwartą dłonią

w ścianę, aż odpadł duży kawał tynku. — I widzisz, w jakim stanie jest ta ściana.

Ola natychmiast zaczęła stukać w inne miejsca komina. Poszła do kuchni po Luciną bułąwę, to znaczy po pałkę do ciasta, i opukiwała miejsce po miejscu. Tynk bez większego trudu odpadał dużymi płatami. Szybko podłożyły wielką folię malarską, po czym Ola ostukiwała ścianę dalej.

— Zobacz, jaka piękna cegła jest pod spodem — gołymi palcami pocierała wyłaniające się cegły — zupełnie jak klinkier.

— Może to i klinkier. — Lukrecja wzruszyła ramionami.

— Kominy zawsze buduje się z najlepszej cegły. Ale co chcesz z tym zrobić? — spoglądała na kupkę tynku i niezły już tuman kurzu.

— Wyobraź sobie wszystkie ściany białe, a tę jedną z surowej cegły — klepnęła w ceglaną ścianę. — Powiesisz na niej to piękne lustro w złotej ramie — mówiła z przymkniętymi powiekami, jak zawsze, kiedy miała jakąś wizję. — Do tego ta bajeczna ceglana posadzka. Wtedy to się robiło posadzki — westchnęła. — U mojej babci na wsi też była taka w sieni. Tak się mówiło. Piękna, miejscami już wydeptana cegła, ułożona w jodełkę, zupełnie jak parkiet. Teraz musisz zapłacić kupę kasy, żeby uzyskać taki efekt.

Lukrecja pomyślała, że przyjaciółka znów miała rację. Co do wystroju ufała jej bezgranicznie, dlatego trochę bała się sama dobierać kolory farb i tapety, kiedy Ola była zajęta malowaniem rowerów na ścianach. Ale przyjaciółka nie skrytykowała wyboru Lukrecji. Ze ścianą i posprzątaniem bałaganu, jakiego tym przedsięwzięciem narobiły, uporały się do wieczora. Włosy miały sztywne od sypiącego się tynku, a poprawiane raz po raz, stały teraz nastroszone jak pióra wściekłego koguta. Kobiety całe pokryte były białym pyłem, ale zadowolone z realizacji tego nagłego pomysłu.

— Olka, efekt jest naprawdę imponujący. — Lucia spoglądała na ścianę, nagle przyjrzała się przyjaciółce i dodała ze śmiechem: — Na ścianie, rzecz jasna.

— Poczekaj jeszcze, jak przemalujemy te cegły specjalnym środkiem do gruntowania — dodała Ola. — Wydobędzie piękno cegły, a przede wszystkim nie będzie się kruszyć fuga i sypać pył. Działa trochę jak lakier. Mam w domu, bo kupiłam za dużo, jak remontowałam taras. Jutro przywiozę — obiecała Ola.

— A co z lustrem? Właściwie z obrazem? To nic cennego, ale wiesz... Święta Rodzina. — Lukrecja wstawiła się za malunkiem.

— Wymontuj go i schowaj z powrotem do tego kąta na strychu. — Olka kiwała głową z dziwnym uśmieszkiem. — Lepiej, żeby nie widzieli i nie słyszeli, co ty tu wyprawiasz — parsknęła śmiechem.

„Po jakiego czorta pytałam — pomyślała Lukrecja. — Fajna ta Ola. Może i ją powinnam zaliczyć do bogactwa, które wywróżył mi dziadek? Bo chyba nie moje bogate ostatnio życie erotyczne. Tego nie mógł przewidzieć! Chociaż, biorąc pod uwagę jego kolekcję i prawdopodobieństwo dziedziczenia cech, może jednak?"

*

Janusz pochwalił nasze dzieło i obiecał zająć się lustrem. Od samego rana, kiedy tylko przemalowałyśmy pierwszy raz ceglaną ścianę, poszłyśmy na strych w poszukiwaniu innych skarbów i nie musiałyśmy długo tam myszkować. Kiedy chowałyśmy do kąta zrolowany obraz Świętej Rodziny, wytargałyśmy duży karton. Nie był ciężki, ale coś w nim dzwoniło. Jakby kieliszki albo inne szkło.

— Lucia — przestałam ciągnąć karton — pamiętasz to szuranie po podłodze? Jakby ktoś coś ciągnął?

— Pamiętam. Co prawda myślałam, że ktoś ciągnie zwłoki po dechach… ale mógł to być karton — mówiła, kiwając głową i przypominając sobie, że tamtej nocy przerażona była okrutnie.

— Ciekawe, co jest w środku — aż się bałam zaglądać. Ale cóż, trzeba było. W końcu po to go z tego kąta wywlekałyśmy.

Powoli pociągnęłyśmy karton bliżej okna, przez które wpadało znacznie więcej światła, a do tego teraz pięknie świeciło słońce. Nie był niczym zabezpieczony przed otwarciem, tylko wieko miał zamknięte. Chwilę stałyśmy nad nim, wahając się, czy na pewno chcemy wiedzieć, co jest w środku.

— Matko kochana! Już się boję. — Lucia wzięła głęboki oddech i podniosła wieko kartonu. Na wierzchu leżały jakieś pomięte papiery, zapisane kartki, gazety. Zaczęłyśmy je wyrzucać na podłogę. Stos rósł, a my nadal nie wiedziałyśmy, do czego się dokopiemy. W końcu natrafiłam ręką na coś metalicznego i złapałam za to. W dłoni trzymałam mosiężną rozetę od lampy. Powoli wstawałam z klęczek, bo dzwoniące szkiełka ciągnęły się za rozetą i ciągnęły.

— Ja pierniczę! — nie wytrzymałam, kiedy rozetę miałam już na wysokości oczu, a końca tego cacka nie było jeszcze widać. — To lampa. A raczej jakiś pałacowy żyrandol, ciężki jak skaranie boskie.

— Czekaj, pomogę ci. — Lukrecja pomogła mi podtrzymać mosiężno-kryształowe cudeńko. Kiedy uniosłyśmy żyrandol jeszcze trochę, delikatnie odsunęłyśmy pudło. Na piętnastu sznurach z kryształowych elementów wisiała odwrócona

kopuła. Cała ze szlifowanych, czystych jak łzy kryształów. —
Jezu! Nigdy jej nie widziałam. Ależ ona piękna.

Wpadające przez oko strychu słońce przeświecało rusza-
jące się szkiełka i rozsiewało po całym wnętrzu światełka we
wszystkich kolorach tęczy. Migały po strychowych belkach
i surowych ścianach, jak „zajączki" puszczane w słońcu luster-
kiem albo jak gwiazdy na bezchmurnym niebie. Nie mogłam
oderwać oczu od tego widowiska.

— Lucia — aż zatkało mnie z wrażenia — to dopiero jest
skarb.

— A wygląda jak lampa — usłyszałyśmy głos Janusza,
który stał przy schodach razem z dwoma umundurowanymi
policjantami. — Was to można wynieść z domu razem z meblami. Wszystko pootwierane na oścież. Tylko wejść i wynosić.

— Co tu wynosić? — Lucia zatoczyła ramieniem po strychu. — Co najcenniejsze, już znieśliśmy do domu.

— Ale lampy nie widziałyście? — zapytał zaczepnie.

— No, nie — przyznałam skruszona. — W ten kąt jeszcze
się nie zapuściłyśmy. Lucia… a od tego trzeba było zacząć.
Piękna ta lampa. Akurat do sieni, przy tym lustrze i cegłach
będzie wyglądać odjazdowo.

Janusz patrzył na nas jak na jakieś zjawy i pewnie jak każdy chłop nie rozumiał, że można się zachwycać tęczowymi,
migoczącymi wokół gwiazdkami. A przecież wyglądało to
nieziemsko, jakby ktoś rozsypał garść diamentów na stare deski podłogi. Podszedł do nas, zabrał lampę i ostrożnie włożył
z powrotem do pudła. Kiwał przy tym głową, uśmiechał się
pod nosem i mruczał.

— Oj, kobietki, kobietki.

— A właściwie to co tu robicie? — Lucia nagle

oprzytomniała i uśmiechnęła się przepraszająco do policjantów. — Myślałam, że jesteś w pracy — spojrzała na Janusza.

— Toż jestem — przytaknął. — Powiedzcie mi, gwiazdy, czy jest coś na tym strychu, czego jeszcze nie dotykałyście po tych nocnych odwiedzinach? — rozglądał się przy tym po kątach. — Czy wszystko już znieśliśmy?

— No, raczej tak. Nawet okna są wymienione — westchnęła Lucia. — A dlaczego?

— Mówiłaś o tym gościu, co to widział dziadkową szafkę na strychu. Sprawdziliśmy go — wydął wargi, a minę miał przy tym lekko zmieszaną. — Jego odciski palców były na plebanii. Zdjęli je zaraz po tym splądrowaniu.

— To dlaczego nie zdjęli ich wtedy tutaj? — zdziwiłam się.

— Cóż, to był błąd. Ale chyba nikt tak naprawdę nie pomyślał, że może być ciąg dalszy. No i nie mieliśmy żadnego podejrzanego. A teraz jest za późno, szkoda — westchnął.

— Szkoda — stał i rozglądał się dookoła, próbując wyłowić jakiś niedotykany jeszcze przedmiot. Ale niemal wszystko już zostało wyczyszczone i uprzątnięte. Lukrecja zaczęła wrzucać pomięte papiery do kartonu, zamknęła go i spojrzała na policjantów.

— Janusz, a może jak już tu jesteście, to zniesiecie nam ten karton na dół — poprosiła i zabrała się do przysuwania pudła bliżej schodów.

— Zostaw to, złociutka — delikatnie odsunął ją od kartonu i sam przeciągnął go bliżej komina. — Panowie, pomóżcie. Ja z tej strony, wy z przodu, bo te schody są jak drabina — wyprostował się nagle i walnął głową w otwarte drzwi wędzarni. — Psiakrew! — zaklął i odwrócił się, żeby zamknąć żelazne drzwiczki.

— Stój! — wrzasnęłam, jakby mnie ktoś obdzierał ze

skóry. Policjanci aż podskoczyli, choć mówi się, że strachliwi nie są. Ci pewnie należeli do tych bardziej płochliwych. Nagle mnie olśniło.

— Matko kochana, Ola… co się stało? — Lucia się wzdrygnęła. Oczy miała wielkie, przerażone i wstrzymywała oddech.

— Te drzwiczki — pokazywałam na nie i aż przestępowałam z nogi na nogę z emocji. — Przecież one były zamknięte, włamywacz je otworzył, a ty ich nie zamknęłaś.

— O Jezu! — Lucia złapała się za serce. — Chcesz mnie zabić?

— Nie dotykałaś ich, Lucia? — spytał Janusz z nadzieją w głosie, a ona tylko pokręciła głową. Chyba za bardzo ją wystraszyłam. Oglądał gładką gałkę, wyjął z kieszeni długopis i domknął żeliwne drzwi. Drugą ręką masował głowę.

— Nie dotykałam — przytaknęła wreszcie.

— Panowie, możemy mieć ślad. To do roboty. Później zniesiemy wam to pudło, teraz możecie zrobić wszystkim kawki — i cały czas masował sobie guza na głowie.

Zeszłyśmy na dół i stanęłyśmy w korytarzu. Sufit był wysoko, jak to w takich domach bywa… na oko ze cztery metry. Lampa w sumie mogła mieć z półtora metra, albo i więcej. Patrzyłam przez przymknięte powieki na dyndającą na długim kablu lampę z blaszanym kloszem, upstrzoną od much, i już widziałam ten boski żyrandol. Ceglana posadzka, białe ściany i lustro w złotej ramie na surowej cegle.

— Będzie tu pasowała jak w pysk strzelił — pokiwałam głową, zgadzając się z moją wizją. — Jeszcze tylko te drzwi.

— Janusz będzie je po kolei odnawiał. — Lucia wydawała się bardzo rada z tych zmian i wcale się jej nie dziwiłam.

— Zazdroszczę ci tego domu, piękny jest i każdego dnia piękniejszy — westchnęłam.

— Również dzięki tobie — uściskała mnie nieoczekiwanie. — Chodź, zrobimy tę kawę.

Kawa była z atrakcjami. Pobrano nasze odciski palców, podobno do eliminacji… cokolwiek to znaczy.

O wyznaniach, o skarbie i o uzdrawiającej mocy księżej miodówki

Lukrecja nie mogła się już doczekać powrotu Janusza z pracy, a wrócił dość późno. Oczywiście niosąc torbę z zakupami. Już nie pamiętała, kiedy robiła je sama. — Może tak wyszkoliła go była żona? — zastanawiała się. — Dobra moja!

— Zawsze już tak będzie? — wskazała na przyniesione przez niego zakupy.

— Nie, możemy wybrać się na zakupy razem. Ale to strata czasu. Przecież mogę je robić w drodze do domu — tłumaczył z uśmiechem.

W drodze „do domu" — upajała się tym zwrotem. Lukrecję cieszyły te słowa, bo zaczęła już myśleć o sobie i Januszu jak o parze. Cieszyła się, ale i trochę bała. Bała się, że to nie może być prawda, że zniknie pewnego dnia równie nieoczekiwanie, jak się pojawił. Bała się też trochę o swoją wolność. I nie chodziło jej wcale o wolność w sensie fizycznym, tylko obawiała się zniewolenia ducha. Niepokoiła ją myśl, że pewnego dnia nie będzie umiała już myśleć o sobie w liczbie pojedynczej, że nie będzie umiała się bez niego obyć.

A wysoce ceniła sobie swoją niezależność, choć tęskniła za życiem rodzinnym.

— Ale zawsze za nie płacisz... jest mi niezręcznie — próbowała oponować.

— Chociaż tak mogę ci się odwdzięczyć za dach nad głową.

— Przecież masz gdzie mieszkać — zdziwiła się Lukrecja. „Czyżby zwolnił swoje mieszkanie?" — zastanowiła się przez moment. Trochę się spłoszyła, bo nie byłoby już odwrotu i w razie czego nie mogłaby się tak łatwo z tego wyplątać. Choć wcale nie miała takiego zamiaru.

— Mam. Ale nie mam z kim mieszkać — postawił torbę z zakupami na blacie kuchennym — a z byle kim bym nie chciał.

Podszedł do kręcącej się po kuchni kobiety, objął ją i przyciągnął mocno do siebie. Jedną ręką zaczął głaskać ją po głowie i zajrzał głęboko w oczy. Był poważny i spokojny.

— Nie wiesz nawet, ile radości wniosłaś w moje życie, jak znów zachciało mi się żyć. I jak długo będę mógł być przy tobie, tak długo będę cię strzegł i kochał.

— Kochał? — zaskoczyło ją to. Tego się nie spodziewała. Przynajmniej jeszcze nie teraz. Stała tak wciśnięta w jego ramiona i zdawało jej się, że lekko unosi się nad podłogą. Przed chwilą usłyszane wyznanie spowodowało lekki zawrót głowy i szum w uszach, stąd pewnie wzięło się wrażenie unoszenia.

— Kocham cię, Lucia... od zawsze — gładził ją po twarzy i wciąż patrzył w oczy. — Nie wiedziałaś o tym?

— Skąd miałam wiedzieć? — nie wiedziała, jak zareagować, bo przecież byli dziećmi, kiedy widzieli się po raz ostatni. No i jej również zdarzało się dokuczać Januszkowi. Teraz dojrzały Janusz trzymał ją w objęciach, a ona nie chciała, żeby choć odrobinę zwolnił uścisk.

— Myślisz, że pozwoliłbym dziewczynom używać na sobie? Nigdy bym cię nie tknął, choć koledzy śmiali się ze mnie, że nawet dziewczyny dadzą mi radę — uśmiechał się do tych wspomnień.

— Pamiętam. Przepraszam cię za to — zrobiło się jej głupio.

— Nie to chciałem usłyszeć — wciąż nie wypuszczał jej z objęć.

— Kocham cię, Janusz, i chcę, żebyś ze mną był — powiedziała jednym tchem i dziwnie łatwo jej to przyszło. Dalej czuła tę lekkość, ale wiedziała, że będzie trzymał ją mocno i nie wypuści.

„Boże! Jak dobrze poczuć to bezpieczeństwo, kiedy tuli mnie odpowiedzialny facet i znam jego zamiary — myślała uwięziona w jego objęciach. — Kiedy wiem, że jest ze mną, bo mnie kocha i chce mnie wspierać. Już się nie boję. Tylko co z tymi skrzydłami?" — niepokoiła się.

Tym razem skrzydła nie były jej potrzebne, ani też kolacja. Z tego wszystkiego zapomniała zamknąć kury, a bekulki spędziły noc w kuchni pod stołem. Twierdziła, że od czasu do czasu im się należy, w końcu wychowały się pod obrusem. A tego, że w sypialni nie powiesi żadnego świętego obrazka, była już pewna. Nie znała bowiem świętego, który zniósłby to, co się tam działo. Może właśnie dlatego dziadek ukrył obraz w ciemnym kącie strychu? „Oj, dziadku Michale! Niezły musiał być z ciebie wywijas!" — zaśmiała się w myślach do swojego sprośnego dziadka.

*

Dopiero przy śniadaniu Lukrecja dowiedziała się o paru faktach istotnych dla śledztwa. Jednak była pewna, że najistotniejsze rzeczy dotyczące jej samej usłyszała wczoraj wieczorem.

— Wiesz, złociutka, że zatrzymaliśmy tego waszego Romka i zrobiliśmy mu przeszukanie w domu. I znaleźliśmy to — wyjął z kieszeni kserokopię pewnego dokumentu. — Przeczytaj i powiedz, co o tym sądzisz.

— „Maj 1970 rok. Parę lat temu stało się coś, co niemożliwym czyni pełnienie mej misji pedagoga. Nie miało to związku z nauczaniem, ale pracować tak dalej niepodobna. Po latach oddanej pracy decyduję się przejść na emeryturę. Już czas. Powody zna tylko nasz proboszcz, jemu jednemu tajemnicę tę powierzam. On jeden posiądzie dowód mego czynu i przyczynę mej decyzji" — Lukrecja przeczytała na głos i już wiedziała, kto był autorem tych słów. — To z kroniki dziadka Michała, prawda?

— Tak, pismo takie samo i lata się zgadzają — przytaknął.

— To było tylko ksero, oryginału nie znaleźliśmy.

— Kto ma oryginał?

— Tego właśnie Romek nie chce powiedzieć — odparł, jednak po minie podejrzewała, że wiedział więcej, niż jej mówił. — Powiedział, że nie wie, gdzie jest kronika, bo ją wyrzucił. Resztę już znamy, ale nie zdradziłem mu, że ją przejęliśmy. Potem przyznał się do splądrowania plebanii, choć nie wiedział, czego tam szukać. Pieniędzy z kasetki nie zabrał, dlatego że po prostu o nich nie wiedział.

— A czego szukał u nas? — dopytywała, nadal nie widząc sensu w plądrowaniu strychu.

— Dalszej części kroniki. Myślał, że jest ciąg dalszy. Tę znalazł na podwórzu, kiedy sprzątałyście strych. To on przetrząsnął te wszystkie rzeczy.

— No, dobrze. Ale skąd wiedział, że je wyrzuciłyśmy na podwórze?

— Kto wiedział o waszych porządkach? — zapytał, mając nadzieję, że też się jeszcze czegoś dowie.

— Ksiądz Zygmunt... i Bożenka! — nagle ją oświeciło.

— Szukał nas, a ona powiedziała mu, że jesteśmy na strychu i sprzątamy.

— No więc przyszedł po następny tom. Myślał, że jednak jakiś jest.

— Coś mi się wydaje, że to nie on myślał — patrzyła na Janusza, chcąc wydobyć z niego nieco więcej informacji. — Z myśleniem to u niego nie jest najlepiej. I to on zamknął w biurku mojego kota! — aż poczerwieniała z oburzenia. I nie dlatego, żeby aż tak bardzo żal jej było stworzenia, ale to w końcu jej własność.

— Zdawało mi się tylko czy naprawdę nie lubisz tego kota? — spojrzał na Lukrecję z uśmiechem.

— Kto? Ja? — Lucia poczuła się obrażona. — Tak ci się tylko wydaje. — Nie sądziła, że jej niechęć do tego rudzielca jest aż tak widoczna. „Już wiemy, że tajemnicą dziadka Michała był nieboszczyk w krzakach, i zainteresowani też o tym wiedzieli... głupi nie są — wyliczała w myślach. — Ale co dalej? Pochował go w tych porzeczkach i co? Koniec tajemnicy? Co wiedział stary ksiądz Marian?" — zastanawiała się.

— Matko kochana! Janusz, to ja teraz wiem, czemu zastępca wciąż chodzi do pani Heleny. Ona musi coś wiedzieć. Może wie, gdzie dziadek ukrył ten dowód, o którym pisze w kronice — z wrażenia przestała jeść. Widelec w jej dłoni zawisł w połowie drogi do talerza.

— Bez powodu tam nie chodzi, to oczywiste.

— Ale ona niewiele pamięta — martwiła się. — Prędzej

przypomni sobie opowieści biblijne, jakimi mnie raczyła, niż tamte chwile. Może nawet nie chce ich pamiętać.

— Wpadaj do niej czasami — zachęcał ją, choć wcale nie musiał. Lukrecja lubiła panią Helenę. — Może kiedyś coś ci powie. Ze starszymi ludźmi już tak jest… jednego dnia nie pamiętają, jak się nazywają, a następnego opowiedzą ci historię całego swojego życia.

— Coś o tym wiem — westchnęła i wspomniała czule swoją ciocię Florę. — Zamknęliście tego Romka?

— Na czterdzieści osiem godzin. Potem chcemy zobaczyć, dokąd nas zaprowadzi.

Do końca śniadania Lukrecja już nie mogła się skupić na niczym innym. Myśl o tym, że po strychu kręcił się ktoś obcy i o mało nie uśmiercił jej kota, wprawiała ją w gniew. Nie żeby aż tak przepadała za rudzielcem, ale zdawało jej się, że znała bardziej humanitarne sposoby uśmiercania. „O, choćby zamknąć go w skrzyni, ale w biurku dziadka Michała? Eee, nie. To byłoby świństwo — zrezygnowała z tego pomysłu. — Pewnie śmierdziałoby też w biurku… no i skórka nie do odzyskania" — zachichotała diabolicznie.

*

W ostatnią niedzielę sierpnia wybierałyśmy się z Lucią na plebanię. Ksiądz Zygmunt, jak wcześniej obiecał, zaprosił nas na miodówkę. Albo nie wiedział, albo tylko udawał, że nie wie o naszych mężczyznach, bo w zaproszeniu o nich nie wspomniał. Lucia nawet tak wolała, nie miała pojęcia, co powiedzieć księdzu. No bo niby kim jest ten facet, który u niej mieszka? W razie czego miała gotową opowiastkę o ochronie policyjnej. Może proboszcz uwierzy.

— Matko kochana, żeby tylko nie pytał mnie o Janusza

— marudziła po drodze. Cały czas bała się, że księżulo będzie ją wypytywał o Janusza i o powody jego przebywania w pobliżu. A przecież on głupi nie był. Doskonale wiedział, co jest grane, i dzielnie to znosił. Z Lucią było dużo gorzej. Niosłyśmy ze sobą ciasto, konkretów proboszcz nie kazał przynosić. Na miejscu przekonałyśmy się dlaczego… Dawno nie jadłam tak dobrej kaszanki.

— Jedzcie, dzieci, jedzcie — zachęcał dobrotliwie. — Świeżutkie wyroby ze świniobicia.

— Pycha! — zachwalałam. — Kiedyś jadałam taką u babci na wsi, ale to było tak dawno, że już zapomniałam, jak smakuje.

— To teraz już możecie spróbować mojej miodóweczki — ksiądz sięgnął do kredensu po butelkę i kieliszki.

„Nareszcie! — pomyślałam, bo tyle nasłuchałam się o tym specjale. Jeśli jest choć w połowie tak dobry jak księży miód, to trudno mi będzie zachować umiar. A skoro to połączenie alkoholu i miodu, to trunek musi być wprost genialny. Oj… i był! Specjał nad specjały".

— Matko kochana, ale mocna. — Lucia aż zapowietrzyła się po pierwszym łyku.

— I samo zdrowie — zachwalał ksiądz. — Nie można przedawkować.

— Nie? — spytałam z nadzieją w głosie.

— No, jednak upić się można — zaraz mnie naprostowano. — Uderza do głowy dość szybko, ale nie po takim jedzonku. Nie przejmujcie się, nic wam nie będzie — uspokajał, kiedy Lucia zaczęła przyglądać się swojemu kieliszkowi.

Ksiądz Zygmunt już wiedział, kto przeszukał mu plebanię, lecz zamiast wnieść skargę, wolał porozmawiać z włamywaczem. Na razie Romek na rozmowę nie przyszedł.

— Czego on tutaj szukał? — zastanawiał się głośno.

— To ksiądz nie wie? — Lucia zrobiła duże oczy. Sądziła widocznie, że proboszcz jest lepiej zorientowany w sprawie.

— Nie powiedzieli księdzu na policji?

— Prawdę mówiąc, nie pytałem — przyznał się. — Wierzyłem, że Romek przyjdzie i sam mi to powie.

— Oj, wielka jest więc księdza wiara — wyrwało mi się tonem, jakbym prawiła kazanie. Spojrzeli na mnie oboje, Lucia z przerażeniem, ksiądz bardzo rozbawiony. — No co? A może nie? — podniosłam na nich zdziwione oczy.

— Masz rację, Ola, wierzyłem, że przyjdzie i wszystko mi wyzna — przytaknął.

— Lucia księdzu wyzna — pokazałam na nią palcem.

„O, cholera! Chyba rzeczywiście ten trunek szybko uderza do głowy, bo Lucia poraziła mnie spojrzeniem. Nie wiem, o jakim wyznaniu myślała, ale gdyby mogła zabijać wzrokiem, już bym nie żyła. Ksiądz patrzył na nią i czekał".

— Wiemy, co było na brakujących kartach kroniki — zreflektowała się wreszcie, o jakie to wyznanie chodzi. — O, mam tu zapisane — wydobyła z kieszeni spodni złożoną kartkę i przeczytała zakreślone przez Janusza zdania na głos.

Ksiądz Zygmunt słuchał w milczeniu i pocierał dłonią czoło. Poprosił o powtórne przeczytanie tekstu. Skupiał się uważnie i tylko bardziej marszczył czoło.

— Tajemnicę powierzam? — zastanawiał się głośno. — Może powiedział mu coś podczas spowiedzi?

— Dziadek Michał i spowiedź? — Lucia zaśmiała się powątpiewająco. — Przecież ksiądz go znał. Chodził na plebanię, a nie do kościoła.

— No tak. Masz rację — pokiwał głową. — Jednak twój dziadek bardzo się w pewnym czasie zmienił. Nie narzucał się Panu Bogu... to prawda, ale często długo rozmawiali ze starym księdzem. Często też grali w szachy.

— Ale to go jeszcze świętym nie czyniło — westchnęła. — Pamiętam, jak maszerował na plebanię z szachami pod pachą. Babcia aż do śmierci miała nadzieję, że się nawróci — wspominała Lucia.

— Tak, pamiętam, jak martwiła się o jego pochówek — uśmiechał się do swoich wspomnień. Widać dobrze znał dziadka Luci i musiał mieć o nim dobre zdanie, bo z twarzy nie znikał mu ten dobrotliwy uśmiech. Nie każdy przecież musi udowadniać światu, że jest dobrym i prawym człowiekiem przez bieganie na mszę w każdą niedzielę. Daję głowę, że większość tych biegaczy nie może nawet marzyć o porównywaniu się z panem Michałem. Nawet jeśli bogata kolekcja retro porno była jego własnością.

— Groziła mu, że pochowa go w ogrodzie pod płotem — powiedziała zupełnie poważnie.

— No i podsunęła dziadkowi pomysł — palnęłam. Znów na mnie spojrzeli. — Co? To już chyba wiadomo, kto zakopał Pana Porzeczkowego?

— Kogo? — ksiądz się zdziwił i zdezorientowany spojrzał na Lukrecję.

— Olka go tak nazwała. — Lucia próbowała mnie tłumaczyć, zupełnie nie rozumiałam dlaczego. Przecież lepiej tak niż NN.

— Nawet ładnie — pokiwał z uznaniem głową. — Lepiej tak niż mówić o nim bez szacunku. Tylko powiedzcie mi coś, bo nie rozumiem — rozlał miodówkę do kieliszków. — Najpierw znalazł się ten... Pan Porzeczkowy i dopiero potem zaczęto szukać kroniki i myszkować na plebanii w poszukiwaniu wytłumaczenia jakiejś tajemnicy. A jeśli dobrze rozumiem, tą tajemnicą był właśnie Pan Porzeczkowy.

— No i tego nie jesteśmy takie pewne — pokiwałam głową z powątpiewaniem.

— Musiało być coś jeszcze. — Lucia wstała i zabrała się do krojenia ciasta. — Tylko nie mamy pojęcia co. Może ksiądz o czymś wie?

Nie wiedział. Pijąc kawę, rozmawialiśmy o pszczołach i miodzie, o urodzaju w sadzie i o planach na zimowe przetwory. Ksiądz miał duży sad i chętnie rozdawał owoce. W zamian za to dostawał gotowe przetwory, już w słojach. Skrzętnie je przechowywał w swojej piwniczce i chętnie częstował niektórych gości. Wszystko można było tam znaleźć… śliwki na kwaśno i gruszki na słodko do mięs, powidła i dżemy, soki i ogórki pod wieloma postaciami. Miło zimą zejść do takiej piwniczki i wyszukiwać skarby, akuratne do aktualnego apetytu.

— A jak tam twoje remonty, Luciu? Podobno nieźle sobie poradziłaś — ksiądz spojrzał na nią kątem oka, a ta zapłonęła jak dojrzały pomidor.

„Zaraz się sypnie" — pomyślałam i zrobiło mi się jej żal, bo to raczej nie było uderzenie gorąca. Proboszcz zdecydowanie wchodził na grząski teren. Grząski dla Luci. Musiałam ją ratować.

— Znalazłyśmy piękny żyrandol na strychu. Zupełnie jak z pałacu, kryształowy i ogromny. Po przeróbce powiesimy go w korytarzu — trajkotałam i wywijałam rękami jak wiatrak śmigłami, próbując zobrazować znalezione cacko, żeby tylko odwrócić uwagę od zaróżowionego oblicza Luci. O obrazie przerobionym na lustro nie wspomniałam… wtedy Lucia musiałaby ratować mnie. Zasypałyśmy więc księdza szczegółami remontów, nie wspominając, rzecz jasna, o wykonawcy tychże. Co się ma księżulo denerwować. Lucia opowiadała o gabinecie dziadka Michała, o nowej sypialni, o cegle na korytarzu, o odnawianych meblach. Robiłyśmy wszystko, żeby tylko nie dopuścić do pytań o Janusza. I wydawało się, że się nam upiekło.

— Tyle się tam zmieniło, że muszę cię wkrótce odwiedzić — pokiwał głową z uznaniem.

Ożeż! A tak dobrze szło. W drodze do domu zastanawiałyśmy się, co Lucia powie plebanowi, jak ten znienacka wpadnie. Żeby tylko nie zapomniała zamykać teraz drzwi, bo mało, że wielebny znajdzie w jej domu faceta, to jeszcze może zastać go przykutego do łóżka. I to wcale nie przez chorobę.

*

Nastał ciepły wrzesień i dzieci już wróciły do szkoły. Do Lukrecji zadzwoniła Beata z wieścią, że ma nowe taśmy dla pani Heleny, ale zwichnęła nogę i jest unieruchomiona w domu. Lucia z wielką przyjemnością ją odwiedziła. Nie widziały się dość długo i miały ochotę trochę poplotkować.

— Tak źle z twoją nogą? — spytała Lukrecja, kiedy już się wyściskały. Beata miała nogę w gipsie do kolana i podpierała się kulą. — Myślałam, że zwichnięcie to nie taka poważna sprawa.

— Może i nie — machnęła ręką — ale jak chcieli mi ją zagipsować, to wcale nie protestowałam.

— Bo? — Lucia nie zrozumiała. Beata do najruchliwszych nie należała, ale taki ciężar przy nodze nikomu nie poprawia humoru.

— Wolę siedzieć z gipsem na nodze w domu niż z tą mądralą w bibliotece — westchnęła. I Lukrecja już wiedziała, dlaczego gips nie zepsuł Beacie humoru. Chyba nadal pamięta Elce te drwiące uśmiechy po wpadce z oknem. Twierdziła, że już jej wybaczyła, ale jeśli myśli jak mama Lukrecji, że krzywdę można wybaczyć, jednak niekoniecznie zapomnieć... to Lucia ją w zupełności rozumiała. Beata była obiektem kpin dość długo.

— Aż tak źle?

— Teraz przynajmniej trochę popracuje, bo jak byłam na miejscu, to ciągle gdzieś łaziła. I nie było tajemnicą gdzie — mówiła o niej z wyraźną niechęcią w głosie.

— Gdzie?

— No, Lucia! Proszę cię! — powiedziała z wyrzutem. — Przecież to jest pierwsze ucho wójta. Nie wiedziałaś?

— Podejrzewałam — przyznała cicho, ale nigdy nie rzucała niesprawdzonych oskarżeń. Zawsze się bała, że kogoś w ten sposób skrzywdzi. Szkoda tylko, że inni nie mieli takich skrupułów.

— Teraz to już się nawet z tym nie kryje. Łazi wiecznie do niego albo załatwia jakieś ich sprawy. No to trochę posiedzi na czterech literach — z satysfakcją w głosie powiedziała Beata. Nie kryła radości, kiedy opowiadała Lukrecji, że jej noga tak szybko nie wróci do formy. Wolała pocierpieć niż patrzeć na zadowoloną facjatę rudej Elki.

— A już nawet nie masz pojęcia, co o tobie opowiada — podparła dłonią czoło i pokręciła głową zdegustowana. — Z tej zawiści już się jej mózg zlasował.

Lukrecję jakoś to nie zdziwiło. Zawsze była jakaś... niepasująca do nich. Może z racji młodego wieku? Może z innego powodu. Ale kiedy zaczęła plotkować w sklepie swojego brata, postanowiły bardzo uważać na każde wypowiadane słowo. Często bywało, że milkły, kiedy wchodziła do pomieszczenia.

To męczące pracować z osobą, której nie możesz ufać, ale niestety, czasami konieczne.

— Beata… może źle ją osądzasz — próbowała łagodzić jej emocje, ale w mig się zorientowała, że na próżno. — Miej to gdzieś — uśmiechnęła się. — Jak masz ochotę i możliwość przyjechać do mnie, to zapraszam cię serdecznie. Dużo się u mnie zmieniło.

— No właśnie o tym mówię — podchwyciła. — Opowiada o twoich remontach i o tym policjancie.

— I tu nie kłamie. — Lucia przytaknęła, nie ukrywając zadowolenia. Wcale nie krępowało jej przyznanie się do uczucia. A że jest zakochana, Beata sama się domyśliła.

— Ale nie wiesz, co mówi — przerwała jej. — Że odbiłaś męża jakiejś biednej kobiecie i żyjesz z nim na kocią łapę.

— Patrz, jaka zorientowana. — Lukrecja zaśmiała się zupełnie wyluzowana, nie przejmując się tym, co usłyszała. — Jeśli można odbić komuś rozwodnika, to odbiłam — skinęła głową. — A co do reszty… cóż, odwiedź nas, sama się przekonasz.

Po czym zabrała przygotowaną dla pani Heleny paczkę, wyściskała nienasyconą gadaniem Beatkę i jeszcze raz poradziła lekceważyć gadanie Elżbietki.

— Widać w kolejce po rozum stała na samym końcu — podsumowała nieco złośliwie, próbując obrócić wszystko w żart.

— To ciekawe, po co była pierwsza? — Beata zastanawiała się na głos, odprowadzając Lukrecję do drzwi. — Choć obawiam się, że jak rozumu dla niej zabrakło, to resztę już sobie odpuściła. No, chyba że po walory — parsknęła śmiechem. Jednak Luci żal się zrobiło młodszej, byłej już koleżanki. Nie chciało się jej wierzyć, że w jednej osobie, choć niemałej, może kryć się tyle zła. „No, cóż — pomyślała. — Nie ma to jak pośmiać się z wroga" — próbowała iść w ślady Beaty, ale nie było jej do śmiechu.

U pani Helenki Lukrecja nie posiedziała za długo, staruszka nie czuła się dobrze. Małgosia nawet nie poszła do pracy, gdyż bała się zostawić matkę samą. Lucia zaproponowała, że jeśli Małgosia będzie potrzebowała pomocy, to może na nią liczyć, zawsze pomoże.

— W końcu moją ciocią Marylka też się czasami zajmowała, mogę teraz komuś oddać dobro, które sama otrzymałam — mówiła do Małgosi, głaszcząc ją po ramieniu. Pamiętała też, co zawsze powtarzała jej mama, że w życiu wszystko jest tylko pożyczone. Wszystko w końcu do człowieka wraca… i dobro, i zło. „Oj, nie chciałabym być w skórze Elki, kiedy wróci do niej to wszystko zło, które ludziom wyrządziła, bo z całą pewnością już się spod niego nie wygrzebie" — pomyślała.

*

Od rana walczyłyśmy z lampą w korytarzu. Nie wymagała wielu przeróbek i elektryk, który się tym zajął, obiecał też, że ją powiesi. Koniecznie chciałyśmy to zrobić, zanim dzieci wrócą na zajęcia. I udało się. Lampa wisiała, znacznie obniżając wysoki sufit, i nikomu nie przeszkadzało, że jest taka długa. Zamiast pięciu żarówek, miały teraz być tylko trzy, a i tak stwierdziłyśmy, że trzeba wkręcić energooszczędne. Lampa wyglądała imponująco. Kiedy tylko włączyłyśmy światło, migoczące gwiazdeczki rozsypały się po korytarzu.

— Ale cudna! — Lukrecja nie mogła ukryć zachwytu. Złota rama lustra i ceglana ściana intrygująco kontrastowały z pałacowym cackiem. Odnowione drzwi w korytarzu, choć znów pociągnięte białą farbą, odzyskały ostrość rzeźbień i frezów, a frontowe, dwuskrzydłowe były akurat odnawiane. Jedna ich część leżała na koziołkach przed domem i Janusz usuwał z niej starą farbę. Ubrany w stare dżinsy i podkoszulek, opalał je z warstw farby i usuwał ją szpachelką. Szło mu to nawet całkiem sprawnie. I właśnie wtedy przez te otwarte drzwi, jak kiedyś nietoperz do mojego salonu, wleciał, zamiatając sutanną, ksiądz Zygmunt.

— O! — cofnął się z korytarza i podał rękę Januszowi. — Szczęść Boże. Jak tam śledztwo, panie komisarzu? — spytał, patrząc na skrzydło drzwi leżące na koziołkach.

— Bóg zapłać, posuwa się powoli do przodu — westchnął Janusz. — Ale bardzo powoli.

— I tak pan pilnuje tej naszej Luci? — podpytywał dalej księżulo.

— Ano pilnuję. Tak chyba czuje się bezpieczniej — uśmiechał się zupełnie bez skrępowania.

— No, to teraz chociaż wiem, czemu się wam nie spieszy — pokiwał głową i uśmiechał się do zupełnie niespeszonego Janusza.

Stałyśmy obie w korytarzu, a Lucia była blada jak ściana. Ta biała ściana, nie ceglana. Nie wiedziałyśmy, czy wyjść mu naprzeciw, czy czekać na niego w domu. Patrzyłyśmy na siebie bezradnie i nagle usłyszałyśmy śmiech Janusza i księdza. Za chwilę proboszcz wszedł do korytarza.

— Szczęść Boże temu domowi — przywitał nas od progu.

— Dzień dobry księdzu — odpowiedziałam, jak umiałam najuprzejmiej, a Lucia i tak zgromiła mnie spojrzeniem.

— Oj, Ola, Ola… — zaśmiał się i przewrócił oczami. — No, Lucia, chwal się.

Powoli na policzki Lukrecji wracały naturalne kolory i zaczęła normalnie oddychać. Już się bałam, że jak dłużej tak postoi, wstrzymując oddech, to w końcu zemdleje w tym korytarzu. Pleban stał przed lustrem i spoglądał po kolei na drzwi.

— Jak ładnie odnowione — chwalił — ale tych starych klamek nie wymieniałyście?

— Nie, te są ładne... pasują tu. — Lukrecja dotykała starych żeliwnych klamek. — Obtłukłyśmy z tynku i wymalowałyśmy ten komin. Żeby ksiądz widział, jak potem wyglądałyśmy — zaśmiała się. Księżulo znów spojrzał na lustro i podrapał się po głowie.

— Skądś znam tę ramę... — zmrużył oczy i zaczął się zastanawiać.

„O cholera! — wystraszyłam się. — Teraz ja wpadnę! Jak się wyda, że wyrolowałam z niej Świętą Rodzinę, to więcej miodówki nie powącham".

— Ale niech ksiądz zobaczy, jaką piękną lampę znalazłyśmy — chwyciłam go za rękaw, odwróciłam od lustra i wskazałam na sufit — skarb po prostu.

— Rzeczywiście, piękna. Chyba nigdy jej tu nie widziałem — zastanawiał się. — Świeci tak pięknie, mieni się jak... skarb. Masz rację, skarb — i nagle zmarszczył czoło, zaczął je pocierać, znów spojrzał na lampę i na lustro. — No, to pokażcie mi resztę.

Lucia szybciutko pokazała mu sypialnię i chciała z niej jak najszybciej wyjść, jednak księdzu się nie spieszyło. Zaczął podziwiać kolor ścian, odnowione, wybielone deski na podłodze, zerknął na łóżko i uśmiechnął się pod nosem. Potem spojrzał na ścianę nad łóżkiem. No, masz! Chyba skojarzył ramę od Świętej Rodziny.

— Szafę przenieśliśmy do gabinetu dziadka Michała — tym razem Lucia ratowała moją skórę. — Wymontowaliśmy lustra i zrobiliśmy z niej bibliotekę. Książek przecież mam bez liku. A bieliźniarkę i kufer znosłyśmy ze strychu i Olka pomogła mi je odnowić. Zna się na tym.

— Tak? — spojrzał z uznaniem na mnie.

— Tak, lubię stare meble, mam lekkiego świra na punkcie secesji. Uwielbiam ten okres — rozmarzyłam się i gotowa byłam już dać mu mały wykład na ten temat, ale Lucia złapała go pod rękę i szybciutko wyprowadziła z tego przybytku rozpusty. Czyżby przypomniała sobie, że nie odpięła kajdanek od łóżka? Zaśmiałam się na samą myśl o tym.

— A tu jest gabinet dziadka Michała, w którym na razie mieszka Janusz — otworzyła przed księdzem drzwi i zatoczyła ramieniem.

Księżulo wszedł do pokoju i westchnął. Spojrzał na szafę z książkami, pogładził rzeźbione drzwi.

— Ładnie to zrobiliście, pasuje tu — podszedł do biurka przy oknie i odsunął krzesło. Siadł przy biurku i zaczął gładzić dłońmi odnowiony blat. Dotykał kryształowego kałamarza, rozglądał się po ścianach i podłodze. — Pasowałby tu jeszcze duży fotel — wstał i pokazał na pusty kąt przy piecu. — Mam taki skórzany na strychu, nie lubię go, bo mnie ziębi, a koce z niego zjeżdżają. Mogę ci go dać.

— Fajnie, dziękuję bardzo — ucieszyła się Lucia.

Po czym nachylił się nad siedzącą teraz przy biurku Lucią i powiedział konspiracyjnym tonem:

— I wstaw mu tu jakieś łóżko, bo na tym biurku nie śpi się chyba najwygodniej — i puścił do niej oko.

Janusz stał oparty o framugę drzwi i usłyszawszy te słowa, roześmiał się na głos. Rozbawiony szturchnął mnie w ramię:

— Chodź, Ola, zrobimy kawę. Lucia musi się chyba wyspowiadać.

Dopiero przy kawie ksiądz zdradził nam cel wizyty. Przyszedł spytać, czy nadal chcemy pracować z dziećmi, bo może o tym powiedzieć na najbliższej mszy. Jasne, że chciałyśmy. Ale wypadało poczekać na plan lekcji w szkole i rozkład zajęć pozalekcyjnych, żeby dopasować dni i godziny naszych spotkań. Więc zaczniemy za jakieś dwa tygodnie. Fajnie będzie znów zobaczyć te dzieciaki, choć niektóre czasami zalazły nam za skórę.

Wychodząc, proboszcz znów zerkał na lustro… już pewnie wiedział, skąd zna tę ramę. Stanął jeszcze pod lampą i znów się zamyślił.

— Jak skarb… — powtórzył moje słowa i nagle spojrzał na Lucię. — Lucia, dziecko, coś mi się przypomniało.

— Co? — zapytaliśmy niemal równocześnie wszyscy troje. Spojrzał na nas zdziwiony tak nagłym zainteresowaniem.

— Jak umierał stary ksiądz, to mówił coś o skarbie — znów spojrzał na lampę.

— Jakim skarbie? — drążyła Lucia i zaczęła przestępować z nogi na nogę.

— No właśnie nie wiem — znów pocierał czoło z zatroskaną miną. — Ale mówił przy tym o twoim dziadku i szkole. Nie wiem, czy to wam w czymś pomoże, ale teraz sobie przypominam, że o tym skarbie mówił tak… nie określając, co to jest — rozłożył bezradnie ręce. — Może to chodziło o tę lampę? Naprawdę nie wiem, nie pamiętam, przykro mi.

— Dziękujemy księdzu i za to. Może coś nam się dzięki temu wyjaśni. — Lucia uściskała księżula i cmoknęła go w policzek. Poszedł i przypomniał jeszcze w drzwiach, że fotel jest do wzięcia i Janusz może po niego przyjechać.

Siedliśmy we troje przed domem i czekałam, aż Marcin po mnie przyjedzie. Mieszałam palcem w szklaneczce z metaxą i zastanawiałam się, o co chodzi z tym skarbem. Każde z nas miało swoją teorię i na razie nie próbowaliśmy się nimi wymieniać. Kiedy przyjechał Marcin, zastał nas zatopionych w domysłach, stanął parę metrów przed nami i gdyby nie owieczki, które z głośnym „beee" podbiegły do niego, nawet byśmy go nie zauważyli.

— Co się wam stało? Zobaczyliście ducha czy co? — przerwał nasze rozmyślania.

— Prawie. — Janusz zrobił mu miejsce na ławce obok siebie. — Już chyba wiemy, skąd to całe zamieszanie.

— Wiemy? — spojrzałam na niego z zaciekawieniem.

— Skoro ksiądz Marian mówił przed śmiercią o jakimś skarbie, to pewnie słyszała to też pani Helena. Może mówiła komuś o tym?

— No i? — Lucia patrzyła wyczekująco.

— I stąd to zainteresowanie szkołą. Może właśnie dlatego, moja złociutka, chcieli cię stąd przepędzić — wziął ją za rękę.

— A póki co... ja biorę ze sobą mój skarb, bo mi się znów urżnie, i potem powie, że ją głowa boli — zaśmiał się Marcin i chwytając mnie za ręce, podniósł z ławki. — Chodź, aniołku, na dziś masz już dość wrażeń.

— Ale głowa mnie nie boli — uśmiechnęłam się i mrugnęłam do Luci.

— I dobrze. Mimo to kupiłem tabletki przeciwbólowe... tak na wszelki wypadek.

Zanim pojechaliśmy do domu, Marcin pomógł wstawić Januszowi skrzydło drzwi frontowych, żeby w razie nagłych odwiedzin ksiądz nie dostał zawału, bo serce miał raczej słabe. A drugi taki dobry proboszcz na pewno już się parafianom nie trafi.

*

Drzwi frontowe wyszły jak marzenie. Janusz bardzo się przy nich napracował, ale wszyscy stwierdzili, że było warto. Zeszlifowaną starą farbę zastąpiła ciemnobrązowa bejca. Kute wzmocnienia skrzydeł odrdzewił i przemalował lakierem do stali. Ciężka klamka bardzo zdobiła odnowione drzwi, a dokupiona kołatka jeszcze dodawała im szyku. Jednak Lukrecja była przekonana, że i tak wszyscy będą wchodzić do domu od podwórka, bezpośrednio do kuchni. Janusz przytargał też skórzany fotel od księdza. Dosłownie przytargał, bo sporych rozmiarów siedzisko wymagało siły dwóch osób. Lukrecja wyczyściła go specjalną pastą i wyglądał, jakby zawsze stał w pokoju dziadka Michała. Cieszyła się bardzo, bo Janusz z księdzem przypadli sobie do gustu, chociaż księżulo wiedział, że komisarz jest po rozwodzie.

Jako że początek roku szkolnego był za pasem, Lucia wybrała się do szkoły, żeby poznać plan lekcji dzieci z wioski i dostosować terminy zajęć. Okazało się, że władze gminne zamierzają oszczędzać kosztem oświaty i na żadną szkolną aktywność pozalekcyjną środków nie przewidują. Tak więc Lucia i Ola pozostawiły plan zajęć z wiosny i poprosiły księdza o ogłoszenie tego w kościele. Wracając po wypłaceniu pieniędzy z bankomatu, który był tuż obok biblioteki, Lukrecja natknęła się na Marylkę. Ta, swoim zwyczajem, kręciła się z miotłą na chodniku przed swoim domem. Lucia zwolniła nieco, bo i tak koleżanka nie pozwoliłaby jej przejechać.

— Lucia, Lucia… złaź z tej kozy, muszę ci coś powiedzieć — machała do niej. Od pewnego czasu Lukrecja nie lubiła rozmawiać w tym miejscu, bo Marylka mieszkała prawie naprzeciwko budynku urzędu gminy.

— Cześć, Marylka, co tam? — zsiadła jednak ze swojego starego roweru.

— Ty wiesz, jaki tu był wczoraj cyrk?! — Marylka nie mogła opanować emocji. Spoglądała to na budynek urzędu, to na Lucię. — Mówiłam ci, że zatrudnili w urzędzie tego Romka jako „złotą rączkę", nie?

— No, mówiłaś — przytaknęła zgodnie z prawdą.

— Już go wylali. — Marylka nie ukrywała radości, widać też go za coś nie lubiła. — Wczoraj wybiegł jak oparzony z budynku, stanął na ulicy i tak się wydzierał…

— Co ty powiesz? — Lukrecja wykazała nagłe zaciekawienie. — Co mówił?

— Mówił? Darł się jak stare gacie — podparła się pod boki. — Że w dupie ma taką robotę, że nie będzie się za nich podkładał i że nie ma zamiaru za nich siedzieć. I że wszystko powie na policji.

— To było wczoraj? — upewniała się Lukrecja i skrzętnie notowała w pamięci każde słowo Marylki.

— No, około południa. Wydzierał się tak z piętnaście minut. Aż „wicek" wyszedł i powiedział mu, że zaraz wezwie policję. A ten na to, że to nawet lepiej, nie będzie musiał jutro sam jechać. Potem jeszcze próbował go uspokoić i jakoś udobruchać, ale znasz Romka. Jak się nakręcił, to już było po zawodach.

— Nie wiesz czasem, za co go wylali?

— Pewnie nie był im już potrzebny — wzruszyła ramionami. — Z każdym tak robią, wykorzystają i wyrzucają. Taka ich polityka.

Jeszcze trochę ponarzekały na temat nowych władz i Lukrecja pojechała do domu. Jadąc, myślała o zleceniodawcy włamań. Tak jak przypuszczała, stał za tym zastępca wójta.

Obawiała się, że wiedział więcej niż ona sama, niż Janusz. No, chyba że Janusz nie mówił jej wszystkiego. Pokręciła się trochę przy obiedzie i nie mogła się już doczekać jego powrotu. Co chwilę zerkała na zegarek, ale czas przez to wcale szybciej nie biegł. Chodziła zamyślona po kuchni, że nawet rudzielec patrzył na nią zdziwiony, bo nie przegoniła go na podwórze. Siedział pod stołem i śledził ją swoimi zielonymi oczami. Rzuciła mu pod stół obrzynek szynki. To go dopiero zaskoczyło.

— Cześć, Lucia — usłyszała wreszcie. Janusz stanął w drzwiach, jak zwykle z zakupami w rękach.

— Słuchaj, czego się dzisiaj dowiedziałam — już zabierała mu zakupy z rąk i odstawiała siatki na blat. Janusz patrzył na nią zaskoczony, jak bezceremonialnie popychała go do zlewu, żeby umył ręce przed obiadem.

— Co się stało?

— Rozmawiałam dziś z Marylką — zaczęła.

— I powiedziała ci, że tego Romka już zwolnili i że to on na zlecenie wicewójta włamał się na plebanię i do ciebie — dokończył za nią.

— Skąd wiesz? — stanęła zaskoczona na środku kuchni,

— Wciąż zapominasz, gdzie pracuję — zaśmiał się i posłusznie podszedł do zlewu, żeby opłukać ręce. — Wszystko już wiem, złociutka.

— I co teraz zrobicie?

— Nawet tobie nie mogę wszystkiego powiedzieć. Ale już ty się o nic nie martw. Zapłacą za swoje. Mogę ci tylko powiedzieć, że ten Romek to niewysychające źródło informacji.

To ją nieco uspokoiło, bo znała trochę naturę pieniacza Romka. Zemści się okrutnie. „I dobrze, bo za wszystko trzeba w życiu zapłacić — pomyślała. — A za świństwa... przede wszystkim. A jeśli ja im nie odpłacę, to zrobi to Romek".

O marzeniach, o miłości i o męskich deklaracjach

Kolejny miejski ogródek i kolejne wyzwanie. Idzie mi coraz łatwiej, czasami tylko zerknę na zdjęcia i już wiem, jak będzie wyglądał po zakończeniu. Potrafię już to przewidzieć. Szkoda, że nie posiadłam tej umiejętności w odniesieniu do życia, szczególnie własnego. Widać jednak... we wszystkim trzeba nabrać praktyki. Trening czyni mistrza — jak mówią. Tylko ile można trenować? Ile razy można zaczynać od początku? I gdzie ten początek jest?

Mój przyjaciel Robert zaczął wszystko od początku, i to z tą samą kobietą, która porzuciła go, będąc z nim w ciąży. Kochał ją jak szalony i pozwolił żyć życiem, jakie wybrała dla siebie i jego córki. Z dala od niego. Ależ musiał cierpieć! Teraz zaczyna wszystko od nowa, życie ze swoim dzieckiem, które nadal mówi do niego: „wujku", i z kobietą, która kiedyś nim wzgardziła. Czy nadal ją kocha? Czy robi to tylko dla swojej córki? Co będzie, kiedy córka dorośnie i pójdzie własną drogą? Co mu zostanie? Znów tylko praca?

Uwielbiam pracować z Robertem i Michałem, to jest teraz moje nowe życie. Okazało się, że w każdym wieku można zacząć wszystko od nowa, życie zawodowe, rodzinne, ale czy można zakochać się drugi raz w tym samym człowieku? Mam nadzieję, że tak, bo nie byłoby w porządku, żeby Robert nadal cierpiał. To wspaniały facet i zasługuje na spełnienie swoich marzeń. A bez marzeń nie da się żyć. To marzenia nakręcają mnie do działania, nie pozwalają poddawać się depresji. Każdego dnia, zanim jeszcze podniosę powieki, widzę swoje nowe życie. Nie jest jeszcze takie, jakie sobie wyśniłam, ale w końcu życie polega na ciągłym ściganiu tego, co niedoścignione. I ciągle wierzę, że sny się ziszczą. Bo tylko mając marzenia, można zmienić swoje życie. Tylko dzięki temu, że wciąż marzę, otwieram rankiem oczy i mam siłę zmieniać moje życie. I nieprzerwanie za nimi gnam. Już tak mam, bo nadal wierzę, że „jesteśmy z tego samego materiału, co nasze sny". Ale nie ja na to wpadłam... to William Szekspir.

*

Pierwszy po wakacjach najazd dzieci na dom Pani Ja. Nie obyło się bez oglądania nowych pomieszczeń, bo dzieci dziś weszły głównym wejściem i doznały szoku. Specjalnie zapaliłyśmy lampę i czekałyśmy na ich reakcje.

— O rany! Ale tu teraz ładnie — słyszałyśmy raz po raz.

— Ale piękna lampa! I jakie duże lustro.

Lucia była wyraźnie zadowolona i cieszyła się z zachwytu dzieci. Nawet nie zauważyła, jak podejrzliwie zerkają na Janusza. Nie wszystkie dzieci wiedziały, skąd się tu wziął obcy facet. Wątpliwości rozwiała nieco spóźniona Zuzia, która na widok Janusza zaczęła podskakiwać i klaskać w ręce.

— A ja wiem, kim pan jest, a ja wiem! — emocje aż ją rozsadzały.

— Cicho, Zuzia — ktoś próbował ją uciszyć — to pan policjant. Pilnuje naszej pani, żeby nic się jej nie stało.

— Wcale, że nie! Ja wiem lepiej, ja wiem lepiej, ciocia mi mówiła — nie pozwoliła sobie narzucić innego wytłumaczenia i już lekko się denerwowała — to narzeczony naszej pani. Prawda? — przytuliła się do Luci, a ta objęła ją czule. — Prawda, proszę pani? Prawda? — domagała się odpowiedzi.

— Prawda! — przytaknął stojący w drzwiach Janusz.

— No, mówiłam, że wiem lepiej. — Zuzia była bliska łez z wygiętymi w podkówkę ustami. — Ciocia mi mówiła.

Zuzia lubiła mieć rację. Dzieci o tym wiedziały i dlatego

najczęściej jej ustępowały, bo znały zachowania dysfunkcyjnej koleżanki. Dziewczynka dobrze czuła się wśród znanych sobie dzieci, które zawsze ją chroniły. Lucia stała, tuląc Zuzię, i spoglądała na Janusza. Przyglądałam się jej z boku i widziałam, że nie wie, jak na to zareagować. Aby ukryć skrępowanie, zaczęła uspokajać rozdygotaną dziewczynkę. Janusz wycofał się na podwórze, wrócił jednak po chwili, stanął w drzwiach szklanej werandy i zawołał:

— Który z panów pomoże mi posprzątać owieczkom?

— Ja, ja, ja… — na to hasło rzuciła się cała obecna na zajęciach szóstka chłopaków. — Możemy iść, proszę pani? Możemy? — patrzyli na mnie, bo zabierałam się do wyjmowania farb z szafek.

— Jasne, to też trzeba przecież zrobić.

— Ja też chcę! — Zuzia jak zwykle wyrywała się do przodu.

— Skoro chłopcy poszli do chlewika, to my pójdziemy do ogródka, co wy na to, dziewczynki? — i tak pierwsze zajęcia zeszły nam na zwiedzaniu obejścia i opowieściach o Panu Porzeczkowym. Potem Janusz przygotował z chłopcami ognisko i do wieczora siedzieliśmy wokół, piekąc kiełbaski zatknięte na patykach, słuchając opowieści dzieci o wakacjach. Niektórzy rodzice, przychodząc po swoje pociechy, wiedzieli, gdzie nas szukać, po zapachu pieczonych kiełbasek i beczeniu owiec. Dosiadali się na chwilę i zerkali ukradkiem na Janusza, a Zuzia natychmiast wszystkich oświecała:

— To narzeczony naszej pani Luci — i zadowolona spoglądała na Janusza.

— Nie wiem, jak się z tego wyplączesz — szepnęłam do niego, nachylając się do jego ucha, kiedy zameldowała to po raz piąty.

— Nie zamierzam — spojrzał spokojny i uśmiechnięty na Lucię, potem na mnie i powtórzył: — Nie zamierzam.

I wtedy już wiedziałam, że życie Luci zmieni się na zawsze, że właśnie zaczyna je od nowa.

*

Wieczorem do Lukrecji zadzwoniła Małgosia z prośbą o opiekę nad ciocią następnego przedpołudnia. Oczywiście Lucia natychmiast się zgodziła. W końcu jej to obiecała. Pani Helena czuła się już lepiej, wciąż jednak leżała w łóżku i córka nie chciała zostawiać jej samej. Lukrecja zabrała ze sobą kilka książek, żeby jej poczytać, ale czytała je sama sobie, bo starsza pani dłuższy czas spała. Lucia pokrzątała się trochę po kuchni, posprzątała po śniadaniu Małgosi, która wychodziła w dużym pośpiechu, i tylko modliła się w duchu, żeby dziś nie odwiedził chorej wójt albo jego zastępca. Bo kawy raczej nie miała ochoty z nim pić.

— Lucia, przyszłaś mnie odwiedzić? — pani Helena się obudziła i nie do końca wiedziała, skąd wziął się u niej tak miły gość.

— Dziś posiedzę z panią, pani Helenko, bo Małgosia musiała coś załatwić — wyjaśniła.

— Tylko ciężarem jej jestem — powiedziała ze smutkiem w głosie starsza pani.

— Co też pani mówi! Pani Helenko! — Lukrecja podeszła i wzięła ją za rękę. — Gośka kocha panią i nie jest jej ciężko. Tylko czasami musi coś załatwić, a że trochę pani osłabła, więc nie chciała zostawiać pani samej. A ja chętnie sobie z panią porozmawiam. Przecież pani wie, jak to lubię — uspokajała ją.

— Jak byłaś mała, to lubiłaś słuchać opowieści biblijnych.

— Pamiętam. A pani tak zajmująco opowiadała. — Lukrecja siedziała przy staruszce i tak naprawdę nie wiedziała, o czym może z nią rozmawiać. Opowiedziała jej więc o swoich remontach, o meblach dziadka Michała i zupełnie naturalnie przeszła do tematu nocnego myszkowania na jej strychu.

— A wiesz, Luciu… kiedy umierał ksiądz Marian, mówił coś o skarbie w szkole — pani Helena mówiła to zupełnie spokojnie, bez emocji, jakby snuła jedną ze swoich opowieści, a słuchająca jej Lukrecja o mało nie wylazła ze skóry.

— Co takiego? — nie potrafiła powstrzymać podniecenia i zaczęła się wiercić na krześle. Nie chciała wystraszyć pani Helenki nagłym zainteresowaniem, więc siłą woli próbowała się powstrzymać i udawać obojętną.

— Wiesz, takie bajdurzenie w gorączce — uśmiechała się — ale jakiś czas nie wychodziło mi to z głowy. Potem o tym zapomniałam — machnęła ręką i zdawała się zatapiać we własnych myślach.

— Znalazłam na strychu piękną kryształową lampę. — Lukrecja nie dawała za wygraną i za wszelką cenę próbowała podtrzymać rozmowę, bo jednak miała nadzieję, że to jest ten dzień, w którym snuje się opowieści ze swojego życia.

— Taki długi żyrandol? — pani Helena spojrzała na nią z zaciekawieniem.

— Widziała go pani? — Lukrecja zdziwiła się, bo przecież nie wiedział o nim nawet ksiądz Zygmunt. To skąd wiedziała pani Helenka?

— Tak, miał wisieć w tej dużej klasie, ale nie pasował i za bardzo się kurzył. A wiesz, skąd się wziął? — uśmiechnęła się przebiegle.

— Skąd?

— Twój dziadek wygrał go w karty — powiedziała

konspiracyjnym tonem, jakby ktoś je podsłuchiwał. — Tylko nie wiem, od kogo. Twoja babcia nigdy się tego nie dowiedziała, a próbowała to od niego wyciągnąć. Nigdy jej nie powiedział.

„Jeszcze i to! — pomyślała Lukrecja. — Porno, nieboszczyk w krzakach, karty, czego jeszcze dowiem się o moim «kryształowym» dziadku? Już nic mnie nie zdziwi. Z jednej strony oddany żołnierz, kierownik szkoły, wychowawca, nauczyciel, z drugiej zaś… no, cóż" — westchnęła. Nawet nie umiała tego określić.

— To nie chodziło o żyrandol? — drążyła.

— Chyba nie. Bo to nie była żadna tajemnica — staruszka wzruszyła ramionami. — On już potem nie odzyskał przytomności i niczego się więcej nie dowiedzieliśmy. Bo młody ksiądz też to słyszał.

Potem pani Helenka znów podrzemała. Lukrecja poczytała chwilę, po czym zaparzyła kawę. I nie wiadomo, czy jej zapach, czy Lucine przed tym obawy, zwabiły do domu Małgosi gościa. Zapukawszy do drzwi, wszedł zastępca wójta.

— Dzień dobry — zdębiał na widok bibliotekarki. — Ależ mamy do siebie szczęście.

— Szczęście? — spytała kąśliwie i stanęła wyprostowana w pozycji obronnej, krzyżując ramiona na piersiach. — Nie sądzę. Pan do pani Helenki? — bezczelnie patrzyła mu w oczy. — Proszę dalej. Teraz śpi, ale jak się przebudzi, może pan jej poczytać opowieści biblijne. — Była zjadliwa jak jakaś żmija i wcale jej to nie wadziło.

— Nie, nie. Nie będę jej budził. — Wójt nie wiedział, co ze sobą zrobić. Pierwszy raz zobaczył Lucię w takiej bojowej postawie. Zaskoczony jej zachowaniem, rozglądał się bezradnie na boki.

— W takim razie do widzenia panu — nie spuszczała z niego wzroku i nie ruszała się z miejsca. Czekała, aż wyjdzie. Serce waliło jej jak młotem, ale wytrzymała.

— Do widzenia — bąknął, obrócił się na pięcie i wyszedł.

„Coś podobnego!" — sapała z oburzenia. Przez długą chwilę nie mogła się uspokoić. „Jakiż trzeba mieć tupet, żeby nachodzić starą kobietę i wyciągać od niej informacje". Bo z całą pewnością tylko o to mu chodziło. Tego Lukrecja była pewna.

— Luciu, to kawa tak pachnie?

— Tak, pani Helenko. Ma pani ochotę? — opiekunka, opanowując drżenie nóg, weszła do pokoju ze swoją filiżanką.

— Mam, Małgosia pozwoliła mi jedną wypić.

— Wiem, pani Helciu, wiem. Już zaparzam. — Miło być potrzebną, choć czasami jest to bardzo trudne. Ostatnie lata cioci Flory nauczyły Lukrecję pokory dla upływającego czasu i ulatujących sił. Podała staruszce filiżankę z kawą i spytała z troską: — Poczytać coś pani? Może opowieści biblijne?

· — Opowieści biblijne, powiadasz… — pani Helena oparta o poduszki przymknęła oczy i opuściła głowę do tyłu, czym wystraszyła Lucię. I nagle zaczęła mówić: — Panie, wspomnij na mnie, gdy przyjdziesz do swego królestwa.

— Pani Helciu! — Lukrecja przeraziła się nie na żarty. — Pani Helciu! — chciała zabrać jej filiżankę z dłoni, obawiając się najgorszego.

— Nic mi nie jest, Luciu — staruszka otworzyła nagle oczy. — Tylko przypomniałam sobie ostatnie majaczenie księdza Mariana. A kawę mi zostaw — uśmiechnęła się, mocno trzymając filiżankę. — Jeszcze nie wypiłam.

„Matko kochana! — pomyślała przerażona Lukrecja. — O mało nie dostałam zawału". Ledwo opanowała drżenie nóg, więc szybko usiadła na brzegu łóżka starszej pani. Poczekała, aż serce przestanie jej walić i patrzyła, jak pani Helenka spokojnie pije kawę.

— To mówił przed śmiercią? — spytała po chwili, opanowując drżenie głosu.

— No właśnie sobie przypomniałam. Jak wspomniałaś o tych opowieściach.

— Może pani powtórzyć? — szukała kartki, żeby to zapisać. Może to coś znaczy? — Mówiła pani komuś o tym?

— A komu miałabym mówić? Nikogo takie rzeczy nie interesują — staruszka machnęła ręką. — No, chyba że tego wójta, co to mnie czasem odwiedza. Ale zapomniałam o tym.

— Pani Helenko… niech mu pani o tym nie mówi, dobrze? — Lukrecja nie wiedziała, jakich argumentów użyć, żeby przekonać starszą panią do milczenia, ponieważ staruszka nadal wierzyła, że wójt odwiedza ją z czystej sympatii. — Nikt nie musi znać ostatnich wyznań naszego księdza. Po co to komu.

— Masz rację, dziecko. Masz rację — zgodziła się z nią. — To takie osobiste. Masz rację.

Lucia posiedziała przy pani Helence do obiadu, podała jej przygotowany przez Małgosię posiłek. Kiedy córka pani Helenki wróciła, Lukrecja pożegnała się, zapewniając, że nadal może na nią liczyć, i pojechała do domu. Całą drogę myślała o ostatnich słowach starego księdza. Co też mogły znaczyć? Czy to była modlitwa przed śmiercią? Czy czuł, że zbliża się koniec, i prosił o wstawiennictwo? Nie musiał. Ludzie tacy jak ksiądz Marian prostą drogą idą do nieba.

„Ciekawe, dokąd mnie zawiodą moje uczynki, a raczej… ostatnie «wyczynki»? Coś mi się zdaje, że taka prosta modlitwa mi nie wystarczy — rozważała w myślach. — Oj, co tam!

Jeszcze trochę pogrzeszę, potem się będę martwić. W końcu muszę mieć co wspominać na starość".

*

Lucia nie na żarty zaczęła się martwić o swoją przyszłość. Z czegoś przecież trzeba żyć, choć przychodzące do domu rachunki w dziwny sposób znikały i lodówka zawsze była pełna. Na razie jeszcze dostawała zasiłek chorobowy, ale to nie będzie trwało w nieskończoność. Do niańczenia wnuków specjalnie się nie rwała. Postanowiła, że popyta o pracę w miejskiej bibliotece. W swojej gminie nie ma na co liczyć.

— A nie wolałabyś po prostu zostać w domu i pichcić Januszowi obiadki? — podpytywałam ją, bo przecież już znałam jego zamiary, choć nie powiedziałam jej o naszej rozmowie przy pieczeniu kiełbasek. — Wiesz, Lucia… przez żołądek do serca — mrugnęłam do niej.

— Jak możesz być taka naiwna? — prychnęła. — Jeśli kobieta myśli, że trafi do serca mężczyzny przez żołądek — spojrzała na mnie ciekawa, czy znam puentę — to mierzy troszeczkę za wysoko. Zresztą — machnęła ręką — to z reguły Janusz gotuje.

— Skąd u ciebie takie mądrości życiowe? — zdziwiłam się. — No, jeśli w sypialni jest równie dobry jak w kuchni, to masz, kobieto, szczęście — z uznaniem pokiwałam głową.

— A mam — przytaknęła. — Ale nie chcę dać się usidlić, wiesz… chodzi o te skrzydła.

No tak. Naopowiadałam jej farmazonów o spełnianiu własnych marzeń, a teraz się wielce dziwię, że nie chce siedzieć w domu i bawić się w żonę. Tak więc uparła się, że musi znaleźć pracę. Zaczęła od telefonu do koleżanki z miejskiej biblioteki i napisania krótkiego CV. Może się przyda.

Obiecałam też zabrać jej papiery do mojej byłej szkoły, choć to byłoby raczej wyjście awaryjne. Przecież nie wpakuję jej w piekło, z którego sama się wyrwałam, balansując na granicy szaleństwa. Może jednak powinna posmakować przedsionka piekła, bo jeśli tak dalej będzie kombinować przed księdzem Zygmuntem, to niechybnie tam właśnie trafi. O to też się martwiła.

*

Olka i Lukrecja siedziały na ławeczce za domem i obierały gruszki do słoików. Lukrecja, jako dziecko wsi, nie lubiła, jak coś się z ogródka marnowało, więc zaproponowała Oli przetwory w zamian za pomoc w ich zrobieniu. Na szczęście Ola nie miała żadnej pilnej roboty, inaczej chybaby Lukrecja nad gruszkami zapłakała. Kiedyś pomagała jej w tej żmudnej pracy ciocia Flora, nawet jak już była chora. Nie potrafiła wysiedzieć bezczynnie. Akurat to uczucie było Lukrecji doskonale znane.

Wełniaki stały tuż obok i żebrały o obierki. Lukrecja bała się, że gruszki mogą im zaszkodzić, jednak odpędzić się nie dały. Co chwilę trącały kobiety pyszczkami i żałośnie beczały.

— A wynoście mi się, stwory! — próbowała je odpychać... na próżno.

Olka dziwnie milcząca uśmiechała się pod nosem i Lucia nie wiedziała, czy śmiała się do swoich myśli, czy śmieszyło ją natrętne zachowanie inwentarza.

— Lucia — wreszcie się odezwała — co myślisz o Januszu? Już tyle czasu cię... pilnuje — łypnęła spod blond grzywki.

— Boję się, że to ideał.

— No coś ty! — obruszyła się Ola. — Idealny facet nie pali...

— No.

— Nie pije... — kontynuowała — nie sprzecza się, nie robi zakładów — wyliczała.

— No właśnie.

— Po prostu... nie istnieje — skończyła wreszcie.

— I właśnie tego się boję — przytaknęła przyjaciółce, zupełnie jakby czekała na taki wniosek — że nie istnieje. Że to wszystko tylko mi się wydaje, że za chwilę rozwiążą zagadkę Pana Porzeczkowego, a Janusz zniknie równie niespodziewanie, jak się pojawił.

— Ej, cóż to za przemyślenia. — Ola wyprostowała się nad miską z owocami. — Czyżbym coś przegapiła? — przyglądała się Luci z półuśmieszkiem.

— A czy ja coś ukrywałam? Chociaż... — Lukrecja pomyślała, że musi jej powiedzieć o wyznaniu Janusza — powiedział mi niedawno, że mnie kocha.

— Też mi niespodzianka. — Ola na tę sensację tylko wzruszyła ramionami. — Przecież to aż bije po oczach, i to nie tylko mnie. Czy myślisz, że inni tego nie widzą? Niejedną aż skręca z zazdrości.

— Dlatego tak mnie obmawiają? — Lucia była zła na Elkę, ponieważ znów doszły ją słuchy, że sobie na niej poużywała.

— Nie powiesz mi chyba, że tego słuchasz? Może jeszcze przejmujesz się tą samozwańczą szefową? Kim ona jest, żebyś brała sobie do serca jej gadanie? Sama widzisz, jak ludzie się od niej odwrócili. I myślisz, że tak bez powodu?

Tak naprawdę Lukrecja nigdy nie przejmowała się gadaniem współpracownicy, ale bolało ją, że Elka zajęła jej miejsce w bibliotece i jeszcze było jej mało. To prawda, że sklep musieli zamknąć, ale chyba z powodu konkurencji, a nie przez atmosferę, jaka tam panowała. Prawie nikt już w nim nie kupował i nie pomogło obniżanie dość wysokich cen, mieszkańcy woleli iść kawałek dalej, do sąsiedniego sklepu.

— Wiem, wiem.

— Ty mi lepiej powiedz, co mu odpowiedziałaś. — Ola nie dała się łatwo zbyć.

— No co… to samo — krygowała się trochę przed młodszą przyjaciółką, jak jej powiedzieć, że też się zakochała.

Ola roześmiała się tak głośno, że aż spłoszyła kocisko z parapetu. Rudzielec podskoczył jak oparzony i uciekł do kuchni. Owce rozbeczały się na dobre i zrobił się niezły galimatias.

— Oj, Lucia, Lucia… nawet nie wiesz, jaki masz fart! — odstawiła miskę z gruszkami, podciągnęła kolana pod brodę i oparła na nich głowę. — Znam jeszcze tylko jedną kobietę, która ma w życiu takie szczęście — westchnęła. — Wierzysz w miłość od pierwszego wejrzenia?

— To nie było „pierwsze wejrzenie" — sprostowała rzeczowo Lukrecja.

— Ja się pytam, czy wierzysz — powtórzyła z naciskiem.

Wzruszyła ramionami, bo tak naprawdę nie miała zdania na ten temat. Skoro jej się nie trafiła, skąd ma to wiedzieć. Ze swoim mężem najpierw się przyjaźniła, tak normalnie, szkolną przyjaźnią. Januszka dręczyła w szkole jak większość dziewczynek, nie wiedziała nawet dlaczego. Tak jakoś wyszło. Więc skąd ma mieć taką wiedzę?

— Czy ja wiem? A ty wierzysz? — odbiła piłeczkę.

— Mnie się nie zdarzyła, ale zdarzyła się jednej z moich przyjaciółek. — Olka wzdychała i patrzyła niewidzącym wzrokiem.

— Opowiedz. — Lukrecja odłożyła nożyk i odstawiła napełniony gruszkami słoik.

— Tak na sucho? Nie da się. — Ola gwałtownie wstała z ławki i poszła do kuchni po swój ulubiony trunek. — Masz ochotę? — przyniosła dwie szklaneczki.

— Lej! — Lukrecja podstawiła szkło. — A teraz mów.

— W czasie studiów jedna z moich przyjaciółek jechała pociągiem do pracy. Wiesz, wakacyjne dorabianie. Jechała sama i trochę się z tego powodu martwiła. — Olka swoim zwyczajem zamieszała palcem w szklaneczce. — W Krakowie dosiadła się jeszcze jedna grupa studentów z innej uczelni. Jechali w to samo miejsce, w tym samym celu. I wtedy ona zobaczyła przystojnego chłopaka, który palił papierosa na korytarzu. Przyglądała się mu kątem oka i pomyślała sobie: „To mógłby być ojciec moich dzieci". Potem zaczęli rozmawiać…

— I co? — zaciekawiła się Lukrecja.

— I od tamtej pory już się nie rozstają od ponad dwudziestu pięciu lat. — Olka spojrzała znad szklaneczki, tak po prostu kończąc swoją opowieść. — Od pierwszego spojrzenia wiedzieli, że są dla siebie stworzeni, a po dwóch tygodniach znajomości chcieli się pobrać. Ale głupio wyglądałoby, gdyby pobrali się zaraz po wakacjach, więc trochę odczekali, tak dla przyzwoitości. Ona zresztą miała chłopaka, z którym po tym zdarzeniu zerwała.

— Matko kochana, to się naprawdę rzadko zdarza. — Lucia pokiwała głową z uznaniem.

— Może tobie właśnie teraz coś takiego się przytrafiło?

— Przecież ja znam Janusza od dziecka — sprostowała — i wcale się w nim wtedy nie kochałam.

— To było tyle lat temu, że się nie liczy. — Ola dolała sobie metaxy. — Kiedy zobaczyłam, jak prowadził cię za rękę po ogrodzie, to już mi się zapaliło czerwone światło — ze śmiechem pogroziła jej palcem.

— Myślisz? — spytała z nieukrywaną nadzieją w głosie. Zapatrzyła się na błyszczące liście winobluszczu, który w słońcu mienił się soczystą zielenią. Zielone blaszki liści otulały chlewiki, nakładając się na siebie jak dachówki na dachu.

— No przecież to jasne jak słońce. I nie martw się... coś mi się zdaje, że on nie zniknie.

Lukrecja spojrzała się przyjaciółkę i zaczęła podejrzewać, że wiedziała coś, o czym ona sama miała się dowiedzieć trochę później. Póki co obierały te nieszczęsne gruszki, które jak na złość, pomimo ostrego przycięcia drzewa, obrodziły jak szalone. Lucia lubiła gruszki pod każdą postacią, w kompocie albo marynowane w syropie z goździkami, jako dodatek do mięs. I ciągle nie opuszczała jej nadzieja, że tej zimy nie będzie jadła ich sama.

O księżym kredensie, o kołatkach i o świętym w czerwonej szacie

Moje obawy, że ksiądz Zygmunt nie da mi już powąchać jego miodówki, były, jak się wkrótce okazało, zupełnie bezpodstawne. Zachwycony efektami remontów w domu Pani Ja, poprosił nas o radę. Właściwie to mnie, bo problem dotyczył starego kredensu. Piękny mebel, niestety... był powoli zjadany przez kołatki domowe. To małe, kilkumilimetrowe chrząszcze, które żerują w drewnie. Szczególnie uwielbiają stare meble. Jeśli mebel stoi w suchym miejscu, nic mu nie grozi, jednak w miejscach wilgotnych żarłoczne larwy kołatka mogą doszczętnie zniszczyć całe drewno. Księży kredens stał w nieogrzewanej jadalni, stąd wziął się kłopot. Na wszystko jednak znajdzie się rada. Na kołatki też.

— I co, Ola, da się go uratować? — staruszek z obawą przyglądał się, jak pobieżnie badam mebel.

— Jasne. Niech się ksiądz nie martwi. Mam specjalny środek, który wstrzykuje się do kanalików i zasklepia parafiną — uspokajałam go. — Trochę z tym zabawy i smrodu, ale chętnie się pobawię. Kredens jest boski.

— Stoi tu od zawsze. Kiedyś, dawno temu, na plebanii mieszkała owdowiała siostra księdza Mariana, która nią zarządzała. Wtedy jeszcze używaliśmy jadalni. Zawsze było napalone i przewietrzone. Potem już nikt nie zawracał sobie tym głowy — opowiadał, jakby się tłumaczył z nie najlepszego stanu pięknego kredensu.

— Stąd wziął się kołatek. Lubi wilgotne i zimne miejsca — cały czas oglądałam mebel — ale poradzimy sobie, bez obaw.

Lucia zaparzyła kawę i z kubkami rozsiadłyśmy się na podłodze przy kredensie. Musiałam dokładnie przyjrzeć się frontowi robót. Nie było aż tak źle, tylko wstrzykiwanie środka w każdą dziurkę zajmie trochę czasu. Zamierzałam jeszcze odnowić nieco kolor kredensu, bo był on wart wszelkich zabiegów. Tak na oko XIX wiek, rasowy, eklektyczny, zrobiony z drzewa orzechowego. Na bokach wnęki na różne ekspozycje, które w górnej części miały rzeźbione z jednego kawałka muszle, wykonane bardzo precyzyjnie. Kredens zdobiły złocone okucia i fazowane szyby. Przepiękny.

— Nie dziwię ci się, Ola, że tak lubisz stare meble, coś w nich jest. — Ksiądz patrzył na kredens. — Nie zamieniłbym go na nic innego.

— Pewnie, że coś w nich jest... dusza — westchnęłam,

głaszcząc rzeźbione słupki, na których wspierała się jego górna część. — I czasami kołatki — zaśmiałam się.

Ksiądz przez dłuższą chwilę przypatrywał mi się z dobrotliwym uśmiechem, a ja, włożywszy na nos okulary, dokładnie oglądałam jego kredens. Po czym poszedł do kuchni i po chwili wrócił do jadalni z butelką miodówki i kieliszkami. Siadł przy ciężkim stole na dostojnym, tapicerowanym skórą krześle i nalał trunek do kieliszków.

— Co dziś będziemy leczyć? — Lucia zasiadła do stołu, pozostawiając mnie siedzącą na podłodze. Musiałam jeszcze trochę pooglądać plecy mebla, bo tam zwykle jest najwięcej dziurek, jednak wtrąciłam się do rozmowy.

— Pięćdziesiątkę alkoholu radził mi lekarz wypijać, kiedy nie mogę zasnąć.

— I co, pomaga? — Lucia spoglądała na mnie z góry.

— Jasne — potwierdziłam. — Działa jak zaklęcie. Wczoraj usypiałam z osiem razy.

Zaśmiali się z dowcipu, staruszkowi aż łezka potoczyła się po policzku. Mam nadzieję, że ze śmiechu, bo pomyśleli pewnie, że to był żart.

— Trochę miodóweczki nigdy nie zaszkodzi — księżulo wzniósł toast — więc na zdrowie! — Przechylił kieliszek, a gęsta nalewka bardzo powoli spływała do jego ust. — A właśnie, Luciu, podobno byłaś u pani Heleny. Jak tam jej zdrowie? Jak się czuje?

— Różnie. Ostatnio była trochę słabsza, ale rozmowna jak zawsze.

— Pięknie opowiadała — wspominał. — Sam lubiłem jej posłuchać.

— Niech sobie ksiądz wyobrazi, że ostatnio dość często odwiedzał ją zastępca wójta. — Lucia mówiła trochę oburzona.

Zaraz na jej twarzy pojawił się ten nerwowy grymas, który towarzyszył wszystkim rozmowom dotyczącym gminnych władz. Mogłabym zupełnie wyłączyć fonię i tylko patrząc na jej grymasy, wiedziałabym doskonale, o czym mówi.

— Po co? — zdziwił się.

— Same chciałybyśmy wiedzieć — odezwałam się spod stołu, bo siedząc na podłodze, wciąż oglądałam kredens. — To trochę śmierdząca sprawa.

— Mamy podejrzenia, że jest zleceniodawcą tych włamań. Do mnie i do księdza. I wciąż nie wiemy dlaczego. Próbowałam podpytać panią Helenę, ale niewiele kojarzyła. W pewnym momencie napędziła mi nawet niezłego stracha — aż westchnęła na to wspomnienie. — Myślałam, że umiera, bo nagle zaczęła mówić taki tekst, że nogi się pode mną ugięły.

— Nie mówiłaś mi — spojrzałam na nią z wyrzutem.

— Zapomniałam.

— Co mówiła? — dopytywał ksiądz Zygmunt

— Nagle przypomniała sobie słowa księdza Mariana. Zapisałam, ale nie mam tu tej kartki. Coś jakby: „Panie wspomnij na mnie, gdy przyjdziesz do królestwa swego". Albo jakoś podobnie. — Lukrecja próbowała przypomnieć sobie słowa pani Helenki. Ksiądz popatrzył na Lucię i uśmiechnął się. Po czym napełnił ponownie kieliszki słonecznym, gęstawym płynem. Wypił powoli i odpowiedział:

— „Zaprawdę powiadam ci, dziś jeszcze będziesz ze mną w raju".

— O, to jest nawet odzew na to hasło? — wyrwało mi się, a Lucia zgromiła mnie wzrokiem. Gdyby porażał, już bym z tej podłogi nie wstała. — No co?

— Niech ksiądz już więcej jej nie nalewa.

Proboszcz uśmiechał się dobrotliwie i napełnił kieliszki raz jeszcze. Podparł ręką głowę i zaczął przepytywać Lucię z wiedzy religijnej.

— Nie znasz, Luciu, tych słów?

— A powinnam? — zdziwiła się. Patrzyła spłoszonym wzrokiem, zupełnie jakby zdawała egzamin i nie znała odpowiedzi na pytanie.

— To Dyzma — podpowiedział jej, ale i tak patrzyła na niego, nie wiedząc, o kim mówi.

— Wiem! Nikodem! — klasnęłam w dłonie i podniosłam się z podłogi zadowolona z siebie. Chyba miodówka już zaczęła działać, bo przy wstawaniu się zachwiałam. Mocna ta nalewka, a ksiądz mówił, że nie można jej przedawkować. I wierz tu ludziom, kiedy nawet księdzu do końca nie można. Lucia spojrzała na mnie, potem na egzaminatora, a ten roześmiał się serdecznie.

— Oj, Ola. Serce u ciebie ogromne, ale ignorancja jeszcze większa. Dyzma to był złodziej, który umierając z Jezusem na krzyżu, nawrócił się. Święty Dyzma, dobry łotr, jest patronem nawróconych złoczyńców i złodziei.

Zmieszana Lucia zaglądała do kieliszka, jakby tam szukała podpowiedzi, a dobrodziej opowiadał historię ukrzyżowania. Siadłam obok na krześle i przysłuchiwałam się z zaciekawieniem. I wcale nie słyszałam tego po raz pierwszy. Ksiądz Zygmunt się mylił, nie taka znów ze mnie ignorantka, co po chwili im udowodniłam.

— Wiem nawet, gdzie wisi jego podobizna — powiedziałam, kiwając głową i zaglądając do pustego już kieliszka. Teraz oni spojrzeli na mnie zdziwieni. — Ten gość w czerwonej szacie. Nie rozpoznałam go od razu... dopiero teraz kojarzę.

Na twarzy poczciwego księdza powoli zjawiał się uśmiech i głębokie zdziwienie. Pokiwał głową w zadumie i spytał:

— Skąd to wiesz?

— No właśnie. Skąd? — Lucia, która z rozdziawionymi ustami patrzyła na dobrodzieja, nagle spojrzała na mnie, jeszcze bardziej zdziwiona.

— Jak kończyłam religię przed maturą, to na dyplomie miałam piątkę. Wtedy lepszych ocen nie było. Lubiłam religię... nawet siedziałam w pierwszej ławce i wciąż dyskutowałam z księdzem — zaczęłam mówić, gładząc brzeg szlifowanego kieliszka.

— Wyobrażam sobie — westchnął ciężko księżulo. — I co się stało?

— Z księdzem? Nie wiem. Chyba poszedł do innej parafii — udałam, że nie rozumiem pytania. Dobrodziej jednak nie dał się zwieść.

— Nie o księdza mi chodzi. Choć pewnie ciężko znosił dyskusje z tobą, co?

— A nie — zaprzeczyłam z niewinnym uśmiechem. — Mówił na mnie „niewierny Tomasz" i uwielbiał ze mną dyskutować. Czasami nawet sam mnie prowokował. Kiedy nie przyszłam na religię, zaraz o mnie pytał. Właściwie tylko ze mną mógł pogadać. A to przekomarzanie się z nim nawet lubiłam.

— Wierzę ci. Ale interesuje mnie to, dlaczego nie chodzisz do kościoła — nie oszczędzał mnie, a już myślałam, że mi się upiekło.

— To długa historia — machnęłam ręką. — Nie ma o czym mówić.

— Może kiedyś mi opowiesz? — zapytał z nadzieją na zbawienie mojej duszy.

— Może — mruknęłam, bo nie lubię o tym wspominać, a rozmowy ze świętymi dziwnie się dla mnie kończą. Dlatego wolę czasami udawać ignorancję i obojętność, łatwiej wtedy znoszę rozczarowania. A w sferze życia duchowego bardziej rozczarowana już być nie mogę.

— No ale co z tym Dyzmą? — Lucia się niecierpliwiła.

— Jest na ikonie w biurze parafialnym — wskazałam na drzwi jadalni. Przypomniało mi się, że po plądrowaniu lekko przekrzywiony obraz wisiał na ścianie.

— Matko kochana, Ola… toś mnie zaskoczyła — pokręciła głową z niedowierzaniem. Jednak po chwili zapytała: — Ale co z tym Dyzmą? Co to miało znaczyć?

— Nie mam pojęcia — dobrodziej rozłożył ręce.

Wróciłam na podłogę do mojej roboty i już wiedziałam, jak mam ją rozplanować. Muszę zabrać z domu środek na kołatka i strzykawkę z igłą. Dziureczki są niewielkie i trzeba dużo precyzji przy tej robocie. Robiłam to nie raz, więc to dla mnie żadna nowość. No i, rzecz jasna, żadnej miodówki przy pracy. W końcu chcę potruć chrząszcze, nie siebie. Siedziałam na podłodze i zastanawiałam się nad brzmieniem słów „hasła i odzewu", i nagle mnie olśniło.

— Słuchajcie. Może to nie chodzi o słowa, tylko o samego Dyzmę? Może to jest jakaś wskazówka? — Lukrecja i ksiądz patrzyli na mnie bez słowa. — Czy mogę przynieść tę ikonę?

— Oczywiście — gospodarz kiwnął głową.

Wyszłam z jadalni na korytarz i po trzech stopniach w górę weszłam do biura parafialnego. Lucia nie wytrzymała i poszła za mną. Zapaliłam światło, bo mimo pogodnego popołudnia w pomieszczeniu nie było widno. Zawsze panował tam półmrok. Prosto od drzwi podeszłam do wiszącej na ścianie ikony. Nadal wisiała krzywo. Sięgnęłam ręką i niemal sama spadła mi w dłonie. Gwoździk, na którym wisiała, wypadł ze ściany.

— O, cholera! O mały włos — złapawszy ikonę,

odetchnęłam z ulgą. Nie chciałam jej uszkodzić, bo była bardzo ładna i pewnie dość cenna. Obie patrzyłyśmy na nią i nawet nie spostrzegłyśmy, kiedy wszedł ksiądz Zygmunt.

— I co? Już coś wiecie? — zapytał.

— Przyglądamy się na razie — odwróciłam się do niego z ikoną, którą lustrowałam z odległości wyciągniętych ramion. Nie, żebym kiepsko widziała, ale chciałam się zdystansować. Akurat! Bez okularów niewiele widzę, a zostały na kredensie w jadalni.

— To może zobacz na odwrocie — ksiądz wskazał na plecy ikony. — Coś tam jest.

Odwróciłam. Litery były mało widoczne, ale jeszcze do odczytania. Ksiądz podał mi moje okulary, które przyniósł z jadalni. Włożyłam je pośpiesznie.

— „Od tego, kto jest bogaty, lepszy ten, kto może zostać bogatym" — przeczytałam głośno. — Perykles.

— Perykles? Skąd wiesz? — spytała Lucia.

— Nie wiem. Tak tu jest zapisane. Zobacz sama — podsunęłam jej plecy ikony pod nos.

— I niby co to ma znaczyć? — spojrzała na mnie, a ja wzruszyłam ramionami, bo skąd miałabym wiedzieć?

— Myślę, że to jest jakaś wskazówka — proboszcz pocierał dłonią czoło, jakby nad czymś się głęboko zastanawiał. — Wyraźnie mówi o bogactwie. O przyszłym bogactwie.

Lucia wyjęła mi z ręki ikonę i zaczęła się jej dokładnie przyglądać. Podeszła bliżej okna.

— Tu jest dopisane „za kominem", zobacz... chyba ołówkiem. — Teraz ja oglądałam ją z nosem przy plecach obrazka.

— Rzeczywiście, to kopiowy ołówek. Ale za jakim kominem? — spojrzałam najpierw na Lucię, a potem obie odwróciłyśmy się do księdza Zygmunta.

— Nie wiem — wzruszył ramionami. — Możemy zajrzeć na stryszek — zaproponował.

Potruchtałyśmy za nim do kuchni, gdzie zdjął z gwoździa wbitego w futrynę drzwi wielki stary klucz i skierował się do drzwi w końcu korytarza. Przekręcił klucz w zamku, zgrzytnęło głucho. Złapałyśmy je obie i otworzyłyśmy.

— Uważajcie, schody są strome — ostrzegł nas, ale my już, macając ściany, szłyśmy na górę. — Wolniej — powstrzymywał nas wołaniem.

— Gdzie ten komin? — spytałam niecierpliwie.

Komin jak komin… nic specjalnego, cegły i zaprawa. Obeszłyśmy go dookoła i nic. No, może trochę rupieci, jak niegdyś na strychu starej szkoły. Odstawiłyśmy oparte o ścianę obrazy z potłuczonymi szybami, kilka desek i kawałków dykty. I nadal nic. Obmacałyśmy jeszcze dokładnie komin, cegła po cegle, fuga po fudze. Nic.

— Może poszukajcie jeszcze w tych kątach — zaśmiał się — to będę miał sprzątanie z głowy. Bo to zajęcie zdecydowanie nie dla mnie.

— Jeśli ksiądz chce posprzątać strych, możemy się tym w wolnej chwili zająć — zaproponowałam pomoc za siebie i Lucię. Wiedziałam, że nie będzie miała nic przeciwko temu, bo przez związek z Januszem wyrzuty sumienia targały nią jak wicher prześcieradłem na sznurze i sprzątanie strychu plebanii potraktowałaby trochę jako zadośćuczynienie, żeby nie powiedzieć pokutę.

— O, nie chcę zabierać wam czasu — ksiądz się trochę krygował — choć strażacy już raz kazali mi to uprzątnąć.

— Więc załatwione! — nawet się ucieszyłam, bo na księżym strychu było jeszcze więcej klamotów niż u Luci. I Bóg jeden wie, jakie skarby mogłybyśmy tu znaleźć.

— Jasne, posprzątamy księdzu. — Luci wypadało już tylko się zgodzić. Zapewne zaraz zrobiła bilans swoich grzechów, bo po minie widziałam, że dziwnie była zadowolona. Pewnie wyszła jej superata.

I tak skończyła się nasza przygoda na księżym strychu za kominem. Odwiesiłyśmy Dyzmę na miejsce i umówiłyśmy się na roboty przy kredensie. Przy całej sympatii do księdza jednak wolałam nie zostawać z nim sama, bo a nuż będzie chciał wyciągnąć ze mnie to, czego nie mam ochoty mu powiedzieć. Z Lucią będzie bezpieczniej. Ona też nie chciała zostawać z nim sama. Ostatnio miała trochę na sumieniu i bała się, że księżulo postara się sprowadzić ją na właściwą drogę, a na to na razie nie miała najmniejszej ochoty. Trudno, przyjdzie chodzić stadem, jak Lucine bekulki.

*

— Dlaczego nie powiedziałaś mi o tym… wiesz, haśle? — zapytałam Lucię w drodze do domu Pani Ja.

— Zapomniałam. Jednego przedpołudnia siedziałam przy pani Helence. Małgosia miała coś pilnego do załatwienia, a ja obiecałam pomóc — zaczęła się tłumaczyć. W sumie nie dziwiłam się, że zapominała o bożym świecie, zaczęła przecież zupełnie nowe życie i to pochłonęło ją bez reszty.

— Musiałaś się nieźle wystraszyć, słysząc takie słowa. — Wyobraziłam sobie siebie w tej sytuacji. Pewnie panikowałabym dużo mocniej.

— Znacznie bardziej podniósł mi poziom adrenaliny zastępca naszego jaśnie panującego — sapnęła z nieskrywanym niezadowoleniem. — Przyłazi do starszej pani jak do dobrej ciotki na herbatkę z konfiturą.

— Znów był?

— A jakże — przytaknęła. — Pogoniłam go już od progu. Już się tak nie denerwuję na jego widok. Chociaż wtedy się zdenerwowałam. Ale już się go nie boję — dodała, co było zdecydowanie bliższe prawdy. — Stał z rękami w kieszeniach i nie wiedział, gdzie oczy podziać. A był taki przyjacielski, że aż mnie mdliło.

— I co ci znów nakłamał? — chciałam dowiedzieć się jak najwięcej.

— Skąd wiesz, że kłamał?

— Jak facet trzyma ręce w kieszeniach, to zwykle coś ukrywa albo kłamie. I do tego nie patrzył ci w oczy — kiwałam głową, rozważając nietrudny do rozszyfrowania przypadek. Akurat ten facet zazwyczaj coś ukrywa lub kłamie, o czym już zdążyłyśmy się wielokrotnie przekonać. — I do tego udawał przyjacielskiego po to, żeby go polubić. Łatwiej takiemu uwierzyć. Nie zerkał przy tym na drzwi?

— No jasne. Przecież mu je wskazałam — odrzekła triumfalnie. Coraz bardziej mnie zaskakiwała. To już nie była ta układna Lucia, która próbowała usprawiedliwiać wszystkie złe uczynki tego świata. Zahartowana trudnymi przejściami, zbuntowała się i stała się jakby odważniejsza. Taka Lukrecja podobała mi się dużo bardziej. Szła teraz obok mnie i przypatrywała mi się bez słowa, skupiona na moich wywodach. W końcu stanęła i podparła się pod boki. Zatrzymałam się, bo nie bardzo wiedziałam, o co jej chodzi.

— Jak mi jutro nie przyniesiesz tych twoich mądrych książek, to cię uduszę.

— Myślisz, że wszystko wyczytałam w książkach? — zaśmiałam się i zaraz dodałam: — Choć to akurat tak.

Lubię czasami sprawdzić, czy znam się na ludziach, a raczej czy właściwie interpretuję ich reakcje. Sama przez to też się uczę kontrolować swoje zachowania, żeby nie dać się za łatwo rozszyfrować. Nie, żebym uczyła się, jak kłamać, ale taka umiejętność czasami się przydaje. Kłamcę łatwo wyławiam z grupy dyskutantów. Ukrywa dłonie, mówi szybko, żeby mieć to już z głowy, czasem dotyka nosa. Rośnie mu jak u Pinokia i swędzi. Albo kombinuje coś z uchem, bo sam nie chce słyszeć tych łgarstw, które wygłasza.

Mężczyźni rzadko mówią to, co naprawdę myślą. Nawet ci nasi, najbliżsi. Facet to facet... nic się na to nie poradzi. Po lekturze kilku książek o różnicach płci potrafię już odczytać poprawnie niektóre komunikaty. Nie mam złudzeń co do prawdziwych odczuć takiego niby-stęsknionego delikwenta. Jeśli po powrocie do domu po dłuższej nieobecności usłyszysz, że bardzo za tobą tęsknił, to pewnie nie ma już czystych skarpetek, wyprasowanych koszul, pies zasikał cały dywan i papier toaletowy się skończył. Ale takie jest życie i mężczyźni. Decydując się na faceta, wkraczasz na nową drogę życia... śledczego.

O równaniu rachunków, o szachach i o lekarstwie na wszelkie zahamowania

Lato tego roku nie skąpiło nam słonecznych dni i wrzesień również był piękny. Każdego dnia Lukrecja utwierdzała się w przekonaniu, że życie we dwoje bardzo jej odpowiada. Okazało się też, że nie trzeba być żoną, żeby czuć się jak żona. „Może nawet lepiej — myślała — zawsze w końcu jestem ta obca". Jednak coraz bardziej potrzebowała pracy. Nie tylko dla pieniędzy — potrzebowała także wyzwania. W swojej bibliotece miała zajęcie i koleżanki, choć, jak się przekonała, nie każdą można było tak nazwać, a także dzieci, dla których wymyślała coraz to nowsze atrakcje. Dzieci nadal przychodziły do domu Pani Ja, ale brakowało jej nowości. Poproszona przez Małgosię, poszła wymienić pani Helenie kasety. Z uwagi na Elkę zrobiła to niechętnie, ale przed południem tylko ona mogła to załatwić. Podobno coraz częściej na drzwiach biblioteki wisiała kartka z napisem: „zaraz wracam", a tak zwana koleżanka przesiadywała u wójta. Lukrecja zebrała się w sobie i poszła. Kartki nie było, była Elżunia.

— Dzień dobry. — Lukrecja przywitała się i, o dziwo, usłyszała odpowiedź na powitanie.

— Dzień dobry pani. Co panią sprowadza? — nieszczery uśmiech przy zaciśniętych wargach mówił sam za siebie. Zapewne Ela pamiętała spotkanie w sklepie swojego brata, stąd ten grymas niechęci na twarzy.

— Proszę o wymianę kaset dla pani Heleny. — Lucia położyła na blacie biurka wypożyczalni przesłuchane już pozycje i spokojnie patrzyła, jak Elżbieta zaczyna szukać karty czytelnika.

— Coś specjalnego? — spytała bibliotekarka, nie podnosząc oczu. Lucię zastanawiało, dlaczego na nią nie patrzy.

— Najlepiej coś, czego jeszcze nie słuchała — jej dawna szefowa nie chciała się wdawać w zbędne pogaduszki, więc weszła między regały w poszukiwaniu nowości. A nuż Elka robiła jakieś ciekawe zakupy i coś nowego przeczyta. „Tak, tylko kto by jej to podpowiedział?" — Lukrecja zaśmiała się w myślach. Elżbieta poszła na zaplecze po kasety i wtedy do biblioteki wpadł wójt. Nie rozglądając się za wiele, wszedł od razu na zaplecze i naraz do uszu ukrytej między regałami Lukrecji dotarły odgłosy karczemnej awantury. Wrzeszczał, jakby go ktoś ze skóry obdzierał, wyzywał Elę od kłamców i odgrażał się niemiłosiernie. Lucia zastanawiała się, czy wyjść zza tych regałów, czy lepiej tam zostać, żeby nie oberwać rykoszetem. W końcu postanowiła, że stopi się z tłem i będzie udawać, że jej tam wcale nie ma. Trwało to parę chwil, wójt jak wpadł, tak wypadł, tylko drzwi trzasnęły. Po chwili z zaplecza wyszła Elka. Zapomniała pewnie o Lukrecji albo myślała, że już sobie poszła. Płakała.

— Co, Elżuniu, za mało wazeliny? — Lukrecja wyszła zza regału. — Wiesz, że będziesz następna? — W tym momencie nie miała litości. Choć zaniepokoiła się, skąd wzięło się tyle ironii w jej głosie. Lukrecja przecież nigdy taka nie była. Czyżby ostatnie przejścia uczyniły ją taką?

— To nieporozumienie. — Ela szybko wycierała oczy. — Ktoś mu coś nagadał, pewnie źle zrozumiał.

— Pewnie tak — zgodziła się z nią, bo nagle żal jej się zrobiło, że Elka jak głupia dawała się wypuszczać na innych, a teraz zbiera żniwo.

— Elżuniu, przecież mnie zrobiłaś właśnie to, co teraz robi ci ktoś inny — powiedziała spokojnie. — Pamiętaj, wszystko w życiu jest tylko pożyczone. — Ela patrzyła na nią zapłakanymi oczami, zupełnie nie rozumiejąc, co była szefowa ma na myśli. Lukrecja wzięła kasety, uśmiechnęła się smutno do bibliotekarki i zebrała się do wyjścia. Już w drzwiach odwróciła się w stronę zdziwionej Elki i dodała: — Szybko doczekałaś się zwrotu.

Przy obiedzie Lukrecja opowiedziała całą tę scenę Januszowi. Specjalnie się nie zdziwił.

— Złociutka, każdy notoryczny kłamca postrzega innych w ten sam sposób. Myśli, że jeśli on kłamie, to robią to też wszyscy. Dodatkowym problemem waszych władz jest jeszcze fakt, że każdą krytykę, albo nawet tylko odrobinę prawdy, bardzo źle znoszą i w ten sposób wymuszają na ludziach mówienie tego, co chcą usłyszeć. Więc otoczenie ich okłamuje, bo na prawdę reagują agresją.

— Skąd to wiesz? — zastygła z widelcem w powietrzu. — Czytujesz te same książki co Ola?

— Lucia, kłamcy to moja codzienność — i spokojnie jadł dalej.

„No tak — pomyślała. — Ciągle zapominam, gdzie pracuje. Pewnie mogę sobie darować rozdział o kłamstwach, bo Janusza raczej na nim nie przyłapię. Chociaż… może jednak nie powinnam go pomijać. W końcu ta wiedza może mi się przydać do ukrywania własnych łgarstw. Dotąd nie opanowałam tej umiejętności nawet w stopniu dostatecznym, a ostatnio parę spraw muszę ukrywać, głównie przed księdzem Zygmuntem. Matko kochana! — wbiła widelec w pulpet. — Jak ja się z tego wszystkiego wytłumaczę?"

*

Kiedy oboje siedzieli na ławce za domem, owce już poszły spać, a kocisko, bezczelnie łasiło się Januszowi do nóg, Lukrecja zapaliła świece w słojach po ogórkach, porozstawiała wokół i zrobiło się bardzo nastrojowo. Popijali zimne piwo i słuchali bzykania „bzykaczy" w gęstych liściach winobluszczu. Lukrecja już im nie zazdrościła.

— Kiedy to się wreszcie skończy? — przerwała milczenie i spojrzała pytająco na Janusza.

— Co, złociutka? — nie rozumiał.

— Ta cała heca z Panem Porzeczkowym, z kroniką, z włamaniami, no wiesz… z naszymi władzami.

— Jest już bliżej końca, niż myślisz — wziął ją za rękę i pocałował wnętrze dłoni. — Już ty się o to nie martw.

Lucia westchnęła ciężko i chyba to zrozumiał, bo spojrzał na nią zatroskany, poprawił jej opadającą grzywkę. Polubiła ten gest, czuła się wtedy trochę jak mała dziewczynka. A która z kobiet nie chce nią być? Nawet jak się ma lat pięćdziesiąt z okładem.

— O co chodzi, Lucia?

— Martwię się, że mimo starań nie mogę znaleźć żadnej pracy — mówiła cicho, bo naprawdę strasznie jej to ciążyło. Zaczęła się czuć jak jemioła na drzewie, niby zielona, ale przyssana do żywiciela, wyciągająca z niego życiodajne soki. — Niby pracuję i robię to, co lubię, ale kasy z tego nie ma — trapiła się.

— A ta, którą masz, ci nie odpowiada?

— Chodzi mi o pracę zarobkową — wyjaśniła Lukrecja, choć była pewna, że wiedział, o co jej chodzi. — Nie mogę tak… nie zarabiać.

— Coś wymyślimy, nie martw się. Póki co, masz mnie — uścisnął jej dłoń. — Chyba że masz mnie już dość. Przyznaj się.

— No coś ty. To, że możesz mnie zostawić, też mnie martwi — zerknęła na niego zaczepnie. Może chciała sprowokować go do jakiejś konkretnej deklaracji, a może tylko chciała się uspokoić, że nowe życie, które właśnie zaczęła, tak szybko się nie skończy.

— Oj, Lucia, Lucia. Ty nadal nic nie rozumiesz — odstawił piwo, zsunął się z ławki i przykucnął przed nią. Potem klęknął i zabrał jej piwo z rąk. Wziął ją za ręce i spojrzał jej w oczy. — Nie chcę żyć bez ciebie, już nigdy.

„Matko kochana, to mi się nie śni — pomyślała. — Jest noc, świecą gwiazdy, ale przecież nie śpię. Czy mogłam jeszcze marzyć o nowym początku?" Marzyła. I we dnie, i w nocy, o każdej porze. Zgodnie z powiedzeniem, że na szczęście nigdy nie jest za późno, a na smutek zawsze jest za wcześnie.

— Przecież ja też tego chcę — bąkała pod nosem, bez większego przekonania.

— To jedną rzecz mamy już wyjaśnioną — pocałował ją i znów usiadł obok. — Co jeszcze cię gnębi, złociutka?

— Cała reszta.

— Całego świata nie naprawię, mogę ci tylko powiedzieć, że wkrótce w gminie będzie spokój. Pętla się zaciska — uśmiechał się pod nosem — a najlepszym katem jest oszukany sługus.

Lukrecja już wiedziała, że nawet nie ma co pytać o szczegóły. W sprawach służbowych Janusz był bardzo zasadniczy... żadnych plotek, nawet z bliskimi. Podejrzewała jednak, że tym katem jest krzykliwy Romek. Oj, zemsta nadejdzie z hukiem.

I wcale nie było jej żal władz. Wyrządzili ludziom tyle krzywdy, że kara nie powinna ich minąć. Szkoda tylko, że sama też nie mogła przyłożyć do tego ręki, może byłoby jej lżej. „Jednak gdyby nie ten ciąg nieszczęść — rozważała — pewnie nie spotkałabym Janusza. Matko kochana, jeszcze przyjdzie mi im podziękować. Niedoczekanie!"

*

Siedziałam na podłodze przy kredensie księdza Zygmunta i wstrzykiwałam truciznę w dziurki po kołatku. Pewnie nie we wszystkich są jeszcze żywe larwy, ale przed zalepieniem parafiną lepiej to zrobić. A nuż siedzi tam mały tłusty żarłok. Często kołatek mylony jest z kornikiem. Kornik jednak żeruje pod korą na żywym drzewie, a kołatek niszczy drewno, nasze meble, ramy obrazów, więźby dachowe. Jego nazwa wzięła się od dźwięków podobnych do kołatania, kiedy samiec natrafi na twardy kawałek drewna i uparcie się z nim zmaga. Tak więc teraz ja zmagałam się z kołatkiem. Miałam nadzieję, że wygram tę wojnę.

Proboszcz zostawił nas same. Poszedł odwiedzić chorego, a przy tej żmudnej robocie nie był nam potrzebny. Jego miodówka też nie. Kołatki chciałam potruć, nie upić, a po drugim kieliszku tego mocnego trunku kto wie, co przyszłoby mi do głowy. Bezpieczniej było nie pić. Bezpieczniej dla nas, bo robale pewnie padłyby od samych oparów.

Ja walczyłam za pomocą strzykawki, Lucia dostała do ręki laskę parafiny. Zalepianie dziurek szło jej nieźle. Cieszyłyśmy się, że nie musimy rozmawiać z proboszczem na drażliwe tematy. Po dwóch godzinach księdza jeszcze nie było, a my miałyśmy już dość pracy na klęczkach. Najwięcej roboty było na wysokości kolan. Taka trochę pokuta... przynajmniej obie wiedziałyśmy, za co.

— Mam nadzieję, że się gospodarz nie obrazi, jak wlezę do tego kredensu — zastanawiałam się głośno, przymierzając się do otwartych na oścież drzwi mebla.

— No co ty. Jeśli tego wymaga robota. — Lucia wzruszyła ramionami, nie miała takich oporów.

Otworzyłyśmy więc resztę drzwiczek, z dolnej części wystawiłyśmy odświętną zastawę stołową i z latarką w ręku wczołgałam się do środka. Na szczęście nie było tam za wiele pracy. Już po kilkunastu minutach wstawiłyśmy zastawę na miejsce.

— Obejrzę jeszcze górną część — postanowiłam. Szkoda by było, żeby taki mebel diabli wzięli, a raczej kołatki zżarły. Piękne rzeźbione spływy wspierały dolną część kredensu i powtarzały się na części górnej. Dwoje oszklonych drzwi skrywało chyba dość dawno nie ruszane przedmioty. Kilka książek, szachy w drewnianej skrzynce, jakieś kartoniki. — Musimy to wyjąć.

Nagle w drzwiach zjawił się ksiądz Zygmunt, co obwieścił klaśnięciem w dłonie.

— I jak idą prace? — zatarł ręce z zadowolenia, widząc nas z okularami na nosach.

— Jeszcze tylko przejrzę górę od wewnątrz, tak dla spokoju... i gotowe. Jutro przetrę całość politurą i kredens będzie jak nowy — głaskałam rzeźbione wsporniki, jak głaszcze się ukochanego kota (nie miałam na myśli Lucinego rudzielca), a proboszcz przyglądał mi się z uśmiechem.

— Coś do picia? — spytał.

— Zrobię kawę — Lucia zerwała się zza stołu — bo procentów dziś nie przyjmujemy.

— Nawet nie proponuję, nie mogę was rozpijać — ksiądz uśmiechał się dobrotliwie.

Lucia poszła do kuchni i zostawiła mnie samą. „Cholera! — zaklęłam w duchu. — Miałyśmy trzymać się razem". Tymczasem ksiądz zaczął wyjmować zawartość górnej części kredensu na stół. Wykładał cząstki czyjegoś życia i być może także swojego. Jak kawałki puzzli, wsparte opowieściami, może złożą się kiedyś w całość.

— Piękny ten kredens — westchnęłam.

— Dziękuję ci, Olu, że się nim zajęłaś. Sam nie wiedziałbym, co z tymi dziurkami zrobić. A mebel rzeczywiście jest piękny, łączą się z nim wspomnienia i skrywa moje skarby — gładził blat dolnej części. — O, choćby te szachy — wziął do ręki kratkowaną skrzyneczkę i siadł przy stole. Tymczasem Lucia wróciła z kubkami z kawą, oparła tacę o brzeg stołu i zaczęła ostrożnie zdejmować jej zawartość. Ksiądz ułożył szachy przed sobą i nabożnie położył na nich obie dłonie.

— Przerwa na kawę — zakomunikowała Lucia, a on spojrzał na nią i uśmiechnął się.

— Czy wiesz, Luciu, że to szachy twojego dziadka? — nie spuszczał z niej wzroku. — Tuż przed śmiercią proboszcz dostał je od niego. Nigdy już nie zagrał. Ja nie gram w szachy, a on już z nikim się tak nie zaprzyjaźnił. Dwa lata później zmarł — westchnął i zamyślił się na chwilę. — Te szachy leżą tu od tamtego czasu. Zupełnie o nich zapomniałem — powiedział, jakby sam się temu dziwił.

— Mogę obejrzeć? — Lucia wyciągnęła rękę.

— Są twoje. Będziesz miała pamiątkę po dziadku — podał jej szachy przez stół.

Lucia ostrożnie położyła je przed sobą i otworzyła skrzyneczkę. Na szkarłatnym aksamicie leżały piękne lśniące figurki. Takich już się teraz nie spotyka. Zaczęła wyjmować je z pudełka i ustawiać na stole. Milczeliśmy. Oboje z księdzem przyglądaliśmy się, jak zmieniała się jej twarz, jak spoważniała. Lucia stawiała je przed sobą jak rzędy ołowianych żołnierzyków przed planowaną bitwą. I nie wiedziałam, czy chce wydać bojowy okrzyk i zacząć bitwę, czy to tylko demonstracja sił. A może był to szyk defiladowy? Oj, chyba jednak apel poległych. Patrząc w jej oczy, widziałam, że myśli o dziadku.

— Piękne, prawda? — odezwała się wreszcie. Pomyślałam wtedy, że jednak chodziło jej o defiladę. — I ten aksamit. Nie jakieś tam plastikowy plusz.

— Grasz w szachy? — spytałam.

— Trochę — głaskała mięciutkie wnętrze. Nagle skupiła uwagę na wnętrzu skrzyneczki i zaczęła coś skubać przy jednej ze ścianek. — Coś tu jest — dłubała — jakiś papier.

Po chwili wydobyła spod wyściółki nieco pożółkłą kartkę,

złożoną na czworo. Rozłożyła ją delikatnie. Oczy zaczęły jej się robić wielkie i szkliste.

— Boże, to pismo dziadka Michała — szepnęła przejęta i wpatrywała się w linijki kształtnego pisma. Nagle zakryła dłonią usta, jakby ją coś przeraziło.

— Przeczytasz? — spytał cicho ksiądz, a ona spojrzała na niego. Jeszcze chwilę wodziła oczami po linijkach, głęboko odetchnęła i skinęła głową.

— „Ja, niżej podpisany Michał Stanisławski — zaczęła powoli — niniejszym pismem przyznaję się do czynu, który miał miejsce w szkole, gdzie byłem kierownikiem. W wigilię Wszystkich Świętych roku 1960 żona moja z córkami pojechały na rodzinne groby i pozostawiły mnie samego. Tegoż wieczora do drzwi zapukał mężczyzna wydający się być chorym. Przyjąłem go pod dach mój, jak czynili to inni, kiedy wracając po wojnie do domu, potrzebowałem pomocy. Człowiek ten ranny był, lecz przed pomocą lekarza się bronił. Ugościłem go strawą i przygotowałem nocleg. W nocy gorączkę wysoką dostał i pomimo mych usilnych starań zmarł nad ranem. Przed śmiercią dał mi zawiniątek i prosił, by ukryć go dobrze. Z obawy przed władzami i przed niesłusznym posądzeniem pogrzebałem mężczyznę w ogrodzie. Był ranny od postrzału w brzuch i nie zdradził sprawcy tegoż postępku. Nie chcąc rzucać winy na dzieci i wnuki moje, wyznaję winę i o wyjaśnienie tej sprawy proszę. Gość mój nie miał żadnych dokumentów i nie powiedział, kim jest. Przyjacielowi memu, proboszczowi parafii naszej, księdzu Marianowi, wyznałem wszystko, o modlitwę za duszę nieznajomego prosząc. Wielki ciężar na sumienie jego padł, bo o zachowanie tajemnicy go uprosiłem. Zawiniątko według prośby ukryłem, wprzódy sprawdzając, co kryje jego wnętrze. Nie wiem, skąd wziął skrywane przedmioty, lecz podejrzewać zacząłem, że to złodziej jakiś albo kasiarz. Nieznajomy upoważnił mnie do dysponowania tymże, jeśli choroby nie przeżyje. Teraz ja upoważniam potomnych moich do dysponowania darem zmarłego, według uznania własnego". I podpis dziadka — znów odetchnęła głęboko, położyła pismo na stole i spojrzała na proboszcza.

— Boże kochany — wyrwało mi się w szoku, jakiego właśnie doznałam. Przecież to wyjaśniało całą tę historię z Panem Porzeczkowym.

— Luciu, to o to pismo chodziło… zapomniałem — ksiądz Zygmunt patrzył na nią przepraszająco.

— Nic się nie stało — odezwała się cicho. — Nareszcie wiemy, co się wydarzyło i skąd wziął się nieboszczyk w porzeczkach — przez chwilę przyglądała się figurom szachowym, jakby chciała w nich coś dostrzec. — Mogę to zabrać? — zaczęła układać szachy na aksamicie.

— Oczywiście, są twoje.

Dopiłyśmy kawę i poszłyśmy do domu Pani Ja. Bez słowa. W milczeniu siadłyśmy na ławce za domem i po dłuższej chwili Lucia zarządziła:

— Ola, nalej… muszę się napić.

Bardzo się zdziwiłam, bo zwykle to ja proponowałam, jednak wstrząs, jakiego przed chwilą doświadczyła, usprawiedliwiał jej życzenie. Może chciała ostrym aromatem alkoholu pobudzić mózg do myślenia? A może uporządkować kotłujące się myśli? Tak czy inaczej, miało to być lekarstwo na doznany szok. Już po chwili piłyśmy metaxę i czekałyśmy na powrót Janusza. Teraz ja czytałam pismo, powoli i głośno, żeby nie uronić ani słowa. Lucia dolewała sobie do szklaneczki już drugi raz. Kiedy skończyłam, patrzyłam jeszcze na wykaligrafowane szeregi liter i zastanawiałam się.

— Ciekawe, czy to już koniec…

— Jeszcze trochę jest — odpowiedziała zupełnie nie na temat, spoglądając na butelkę.

— Co jest? — nie zrozumiałyśmy się.

— W butelce… metaxa — dokończyła.

— Ja nie o tym — machnęłam ręką — ale skoro jest, to dolej — podstawiłam szkło i czekałam, aż skończy, a lała bardzo powoli. — Co tak szczędzisz?

— Bo znów do domu pojedziesz pijana.

— Moja droga, gdybym wróciła w innym stanie, mój pies gotów mnie nie poznać i nie wpuścić do domu… albo pogryźć — śmiałam się. Czułam, że wreszcie odpuszczają nam nerwy, a na nerwy najlepsze jest… więcej alkoholu. Znalazłyśmy jeszcze jedną napoczętą butelkę. I tak leczyłyśmy się po ciężkim szoku aż do przyjazdu Marcina. Trochę się zdziwił, że zaprawiłyśmy się taką małą ilością brandy, bo butelki po metaxie nie zauważył. Ale przecież to wszystko przez ten środek na kołatka… do tego wlazłam do kredensu i doprawiłam się oparami. Na coś w końcu trzeba zwalić, bo jak długo można się leczyć z szoku?

*

Lukrecja niepokoiła się, jak to wszystko powiedzieć Januszowi. Przecież potwierdziło się, że to jej nieskazitelny dziadek zakopał Pana Porzeczkowego w ogrodzie. Dobrze chociaż, że nie on go zabił. Widać takie były czasy, że nie mógł wyjawić tego władzom.

— No, co tam? — Janusz wrócił dość późno, kiedy Olka z Marcinem już pojechali do miasta. Ola swoje auto znów zostawiła przed domem Lukrecji i postanowiła wrócić po nie nazajutrz, bo przecież obiecywała wypoliturować księży kredens, a powiedziała, że sama na plebanię nie pójdzie. Lukrecja doskonale ją rozumiała.

— Zobacz. — Lucia podała Januszowi list dziadka Michała. Rada była, że przedtem lekko się znieczuliła. Usiadł na ławce i spokojnie zaczął czytać. Kobieta nie mogła wysiedzieć, więc zawołała bekulki i poszła do ogrodu po warzywa. O obiedzie zupełnie zapomniała, więc teraz musiała coś wymyślić. Pochodziła troszkę po zagonkach i pozbierała coś do koszyka… nawet nie wiedziała co.

— Czemu zwiałaś? — śmiał się, kiedy weszła z powrotem na podwórko. — Zupełnie niepotrzebnie się przejmujesz. Nawet rozumiem twojego dziadka, wtedy były inne czasy — patrzył na papier i wyraźnie nad czymś myślał. — Tylko… wiesz co, złociutka? Nie mogę tego wziąć jako dowodu. Przynajmniej jeszcze nie teraz. To już niczego nie zmieni, a ta część o ukrytym zawiniątku jest trochę niepokojąca. W końcu nikt nie musi wiedzieć, że znalazłaś list. Prawda?

— Wolałabym, żeby nie mówiono o dziadku źle.

— Rozumiem cię — kiwnął głową — ale możesz sobie zrobić więcej kłopotu niż mieć z tego pożytku. A kto będzie chciał, to i tak będzie plotkował. Przypomnij sobie, co mówiło się po znalezieniu kości. Chyba jeszcze nie zapomniałaś?

Oczywiście, że miał rację, zgodziła się z nim. Niczego to nie zmieni, a może wprowadzić bałagan. Pamiętała przecież, że jak wykopano Pana Porzeczkowego, to nawet się mówiło, że to sprawka Lukrecji. I wiadomo, kto to mówił… bajkopisarze gminni. Teorii spiskowych było mnóstwo.

—Masz rację. Jasne, że masz — powiedziała głośno

i trochę się uspokoiła. W końcu zawsze można to pismo pokazać później.

— Już wcześniej podejrzewałem, że to zainteresowanie twoim domem i plebanią skądś się musiało wziąć, ale wydawało mi się to takie... banalne, jak z kiczowatej książki o poszukiwaniu skarbu — spoglądał na nią przymrużonymi oczami. — Ktoś wiedział o tajemnicy twojego dziadka i nawet wiem skąd — westchnął. Przez chwilę bawił się pismem i uciekł gdzieś myślami. Lukrecja nie chciała mu przeszkadzać, ale chęć wyjaśnienia zagadki była dużo silniejsza.

— Od pani Helenki? — westchnęła. — Nie chce mi się wierzyć — odezwała się w końcu, kręcąc głową z niedowierzaniem.

— Pewnie kiedyś o tym opowiadała, teraz już tego nie sprawdzisz. Sama mówiłaś, że niewiele pamięta, więc ty też nie myśl już o tym — wstał z ławki, wziął ją za rękę i pociągnął za sobą. — Chodź, upichcimy coś.

— Już nawet przyniosłam warzywa — zaczęła.

— Gotować też będziemy — puścił jej oko — ale potem.

W ten oto sposób Lukrecja przestała się martwić dziadkowymi wybrykami, a poznała inne znaczenie pojęcia „pichcić". Jak potem przyznała, też fajne. Jednak w tym pichceniu brała czynny udział, nie musiała się tylko przyglądać. A że znieczulacze zrobiły swoje, to i odwagi miała znacznie więcej, czym bardzo zadziwiła Janusza. „Cóż — pomyślała — życie we dwoje to ciągłe odkrywanie swoich tajemnic i pragnień. Niech chłop wie, na co porywa". Bo jak sama właśnie się przekonała i czym bardzo zaskoczyła Janusza, odrobina procentów dobrze robi na zahamowania.

O skrzydłach, o sztuce i o pstrokatym koniu

Janusz od rana kręcił się po domu, układał swoje książki w szafie za szybą i coś tam cały czas grzebał. Luci dobrze się z nim mieszkało. Nie wchodzili sobie w drogę, każde z nich zawsze miało coś do zrobienia i niekoniecznie potrzebowało pomocy drugiego. Czasami nawet się zastanawiała, czy Janusz w ogóle jest w domu, bo zaszywał się gdzieś w kącie i coś dłubał. W ten sposób wyremontował drzwi w całym domu, posprzątał pomieszczenia gospodarcze, przeorganizował ogród. Widać było gołym okiem, że mieszkanie na wsi było jego marzeniem, że jest tutaj w swoim żywiole.

Lukrecja przygotowywała materiały na zajęcia plastyczne z dziećmi, bo Olka uprzedzała o swoim spóźnieniu z powodu pewnego ważnego ogrodu. Niemal wszystko miała już gotowe, jeszcze tylko musiała poszukać książki o origami, japońskiej sztuce składania papieru. Ostatnio Zuzia przyniosła na zajęcia papierowego ptaszka i tak długo marudziła, aż Lucia obiecała jej, że znajdzie odpowiednią książkę i nauczy ją kilku składanek. Nie tylko Zuzia była tym zainteresowana, więc dziś wszyscy będą robić zwierzątka z kolorowego i białego papieru. Weszła do gabinetu dziadka Michała i od drzwi zobaczyła na biurku porozkładane książeczki Zuzi i rysunki, których jeszcze nie zdążyła skleić w całość. Stanęła nad ilustracjami i nie mogła wprost uwierzyć, że Zuzia już tyle ich narysowała.

— Powinnaś coś z tym zrobić — usłyszała od drzwi. Janusz stał oparty o futrynę, w rękaw koszuli wycierał czerwone jabłko. Patrzył na Lukrecję, po czym wskazał ruchem głowy na prace dziecka. — Są piękne.

— To Zuzi — powiedziała. — Pięknie rysuje i opowiada.

— No właśnie — potwierdził, po czym wbił zęby w wypolerowane jabłko i wrócił do swoich zajęć. Drzwi się otworzyły i do sieni weszła Olka, głośno to oznajmiając.

— Już jestem, zdążyłam — weszła do gabinetu i stanęła obok przyjaciółki. — Co jest?

— Janusz wyjął prace Zuzi — wytłumaczyła Lukrecja. Obie patrzyły na rysunki, Olka zaczęła przeglądać poskładane książeczki. Do niektórych Lucia dopisała teksty według interpretacji Zuzi i teraz je czytała.

— Fajne, nie? — Janusz znów się zjawił i teraz czekał na potwierdzenie swojego odkrycia. — Znalazłem je dziś w szafie, kiedy chciałem wcisnąć do niej kilka moich książek. Nie mogłem się od nich oderwać. W końcu zamiast zająć się swoimi książkami przeglądałem wasze dzieła.

Ola patrzyła na rysunki i zastanawiała się, czy Lukrecja wie, po co Janusz je wyjął i tak wyeksponował. Lucia stała obok i zupełnie zapomniała, po co otwierała szafę, a zza drzwi już słyszała głosy nadchodzących dzieci.

— Wezmę Kubę i Arka do pomocy przy owcach, dobrze? — zawołał Janusz, wychodząc na podwórko. — Zaraz wrócą.

— Po co on to porozkładał? Co to ma być? — Lukrecja zastanawiała się na głos, choć z przyjemnością znów popatrzyła na prace Zuzki.

— Nie wiesz? — Ola spojrzała na nią zdziwiona. — Ty naprawdę nie wiesz — pokiwała głową z niedowierzaniem.

— Lucia — spojrzała jej prosto w twarz — to twoje skrzydła.

Lukrecja siadła na dziadkowym krześle i zaczęła dotykać książeczek. Potem powoli je poskładała. Trzymała w dłoniach część cudzego życia, dziecięce marzenia i niezaprzeczalny talent. Obrazki uśmiechały się kolorami i przyciągały wzrok odważną kreską.

— Myślisz? — Lukrecja spytała nieśmiało.

— A co innego? — Olka oparła rękę na jej ramieniu, potem poklepała ją po plecach w miejscu, gdzie aniołom zwykle domalowuje się skrzydła, i dodała: — Twoje skrzydła... złociutka.

Po czym wyszła z pokoju i już po chwili Lukrecja słyszała, jak rozmawia z dziećmi. Siedziała jeszcze chwilę i powoli do niej docierało, że rysunki jej ulubionej czytelniczki mogą być ilustracjami do książek dla dzieci.

— Matko kochana, dlaczego nie przyszło mi to do głowy? — zawstydziła się na głos. Teraz do niej dotarło, że o tym właśnie myślał Janusz i Olka też od razu na to wpadła. Dlaczego nie ona sama? Zastanawiała się, co też kotłuje się w jej głowie, że umykają gdzieś takie oczywiste rzeczy. Czy tak bardzo bała się nowego życia, że nawet nie potrafiła o nim marzyć? Głaszcząc prace Zuzi, postanowiła, że to się musi zmienić. Już wiedziała, co zrobić. Wzięła głęboki oddech, z którym wchłonęła też odwagę i determinację Olki, i poszła do salki na zajęcia.

*

Nie mogłam uwierzyć, że Lucia nie myślała o tym wcześniej. Przecież prace tej małej Zuzi są fantastyczne... wszystkie. I te proste bazgroły, barwne i rysowane z rozmachem, i te późniejsze, z wyeksponowanymi detalami, z kolorami dobieranymi nieprzypadkowo, które wyrażały stan ducha chorej na zespół Downa dziewczynki. Teksty, które na podstawie opowieści małej Lucia dopisywała do książeczek obrazkowych, nie wymagały już wiele pracy. Razem stanowiły niemal gotową książkę dla dzieci. Jak to możliwe, że pomyślał o tym policjant, a nie pomyślała bibliotekarka, kochająca książki i dzieci? Marzyła o pisaniu. Czy aż tak wątpiła w swoje możliwości? To o policjantach w połączeniu z książkami opowiada się niewybredne dowcipy i często robią to właśnie złośliwe bibliotekarki. Tymczasem on podsuwa jej pod nos jej własne marzenia. Nie do wiary! Cóż, ten policjant widocznie umie i czytać, i pisać.

Te skrzydła naprawdę są jej potrzebne. Jednak moich skrzydeł nie zawieszę jej na ścianie... ma przy łóżku swoje akcesoria. I swojego policjanta. Okazuje się, że to wystarczy.

*

Lukrecja pedałowała przez wieś w żółtym ortalionie, bo niebo zasnute było chmurami i obawiała się, że w każdej chwili może spaść deszcz. Żartowała, że w tym „żółtku" nie mogła być niezauważona, a od kiedy zaczęła się nauka, wzmógł się też ruch w okolicach szkoły. Przyjemnie było, jadąc rowerem, machać dzieciom w odpowiedzi na powitania, ale i tak wolała czekać na nie — jak to dawniej było — w swojej bibliotece. Na wysokości budynku urzędu gminy mocniej nacisnęła na pedały. Wciąż miała awersję do tej części wsi i wzdragała się, kiedy zmuszona była tędy przejeżdżać. Nagle przed jej rower wyskoczyła Marylka. Z miotłą... a jakże!

— Kobieto! Życie ci niemiłe? — jednak nie sposób było się gniewać na Marylkę, a kiedy zagradzała drogę miotłą, Lukrecja wiedziała, że ma jej coś bardzo ważnego do powiedzenia. — Cześć, Marylka. Sprzątasz czy odlatujesz? — wskazała głową na miotłę.

— E, raczej już służy mi jako podpórka — mrugnęła do Luci — i już nie lata, straciła swoją moc. Dlatego musiałam przesiąść się na skuter.

— Co słychać?

— O, kochana... słychać, słychać. Jak myślisz? Po co ja

tak codziennie sprzątam przed domem? I to zawsze w godzinach pracy urzędu?

— No po co? — Lukrecja już nieraz się nad tym zastanawiała, kiedy widziała, jak koleżanka zmiatała z chodnika niewidzialne śmieci. Jednak nie było trudno ją rozszyfrować. Marylka to skarbnica wieści gminnych, nic się przed nią nie ukryło. A urząd to centrum wszelkich informacji.

— Oni mogą sobie ludzi okłamywać, ile wlezie, ale nie mnie. Lubię wiedzieć, co jest grane — potwierdziła tylko to, co już i tak Lucia wiedziała. — Słuchaj, od dwóch dni nie ma w pracy zastępcy. Jest na chorobowym.

— Może jeszcze wiesz, na co jest chory?

— Chory? Też coś! — prychnęła. — Coś wisi w powietrzu i pewnie on już się wycofuje. Może ty wiesz, o co chodzi? Ten twój policjant na pewno coś wie.

„Aaa, to o to chodzi? — pomyślała Lukrecja. — Czyżbym nagle awansowała na skarbnicę wiedzy? Przecież nikt nie wie więcej od Marylki".

— Przykro mi, ale nic nie wiem — próbowała zbyć koleżankę.

— Szkoda, bo coś mi tu nie pasuje — westchnęła z żalem. — Wydaje mi się, że wodzowie się pokłócili, tylko nie wiem o co. Widziałam, jak się szarpali przy samochodzie, ale nie zrozumiałam powodu — była niepocieszona — bo za daleko stałam. — Pewnie to świadomość, że ktoś może wiedzieć więcej od niej, wprawiała ją w lekką nerwowość.

— Marylka, obiecuję ci, że jak się czegoś dowiem, ty pierwsza będziesz wiedziała — zapewniła ją Lukrecja i pomyślała zaraz, że sama też chyba jest niedoinformowana, bo Janusz nie wszystko jej przecież mówi. „Tajemnica służbowa — prychnęła w myślach. — Też coś!"

— Lucia, idziesz może do biblioteki? — spytała Marylka, zmieniając temat.

— Niestety, muszę. — Lukrecja miała dość nieszczęśliwą minę.

— To idź! — krzyknęła. Ale mina Marylki zdradzała, że miała w zanadrzu jeszcze jakąś sensację, którą nie zdążyła podzielić się z koleżanką. W oczach migały jej psotne iskierki i wyglądała, jakby chciała spłatać jakiegoś figla. To trochę Lukrecję zaintrygowało.

Budynek biblioteki był opodal, więc Lucia nie wskakiwała już na swój antyczny rower, tylko poprowadziła go pod ścianę, bo była u celu dzisiejszej wyprawy. Wystawiła kolce i wyszczerzyła zęby… cztery rzędy, jak rekin i po dwa stopnie, z bojowym nastawieniem, wspięła się na piętro do biblioteki. Jakież było jej zdziwienie, kiedy za pulpitem bibliotecznym zobaczyła Beatę. Siedziała, trzymając nogę w gipsie na krześle naprzeciwko, i czytała gazetę.

— Matko kochana, co ty tu robisz? Przecież miałaś siedzieć w domu! — Lukrecja wydała stłumiony okrzyk, bo bała się donosiciela, i schowała rzędy swoich zębów. Do Beaty nic przecież nie miała.

— Za długo nie posiedziałam — westchnęła.

— No widzę właśnie. Już nie jesteś na zwolnieniu? — Lukrecja nerwowo rozglądała się po pomieszczeniu. Nigdzie jednak nie zauważyła młodszej pracownicy.

— Nie wzięłam następnego. — Beata bąkała coś niezrozumiale. — Wójt mnie poprosił, żebym zastąpiła Elę — nagle spurpurowiała i zaczęła czegoś szukać w kartach czytelników.

— Jak to zastąpiła? — Lucia nie rozumiała, ale przestała się rozglądać.

— Zwolnił ją — spojrzała na nią z poczuciem winy, choć

byłej szefowej nawet przez myśl nie przeszło, że ona mogła być przyczyną takiego obrotu spraw. Lukrecję zatkało. Usiadła na krześle, na którym sama zwykle sadzała swoich dość częstych gości i częstowała kawą. Spojrzała na Beatę i zaczęła się zastanawiać, dlaczego była taka zmieszana.

— Co się stało?

— Nie wiem dokładnie, ale chodziło o jakieś ich prywatne sprawy... chyba. Elka nic nie powiedziała, tylko po prostu zniknęła — przekładała książki z kupki na kupkę. — Dwa dni biblioteka była zamknięta, bo kończyło mi się zwolnienie — tłumaczyła się, choć wcale nie musiała.

— I czym się przejmujesz? — koleżanka starała się dodać jej otuchy uśmiechem.

— Bo teraz wygląda na to, że to ja zajęłam twoje miejsce — prawie miała łzy w oczach. — Głupio mi.

— Proszę cię, Beata! Co ty opowiadasz? — chwyciła dłoń Beaty, która znowu przenosiła ułożone przed chwilą woluminy. — Nie wolno ci nawet tak myśleć.

I nagle Lukrecja przypomniała sobie tę awanturę, której była świadkiem, stojąc między regałami na książki.

— Musiała czymś zaleźć mu za skórę — zaczęła się głośno zastanawiać — ale czym?

— Nie mam pojęcia. — Beata przestała przekładać książki i spojrzała na Lucię z zainteresowaniem. — Nie musiało to być nic wielkiego, wiesz, Lucia, jaśnie panujący bardzo łatwo się obraża.

— Dziwne, ale spodziewałam się tego, wiedziałam, że to tylko kwestia czasu. Ciekawe, komu teraz obiecał ten stołek? — spojrzała na zmieszaną Beatkę.

— Nie mnie! — zaprzeczyła bardzo żywo.

— Beata, a może już tak zostanie? Mogłoby. — Lucia

przymrużyła oczy i zaczęła marzyć na jawie. — Miałabym wtedy szansę powrotu do pracy, kiedy wójta już wywalą.

— A wyleją go — odważnie stwierdziła Beata. — To też tylko kwestia czasu.

Zaskoczona taką nowiną Lukrecja posiedziała tylko chwilkę, szybciutko opowiedziała jej o zasłyszanej awanturze i choć Beata proponowała kawę, wyszła. Nie chciała napić się kawy, żeby nie narażać koleżanki. Wciąż czuła się jak *persona non grata*, a gdyby jeszcze za przyjaźń z nią zwolniono Beatę, gmina zostałaby zupełnie bez biblioteki. Lucia schodziła po schodach i uśmiechała się, myśląc o ostatnich przetasowaniach. Doszła do wniosku, że prawdą jest powiedzenie: „łaska pańska na pstrym koniu jeździ" i że koń pod wójtem jest wyjątkowo pstrokaty.

O poszukiwaniu skarbu i o tym, co się robi w deszczowe popołudnia

Dzień był słotny i Lukrecji nie chciało się wychodzić, nawet na podwórko. Owieczki weszły do kuchni, schowały się pod stół i żadna siła nie była ich w stanie stamtąd wygonić. Nawet rude kocisko, mimo że nie było w pobliżu Janusza, siadło koło drzwi do sieni i nie chciało nigdzie iść. Kobieta krzątała się po kuchni bez wyraźnego celu, a nie mogła z niej wyjść, bo inwentarz zaraz maszerował za nią. Siedziała więc przy stole, przeglądała gazetki reklamowe i popijała kawę. Miała trochę czasu dla siebie, zanim Janusz wróci z pracy. Przypomniał jej się list dziadka i zaczęła się zastanawiać, co cennego było w zawiniątku i dlaczego nie napisał, gdzie to ukrył. Może to o tym bogactwie mówił? — Oj, przydałaby mi się gotówka… — zamarzyła. A ucieszyłaby ją w każdym momencie jej obfitującego w troski życia. I choć nigdy nie było aż tak źle, żeby się załamała i poddała rozpaczy, to miewała bardzo ciężkie chwile. Zawsze jednak jakoś z nich wybrnęła. Teraz też przydałby się jej finansowy zastrzyk, bo mimo już poczynionych remontów w domu wiele trzeba było w nim jeszcze zrobić. Odłożyła gazetki, wyszła do sieni i zaczęła się rozglądać. — Którego kąta jeszcze nie przejrzeliśmy przy remontach? — mówiła do siebie. Wszystkie drzwi były wystawiane, odkuwany tynk (właściwie to sam spadł), remontowane podłogi, poprzeglądany i wysprzątany strych. — Gdzie jeszcze mogę szukać? — zastanawiała się. Owce kręciły się po sieni i pobekiwały. Teraz to już było dorosłe beczenie, nie cienkie, jagnięce. Wróciła do kuchni, gdzie, jak po chwili się przekonała, bobki już też były duże.

— Dalej, bekulki, wynocha z kuchni. Już nie pada — otworzyła drzwi i próbowała je wyprosić. W końcu musiała wypchnąć je siłą. Po chwili ewakuował się także rudzielec. Pewnie wolał nie zostawać z nią sam na sam. Uśmiechnęła się pod nosem. — Wie, co robi, w końcu w kuchni są noże!

Weszła do sali z zielonym piecem i chciała sobie przypomnieć, kiedy ostatnio rozpalano w nim ogień. Nie pamiętała. Może coś jest w piecu? Zajrzała. Po ostatnim przeglądzie był wyczyszczony i oprócz resztek popiołu nic w nim nie było. Siedziała przy piecu i ręce miała pobrudzone sadzą i popiołem. Zastanawiała się, gdzie jeszcze szukać, i tak zastał ją Janusz.

— Wiedziałem, że wcześniej czy później zaczniesz poszukiwania skarbu — stał w drzwiach oparty jedną ręką o futrynę.

— Jakiego skarbu? Wiesz coś więcej? — Lukrecja, chwytając się usmarowaną ręką za plecy, wstała z podłogi.

— Tak — łypnął na nią zaczepnie. — Coś niecoś się dowiedziałem — teraz uśmiechał się tajemniczo — ale najpierw, złociutka, zjemy obiad. Opowiem ci później.

Lucia jeszcze nigdy nie jadła w takim napięciu i pośpiechu. Tak zapamiętale wiosłowała łyżką w talerzu, że tylko słychać było stukanie o dno, i gdyby wcześniej tego obiadu nie gotowała, nie wiedziałaby nawet, co teraz zjadła. Tak to rozbawiło Janusza, że cały czas uśmiechał się pod nosem. Specjalnie jadł powoli, żeby napawać się tą chwilą. Wreszcie przemówił:

— Rozgadany Romek przyznał się do włamań na plebanię i na twój strych. Mieliśmy jego odciski palców z obu miejsc, więc to żadne odkrycie, tylko to potwierdził. On też przetrząsnął rupiecie ze strychu.

— Skąd wiedział o sprzątaniu? Od Bożenki? — Lukrecja próbowała utwierdzić się w swoich podejrzeniach. — Tylko od niej mógł to wiedzieć.

— I tak było. Dobrze, że sypnął się przed twoją znajomą z tą bieliźniarką. Pewnie tak szybko byśmy do niego nie dotarli, a tak na przesłuchaniu przyznał się do wszystkiego i nawet powiedział, kto był zleceniodawcą. Teraz, kiedy wie, co mu za to grozi, sypie jak z rękawa o sprawach, które akurat nas specjalnie nie obchodzą.

— O jakich? — Lucia aż poczuła wypieki na policzkach.

— Nie mogę ci powiedzieć — pokręcił głową na znak odmowy — nas nie obchodzą, jednak przydadzą się innemu wydziałowi — zaśmiał się zadowolony z siebie. Janusz skupił się na jedzeniu i obserwował Lukrecję, jak usilnie próbowała podtrzymywać rozmowę. Celowo więc udawał obojętność, bo nie lubił jeść w pośpiechu. Cenił sobie wspólne posiłki przy stole, kiedy w niedzielę zbiera się przy nim rodzina. Nieważnie, że nie jego. Teraz Lucię uważał za swoją rodzinę i podczas każdego posiłku delektował się tą chwilą. Jego towarzyszka bardziej to wyczuwała, niż wiedziała o tym, ale dziś nie potrafiła celebrować tej chwili.

— Zastępca podobno jest chory — zaczęła ostrożnie. Chciała jak najszybciej podzielić się usłyszanymi dzisiaj sensacjami w nadziei, że sama też dowie się czegoś nowego.

— Też bym się rozchorował po takich rewelacjach pod swoim adresem — powiedział Janusz i powoli wycierał usta serwetką. Dla Lukrecji było to zdecydowanie za wiele emocji.

— To może się ich wreszcie pozbędziemy? — spytała z nadzieją w głosie.

— Z całą pewnością. Pociągnie za sobą swojego szefa, choć to tylko bezwolna marionetka w jego rękach — widząc jej reakcję, lekko ją wyhamował. — Tylko to jeszcze trochę potrwa, niestety — westchnął.

— Szkoda — szczerze ubolewała. — Powiedz, czy oni naprawdę myśleli, że tu jest coś cennego?

— Z listu twojego dziadka wyraźnie wynika, że coś ukrył i że to może być coś cennego. Sam przecież podejrzewał, że jego gościem był złodziej. Powiem ci, złociutka, że to mi nawet pomogło trafić na pewien ślad — urwał, wstał od stołu i zaczął z niego sprzątać naczynia jak gdyby nigdy nic. Lukrecja o mało nie eksplodowała z emocji.

— Matko kochana! Czy ty chcesz, żebym padła tu na zawał? — zerwała się z krzesła w takim tempie, jak życzyłaby sobie wyskakiwać rankiem z łóżka.

Chciał wywołać takie wrażenie, bo odwrócił się od zlewozmywaka z promiennym uśmiechem, objął ją wpół i niemal siłą przyciągnął do siebie.

— A co będę miał za informację? — zaczął szeptać do

ucha rozemocjonowanej kobiecie. — Tak bez zapłaty się nie obejdzie, złociutka.

I tu Lukrecja pomyślała, że potwierdziło się to, co przeczytała w pożyczonych od Olki poradnikach. Kiedy facet ma zamęt w głowie i jest sfrustrowany bądź zmęczony po dniu pracy, potrzebuje seksu. Kobieta musi tylko pogadać o swoich problemach i wcale nie oczekuje rad. Pogódź to teraz bez zgrzytu! Kiedy on się nakręci na seks, to już nie myśli, a o rozmowie w ogóle nie ma mowy. Bo jak ostatnio wyczytała, facet potrafi robić tylko jedną rzecz naraz, a kobieta z kolei, bez opowieści o dręczącym ją problemie, do końca na niczym się nie skupi. Olka ze śmiechem tłumaczyła jej to na pewnym przykładzie: sam Pan Bóg to tak wymyślił, dając Adamowi dwa cenne organy, mózg dla rozwoju jego inteligencji i penisa dla rozmnażania inteligentnego gatunku ludzkiego. Tylko nie wyliczył ilości krwi dla równoczesnego funkcjonowania obu. Dlatego teraz już tak jest... facet może używać tylko jednego z organów w danym momencie. Albo myśli, albo bzyka. I ta puenta bardzo wtedy Lucię rozbawiła. „To nie najlepszy moment na seks, ale chyba bez tego już z nim nie pogadam — stwierdziła. — W tej kwestii widać Janusz nie różni się od innych facetów". Żeby jakoś wytłumaczyć sobie tę uległość, stwierdziła, że przyda się jej krótka sjesta. Pogoda za oknem tylko do tego się nadawała. I była spokojna o to, że w taką pogodę nie zaskoczy ich pleban.

*

— Szkoda, że nie zostawił żadnych wskazówek, gdzie ukrył to zawiniątko — choć leżała wtulona w ramiona Janusza, Lukrecja wciąż myślami była w sieni domu i usilnie myślała, gdzie jeszcze mogłaby szukać. — Miałeś mi powiedzieć o pewnym śladzie — upominała się o obiecaną informację.

— Nie odpuścisz, prawda? — zaśmiał się i pocałował ją w czubek głowy. Po czym powoli podniósł się z łóżka.

— Obiecałeś — powiedziała z wyrzutem.

— Mógłbym pomyśleć, że mnie teraz przekupujesz. To miała być łapówka?

— A wyglądało na łapówkę? — zachichotała. — Użyłam innej części ciała.

— Oj, złociutka... rozbujałaś się — spojrzał na nią rozbawiony i pogroził jej palcem. — I bardzo mnie to kręci. Chodź, zrobimy sobie kawę i zabierzemy się za szukanie... razem.

— Miałeś mi coś powiedzieć — przypomniała z uporem.

Poszedł do kuchni wstawić wodę, i wkładając koszulę, już po drodze zaczął opowiadać. Żeby nie uronić ani słowa, Lukrecja zerwała się z łóżka i pobiegła za nim, ubierając się szybko i o mało się nie przewróciła, potknąwszy się o próg, kiedy zaplątała się w pośpiesznie wciągane majtki.

— Matko kochana — sapała, porządkując garderobę — przez te tajemnice wybiję sobie zęby.

Janusz zaśmiał się z jej zniecierpliwienia i przyglądał się przez chwilę, jak poprawia włosy i szuka pogubionych w drodze do sypialni klapek. Po chwili wrócił do tematu.

— Kiedy dziadek wspomniał o włamywaczu czy kasiarzu, przejrzałem ich rejestr z tamtych lat i rejestr centralnej agencji poszukiwawczej. Potem jeszcze rejestr zgłoszonych kradzieży i odnalezionych dóbr — stukał kubkami i szafkami, a Lucię ciekawość aż skręcała.

— No i co? — stała już ubrana w drzwiach kuchni.

— I nic — rozłożył ręce. Patrzył na jej zawiedzioną minę, odczekał chwilę i ciągnął dalej. — Ale potem przyszły wyniki ekspertyzy czaszki. Okazało się, że delikwent musiał pochodzić ze Wschodu, bo o tym świadczył sposób leczenia jego zębów.

— Porównywaliście uzębienie? — zaraz przypomniała sobie sposoby identyfikacji na podstawie zdjęć od dentysty, które oglądała w filmach.

— No nie, złociutka — uśmiechnął się rozbawiony — to nie te czasy.

— Więc jak? — dociekała.

— Sposób wypełniania ubytków i materiały do tego użyte mogą wskazać, skąd pochodzi poszukiwany — tłumaczył jej cierpliwie. — A ten pochodził ze Lwowa — poczekał na jej reakcję, ale zorientował się, że ta wieść nie zrobiła na Lukrecji większego wrażenia, więc kontynuował — a lwowska szkoła kasiarzy była najlepsza.

— Aaa, teraz rozumiem — wreszcie chwyciła. Zapatrzona w Janusza siadła do stołu i wciąż słuchała, jak studentka ciekawego wykładu.

— I natknąłem się na takowego kasiarza, który był poszukiwany przez córkę i podejrzany o kilka włamań i kradzieży rodowych klejnotów, po którym wszelki ślad zaginął — odwrócił się do swojej słuchaczki, oparł o szafkę, skrzyżował ramiona na piersiach i dalej prowadził swój wykład. W tym czasie woda na kawę zdążyła się zagotować. — To się wtedy dość często zdarzało, bo czasami znikali i bywało, że pojawiali się na innym kontynencie jako zupełnie inni ludzie. W tym wypadku jednak nic o nim nie wiemy... sprawdzałem nawet przez Interpol, ślad się urywa — postawił kubki na stole i siadł naprzeciwko Lukrecji.

— To może być ten kasiarz? — Lucia wierciła się na krześle.

— Jeśli tak, to miał przy sobie niezły kapitał. — Janusz spokojnie popijał kawę. — Spróbujemy poszukać. I czekamy na wyniki badania DNA.

— Jak? Nie rozumiem — patrzyła na niego lekko rozkojarzona i wyczekująca na dalszy ciąg wyjaśnień.

— Teraz musimy dotrzeć do jego córki lub jej dzieci i sprawdzić, czy twój Pan Porzeczkowy to poszukiwany lwowski kasiarz — stukał palcami po stole, nagle przestał i po chwili dodał: — I spróbujemy poszukać łupu.

— Nawet bez wskazówek? — to trochę Lukrecję niepokoiło, bo obawiała się, że będą musieli rozbierać wszystkie piece i zrywać podłogi. Jednak lekko uniosła się z krzesła, co wskazywało, że była już gotowa do działania.

— Jest to pewne utrudnienie — westchnął — bo przypuszczam, że jakieś wskazówki mogły być na dalszych kartkach kroniki. A tych nie znaleźliśmy. Nawet u wicewójta.

— To jednak on też jest w to zamieszany… — pokiwała głową, potwierdzając, że domyślała się tego od samego początku. Podejrzewała, że zasadził się na jej dom i pod pretekstem wyceny remontów przyszedł go oglądać. — Rozchorował się nagle, wiesz? — przypomniała mu, unosząc się z krzesła.

— Wiem. Ta choroba nazywa się unikaniem przesłuchania — dodał z przekąsem.

— To od czego zaczniemy? — Lukrecja nie mogła się już doczekać i nie słuchała dalszych wyjaśnień, była gotowa do działania. — W sieni już sprawdzałam, w piecu też. Ale tylko w jednym. Właściwie został jedynie ten w gabinecie, tylko w tym się nie paliło.

Poszukiwania zaczęli więc od bursztynowego pieca. Tak nazwała go Lukrecja, choć przecież nie był z bursztynu, miał tylko piękny bursztynowy kolor. Tłoczone kafle miejscami były jaśniejsze, miejscami ciemniejsze. Jak naturalny bursztyn. Był nieco mniej zdobny niż ten butelkowozielony, ale równie okazały. Przy nim stał teraz skórzany fotel z księżego strychu i tylko brakowało stojącej lampy. Lukrecja uważała, że to miejsce aż się prosi o lampę, która oświetlałaby czytaną przy piecu książkę. Postanowiła, że przemyśli sprawę. Póki co zajrzeli do pieca... i nic. Potem sprawdzali jeszcze pod schodami na strych. Trudno się pod nie dostać, ale gospodyni zawsze starała się utrzymać tam porządek, więc nie zajęło im to wiele czasu. Zajrzeli do każdego kąta na strychu, nawet do wędzarni. Ta akurat była używana raz po raz, więc prawdopodobieństwo znalezienia skarbu właśnie tam było bardzo małe. Po krótkich i nerwowych poszukiwaniach dali sobie spokój ze strychem.

— Podłóg raczej nie będziemy zrywać. — Janusz nie miał pojęcia, gdzie jeszcze szukać. — Gospodarcze pomieszczenia sam sprzątałem i nic podejrzanego nie widziałem.

— Może rzeczywiście ukrył to u proboszcza? — Lukrecja zaczęła się głośno zastanawiać. — W końcu znalazłyśmy na odwrocie ikony wskazówkę, mówiłam ci... ta sentencja Peryklesa o przyszłym bogactwie i ten dopisek ołówkiem, że za kominem — siadła na schodach na strych. — Dziadek uwielbiał cytować filozofów — stęknęła i siadając, chwyciła się za plecy. — Szukałyśmy i nic — machnęła zrezygnowana drugą ręką.

— Jutro przywiozę detektor, to znaczy... wykrywacz metali, spróbujemy z tymi podłogami, może coś znajdziemy.

Ogarnęła ich oboje gorączka złota. Już byli gotowi odrywać deski z podłogi albo odkuwać tynk. Siedzieli ubrudzeni i okurzeni, ale kierowani nadzieją, że może jednak coś znajdą, i wciąż rozglądali się dokoła.

— Przydałaby się kasa na remont kuchni, łazienki, na zagospodarowanie podwórka i nowy płot. — Lukrecja głośno planowała. Wciąż też miała dług u dzieci. Na szczęście mogła go oddać w formie działki i cieszyła się, że są już na to pewne widoki. Spojrzała na Janusza i powiedziała: — Podobno pieniądze szczęścia nie dają, jednak kiedy już się to szczęście ma… — uśmiechnęła się lekko zawstydzona — pieniądze też są mile widziane.

Janusz objął ją i mocno przytulił do siebie.

*

Lukrecja przeglądała książeczki Zuzi i czekała na Olkę. Miała jej pomóc wybrać ilustracje do opowiadania, które właśnie skończyła. A właściwie to była historyjka, którą bibliotekarka napisała już wcześniej, teraz ją tylko rozwinęła. Przyznała rację Oli, że są to prawie gotowe książeczki dla dzieci, wystarczy je tylko dopracować. Koleżanka obiecywała poprawić obrazki, choć Lukrecja nie do końca wiedziała, na czym miało to polegać, ale postanowiła, że nie będzie się wtrącać. Wierzyła w talenty plastyczne Oli.

Przeszukała Internet i znalazła kilka wydawnictw specjalizujących się w ilustrowanych książkach dla dzieci. Szybko uporała się z poskładaniem elementów książeczki i kiedy propozycja była gotowa, powiedziała o tym Januszowi.

— Wyślę — powiedziała. — Jeśli nie spróbuję, nigdy się nie dowiem, czy było warto.

— Złociutka, dawno powinnaś o tym pomyśleć — uśmiechał się do niej. — Pamiętaj, że wygrywają tylko ci, co grają.

Zuzia bardzo się ucieszyła, kiedy Lukrecja powiedziała jej o tym, że spróbuje poszukać wydawcy. Musiała to wszystko dziewczynce wytłumaczyć — bo w końcu były to jej rysunki

— ale kiedy już Zuzia zrozumiała, nie dawała jej spokoju. Teraz Lukrecja martwiła się i w duchu prosiła niebiosa, żeby coś z tego wyszło, bo inaczej Zuzia nie da jej żyć i będzie bardzo zawiedziona.

— Te są fajne. — Ola przekładała obrazki z jednego miejsca na drugie i część układała na podłodze. — Ciekawie dobiera kolory, odważnie. Co z nimi zrobisz?

— Te trzy opowiadania złączyłam w jedną całość i wyślę do kilku wydawnictw, mam już gotową propozycję. Muszę tylko dobrze się zastanowić, do których, bo kolorowe ksero trochę kosztuje.

— Jestem pewna, że się wam uda. — Ola powiedziała to tak, że utwierdziła Lukrecję w jej zamierzeniu.

— Bardzo bym chciała. Zuzia tak marzy o ilustrowaniu książek — westchnęła — to też dodałoby jej pewności siebie.

— Akurat tego jej nie brakuje — prychnęła Ola, która już poznała Zuzię. Nie należała do tych dziewczynek, które pozwoliłyby sobie w kaszę dmuchać. Zawsze mówiła, co myśli, nie zważając na skutki, a czasami trudno je było przewidzieć. Jeśli wszystkie metody zawodziły, płakała. Kobiety żartowały między sobą, twierdząc, że do pewnego wieku to niezły sposób. Niestety, w dorosłym życiu często mało skuteczny.

— Wiesz, o co mi chodzi. Czasami dzieci wyśmiewają się z niej, a to naprawdę byłoby coś.

Potem Lukrecja opowiedziała Oli o poszukiwaniach skarbu i myślała, że Olka będzie się śmiała, ta zaś była niepocieszona, że jej tu wczoraj nie było.

— Jak mogliście! Beze mnie! — mówiła z nieukrywanym żalem. — Pamiętam to uczucie, jak wyjmowałyśmy ten żyrandol z pudła. Też myślałam wtedy, że to skarb. Aż mi ciarki po plecach latały. Myślałam, że się posikam z emocji.

— Jak straszyło na strychu, też ci latały — zaśmiała się Lukrecja.

— Ale to ze strachu — machnęła ręką. — I wtedy zsikanie było dużo bardziej prawdopodobne — dodała ciszej.

Siedziały za domem na ławeczce i popijały kawę. Owieczki spacerowały po podwórzu, a Cezar zerkał spode łba na kocisko. Dziwnie się ostatnio czepiał rudzielca. Ten ze strachu wiecznie siedział na parapecie, teraz jednak, po porannym deszczu, parapet był mokry. Więc kręcił się biedak pod ławką i w okolicach drzwi do kuchni. Kiedy tylko chciał przejść przez podwórze, Cezar pochylał łepek i szarżował. Lucia nagle pożałowała kota. Janusz zawsze brał go w obronę, ale przed południem rudzielec nie miał wsparcia i był zupełnie sam na placu boju. Na swoją panią też nie mógł liczyć. Nagle skrzypnęła furtka i czarna sutanna księdza Zygmunta załopotała zza węgła.

— Lucia, Ola! — wołał od furtki, nawet bez swojego zwyczajowego pozdrowienia. Pewnie dlatego, że widział już auto Oli i słusznie przypuszczał, że i tak usłyszałby w odpowiedzi zniewalające: „witam księdza".

— Matko kochana! Co się stało? — poderwały się z ławki, aż zwierzyna czmychnęła do chlewika.

— Coś mi się przypomniało! Jak mogłem o tym zapomnieć, jak mogłem! — powtarzał i niezadowolony z siebie kręcił głową. — Dzieci, słuchajcie.

Zatrzymał się wreszcie przy drzwiach kuchni. W ręku trzymał ikonę ze świętym Dyzmą i sapał jak lokomotywa. Lukrecja miała nawet wrażenie, że buchała od niego para. Po chwili pomyślała, że na pewno poczuła od niego jakieś ciepło. A może to była aureola, jak już wcześniej podejrzewała Ola?

— Oj, czekajcie, muszę odpocząć — zasiadł na ławce.

— Podać coś do picia? — Ola wystraszona patrzyła na dobrodzieja.

— Chętnie. Ale za chwilę zdecyduję co — chwycił ją za przedramię i mrugnął do niej.

„No, nie! Olka rozpiła nam proboszcza" — pomyślała przerażona Lukrecja i karcąco spojrzała na przyjaciółkę. Bo niby co miało znaczyć to puszczenie oka?

— To co się dzieje? — dopytywała zaniepokojona, bo ksiądz Zygmunt zwykle się spieszył, ale nigdy aż tak.

— Lucia, ty naprawdę nie pamiętasz tej ikony? — podsunął jej przed oczy przyniesiony obrazek. Patrzyła na Dyzmę w czerwonej szacie i usilnie starała się przypomnieć sobie, gdzie go już widziała. — Przecież ona wisiała w gabinecie twojego dziadka. Właśnie sobie o tym przypomniałem.

— Nie pamiętam — przyznała zrezygnowana i szukała wzrokiem pomocy Olki. Ta tylko wydęła wargi.

— Kiedy twój dziadek umarł, proboszcz poprosił o pamiątkę po przyjacielu — wziął do ręki odłożony na chwilę obrazek świętego. — Przypomniało mi się to, jak zacząłem się zastanawiać, dlaczego Dyzma? Co ksiądz Marian miał wspólnego z nawróconym złoczyńcą? I wtedy mnie olśniło! — przestał mówić i ciężko oddychał. Ola z niepokojem chwyciła Lucię za ramię.

— Przyniosę jednak wody — zdecydowała i czmychnęła do kuchni po szklankę z wodą. Dobrodziej natychmiast wziął ją od niej i wypił duszkiem.

— Tę ikonę przywiózł twój dziadek z wycieczki do ZSRR i od wtedy wisiała w jego gabinecie w szkole — mówił dalej.

— Nawrócony łotr. Rozumiesz, Lucia? — patrzył na kobiety, zadowolony ze swojego odkrycia. — Na Wschodzie tak właśnie się przedstawia Dyzmę i jest tam popularniejszy niż u nas. Nie wiem czemu — wzruszył ramionami.

— To znaczy? — zaczęła podekscytowana Olka.

— Że chodzi o komin w szkole, nie na plebanii — dokończyła Lukrecja.

— Właśnie to chciałem powiedzieć — przytaknął księżulo z uczuciem wielkiej ulgi. Znów położył ikonę na ławce i podparł się rękami o kolana. Wciąż jeszcze ciężko oddychał.

— Kurde! To czemu my tu jeszcze siedzimy? — Ola krzyknęła i ruszyła do drzwi, a reszta za nią, bo i księdzu nagle sił przybyło. Nawet nie wiadomo, jak znaleźli się na strychu. Schody dudniły pod nimi, a nogi same niosły ich ku rozwiązaniu zagadki. Księdza Zygmunta też. Zadarł sutannę i gnał tuż za kobietami.

— Ale który to komin? — Ola stała pomiędzy kominem z dobudowaną wędzarnią a drugim, nieco mniejszym. — Trzeba przeszukać oba — i natychmiast padła na kolana przy wędzarni. Otworzyła drzwiczki paleniska i niemal weszła do środka. — Cholera! Bez latarki nie da rady — mówiła z głuchym pogłosem.

— Dobra, zaraz przyniosę — Lukrecja zgodziła się zejść z powrotem na dół — ale nie szukajcie beze mnie! — wołała, odwracając się już w stronę zejścia. — Chcę przy tym być. Matko kochana! Jeszcze nigdy nie znalazłam skarbu — mówiła do siebie, zbiegając bokiem po stromych schodach.

W kuchni wpadła prosto na Janusza. Dosłownie. Złapał ją niemal w locie pomiędzy szafką z różnościami, gdzie zwykła się kryć latarka, a pudełkiem z chusteczkami, bo z emocji poczuła już na czole kropelki potu. Cała ta ekscytacja skropliła się i zaczęła spływać cienką strużką, razem z makijażem. Szybko wytłumaczyła Januszowi, o co chodzi, podskakując z emocji, i z latarkami w dłoniach pobiegli na strych. Ola siedziała na podłodze i wyglądała jak kominiarz. Na jej widok zaczęli się śmiać, ale ona wcale się tym nie przejęła.

— Cześć, Janusz, masz latarkę? — spytała bez wstępów.

— Szukamy skarbu.

— Widzę właśnie. O mały włos by mnie ta frajda ominęła, nie darowałbym wam tego — pogroził jej latarką. — Też chcę się pobawić w poszukiwacza skarbu.

— Próbowaliśmy już wczoraj, ale nam się nie powiodło. — Lukrecja machnęła ręką z rezygnacją.

— To co, gdzie szukamy? — zapytał Janusz i zaczął podwijać rękawy koszuli.

— Za kominem! — odpowiedzieli zgodnym chórem, przez co przerwał na chwilę przygotowania i zdziwiony spojrzał na ich pełne napięcia twarze. Popatrzył potem na siedzącą na podłodze Olkę.

— To po co włazłaś do wędzarni? — spytał rozbawiony.

— Bo nie wiemy, czy to czasami nie jest tam, to „za kominem" — odparła rzeczowo, gramoląc się z podłogi — i pamiętaj, że Romek też szukał czegoś w wędzarni — dodała, na co Janusz ze zrozumieniem pokiwał głową.

— No tak, rozumiem. Dobra — klasnął w dłonie i zatarł je zamaszyście. — Wy, dziewczyny, obejrzyjcie tamten komin — powiedział, podając im jedną latarkę — my z księdzem poszukamy przy tym.

Rozdzielił zadania, jak to zapewne robi w swoim policyjnym zespole, i wszyscy zabrali się do roboty. Dziewczyny nie miały czego szukać przy swoim kominie, był z cegły i nie miał żadnych schowków. Obmacały niemal wszystkie fugi, jedna po drugiej. Sprawdzały, czy czasami któraś z cegieł nie jest ruchoma. Na próżno. Obejrzały jeszcze belki stropowe przy kominie i nic.

— Tu nic nie ma. — Lukrecja była bardzo rozczarowana. — Idziemy wam pomóc.

Proboszcz stał z latarką i oświetlał miejsca, w które zapuszczał się Janusz. Dołączyły do nich i zaczęły szukać z drugiej strony. Cegła po cegle, fuga za fugą... do wysokości wyciągniętych rąk obmacały dosłownie wszystko.

— Lucia, chodźcie z tej strony. — Janusz spoglądał gdzieś ponad ich głowami. — Przyniosę drabinę i zajrzymy jeszcze za te belki.

Ksiądz Zygmunt i Ola stali ramię w ramię i oświetlali drewnianą konstrukcję dachu, zaraz za kominem. Na poziomej belce opierał się pionowy wieszak — słupek, na którym wspiera się płatew, czyli najwyższa pozioma część więźby, podtrzymująca krokwie. Od wieszaka ukośnie odchodził krzyżulec, belka podtrzymująca niższą płatew. I w tym właśnie kąciku, między prostopadłym wieszakiem a ukośnym krzyżulcem, księżulo nagle coś oświetlił.

— Dzieci, patrzcie! Tam chyba coś jest — skierował snop światła na komin, do którego dochodziła drewniana konstrukcja dachu. — Ola, poświeć tam.

Janusz już dostawiał drabinę, bo z podłogi wskazywane przez księdza miejsce było niedostępne. Wypatrzyć też je było trudno, jeśli się specjalnie tam nie szukało. Lucia przestępowała z nogi na nogę z podniecenia, sprawiając wrażenie, że zaraz wystartuje w jakimś wyścigu.

— Ja tam wejdę — od razu zdecydował Janusz. — Nie wiadomo, co to jest. Może tylko zdechły nietoperz.

— Nietoperz? Skąd by się tam wziął? — przeraziła się Lukrecja na samą myśl o nich.

— Oj, złociutka, nie wiesz, ile tu nieszczelności — wchodził na drabinę i zagadywał do nich — kura by tu wlazła, a co dopiero taka latająca mysz. Trzymajcie mocno tę drabinę, bo muszę wejść na samą górę.

Olka i Lucia wykonywały polecenie, a proboszcz wciąż oświetlał złączenie belek. Tworzyły kąt ostry i bez trudu można było między nimi coś ukryć.

— Mam — usłyszeli. — Coś mam.

— Matko kochana! Co to jest? Nietoperz?

— Mów, Janusz! Bo mnie tu diabli wezmą. — Ola, nie przejmując się obecnością księdza, już nie panowała nad sobą. Zachowywała się tak, jakby chciała go ściągnąć w dół za nogawkę, ale jeszcze nie mogła go dosięgnąć.

— Już schodzę — sam był bardzo podekscytowany. — Nie trzepcie tak tą drabiną, bo spadnę jak ulęgałka.

Ksiądz Zygmunt zdjął koloratkę i rozpiął górne guziki sutanny. Z przejęcia wciąż świecił latarką w to samo miejsce. Kiedy Janusz był w połowie drabiny, odłożył ją i zaczął wycierać spocone czoło połą sutanny.

— Ale emocje, chyba nie wytrzymam — wzdychał.

— Nic księdzu nie jest? — Olka nieco się zaniepokoiła, puściła drabinę i podeszła do księdza.

— Nie, dziecko, nie… tylko teraz chętnie bym się napił — poklepał ją po policzku. — Ale nie kawy.

— Wiem, wiem — zaśmiała się Ola — głupia nie jestem. Już lecę.

Kiedy Janusz zszedł z drabiny, natychmiast go oblegli. Sam pewnie był bardzo ciekawy, bo nawet sobie nie zażartował z pozostałych, jak to zwykł robić, żeby tylko się trochę pośmiać. Podszedł bliżej światła i położył zawiniątko na jednej dłoni. Drugą powoli rozkładał okurzony materiał.

— Matko kochana, szybciej! — ponaglała go Lukrecja.

Wszyscy wstrzymali oddech. Kiedy Janusz odchylił rąbek materiału, nagle z zawiniątka wysunął się sznur pereł i zawisł na jego dłoni. Aż się wzdrygnęli. Olka myślała, że spadną na podłogę, ale zatrzymały się i dyndały tylko nad deskami. Były bardzo długie. Wreszcie odsłonił zawartość pakunku.

— Ja pierniczę!

— O cholera! — nawet ksiądz zaklął. Nikt z nich nie zwrócił specjalnie na to uwagi, bo dużo ostrzejsze słowa cisnęły im się na usta. Tyle tylko, że dech im zaparło i dopiero po chwili Lukrecja nabrała głośno haust powietrza.

— Jezu! Ale cuda!

— No. — Janusz nic więcej nie był w stanie powiedzieć. Pewnie rozprawiając wcześniej o skarbie, nie spodziewał się tego, co teraz trzymał w garści. — Zejdźmy do kuchni — zarządził.

W parę sekund byli wokół stołu, na którym Janusz pieczołowicie rozłożył zawiniątko.

— Ola, dziecko… nalej — księżulo wycierał pot z czoła.

— Obojętnie czego, byleby miało procenty.

Olka wyjęła z szafki szklaneczki i z blatu kuchennego wprawnym, szybkim ruchem capnęła butelkę metaxy, którą właśnie przywiozła.

— Nie oglądajcie beze mnie! — pokrzykiwała, stukając szklaneczkami i nalewając alkohol. Ręce jej drżały z podniecenia, przez co uderzała butelką o szklaneczki. Z emocji nawet nie usiedli na krzesłach, wciąż stali wokół okrągłego stołu pochyleni nad skarbem i patrzyli, nie dotykając niczego. W końcu Lukrecja wyciągnęła rękę i przegarnęła klejnoty leżące na kupce. Ich oczom ukazała się niewiarygodnej urody biżuteria. Olka szybko podała szklaneczki, swoją odstawiła na bok. Potem trąciła dłonią olbrzymią broszkę wysadzaną czerwonymi kamieniami i natychmiast ją cofnęła.

— To prawdziwe? — spojrzała na Janusza. On pierwszy klapnął ciężko na krzesło i spojrzał na drzwi.

— Lucia, lepiej je zamknij.

Ta szybko doskoczyła do otwartych na oścież drzwi i zamknęła je na zasuwę. Ręce jej się trzęsły i serce podskakiwało. Nie wiadomo już, co bardziej w niej dygotało.

— Janusz, powiedz... to prawdziwe? — Olka aż zbladła i dopiero teraz zaczęła szukać odstawionej wcześniej kryształowej szklaneczki.

— Myślę, że tak — westchnął. — Boję się nawet myśleć, jakie to cenne.

Wtedy zaczęli przeglądać zawartość zawiniątka. Oprócz sznura pereł i rubinowej broszy było jeszcze kilka pierścionków, a raczej pierścieni, bo kamienie w nich były ogromne. Piękna kolia wysadzana przezroczystymi kamieniami, Lukrecja nawet bała się pomyśleć, że mogą to być brylanty. Bransoleta wysadzana... chyba szafirami, kilka par kolczyków z kamieniami i dwie szpile, z łepkami wielkości orzechów laskowych ze szmaragdem i jakimś błękitnym kamieniem... tego już nie potrafili rozpoznać.

— Ile to może być warte? — Olka dzięki trunkowi odzyskała trzeźwość umysłu i mieszała teraz brudnym palcem w szklaneczce, nie zważając na pływające w niej sadze.

— Dużo — Janusz wciąż miał zafrasowaną minę — bardzo dużo.

— To dlaczego się tak martwisz. — Olka spojrzała na niego zdziwiona. — To chyba dobrze, nie?

Janusz powoli uniósł głowę, spojrzał na Olkę, potem na księdza, a na końcu na Lukrecję. Lucia podniosła na niego oczy, jakby poczuła jego spojrzenie. Janusz westchnął i uśmiechnął się smutno.

— Bo trzeba będzie to oddać — powiedziała w końcu głucho Lukrecja i zabrzmiało to jak wyrok. Usiadła bezwładnie na krześle, aż jęknęło pod nią.

— No właśnie. — Janusz znów spojrzał na nią i wyraźnie było widać, że mu ulżyło. Pewnie myślał, że nie będzie chciała tego zwrócić właścicielowi i znajdzie się między młotem a kowadłem. Bał się jej reakcji, bo to niezręczna sytuacja dla policjanta, oj, niezręczna.

— Nie! — Ola krzyknęła głośno i szybko odstawiła swoją szklaneczkę. — Serio? — nakryła dłońmi stosik kosztowności, jakby nie chciała oddać znaleziska. W oczach miała niepokój i przerażenie. Jak małe dziecko, które nie chce się podzielić słodyczami.

— Ola, dziecko… to pochodzi z kradzieży — ksiądz też był niepocieszony. — Raczej… trzeba to oddać. To jest czyjaś własność.

— Ale znalazła to w swoim domu. — Ola nie odpuszczała. — To chyba powinno być Luci.

— To rzeczy skradzione. Nie oddając tego, stajesz się paserem — spokojnie tłumaczył jej Janusz. — Do tego wiemy, że zdobyto to przez rozbój… tak myślę, skoro złodziej miał ranę postrzałową. A to już przestępstwo.

— Cholera! To niesprawiedliwe! — denerwowała się. Zabrała dłonie ze stołu i ciężko usiadła na krześle. — Przydałyby ci się pieniądze. Ty potrzebujesz ich najbardziej — patrzyła na przyjaciółkę z troską w oczach.

— Kto dziś nie potrzebuje pieniędzy — ze smutkiem stwierdziła Lukrecja, bo czuła, że fortuna przechodzi jej koło nosa.

Siedzieli wokół stołu, popijali metaxę i w ciszy podziwiali porozkładane na materiale kosztowności. W tej chwili każde z nich myślało o czymś innym. Lukrecja już sobie wyobrażała, jak oddaje dzieciom pieniądze i gruntownie remontuje dom. Marzyła jej się nowa łazienka, kuchnia, nowe meble do salonu, który w obecnym stanie nie jest godzien tego miana. Podwórko też chętnie by zmieniła. I płot. „Matko kochana, czemu to nie jest moje?" — pomyślała. Ksiądz Zygmunt myślał o remoncie pięknej ambony, której konserwator zabytków nie pozwolił odnowić własnym sumptem. A fachowiec artysta nie mieści się w proboszczowym budżecie. Ola w myślach kończyła remonty w domu i obejściu Luci i wybierała jej nowe auto, bo dwa dni temu musiała ją pchać spod domu. Stary opel odmówił współpracy. Tylko Janusz spokojnie czekał, aż nacieszą się dość ulotnym bogactwem.

— Co robimy? — zapytał wreszcie, spoglądając na Lukrecję.

— To, co trzeba — poddała się. Czuła, że inaczej nie można. To ogromny majątek, ale przecież należał do kogoś innego i ten ktoś go stracił. Nie chciała przykładać ręki do cudzego nieszczęścia, czyjaś krzywda nie przyniosłaby jej radości.

— Dobra, zajmę się tym. Ale póki co, weźcie aparat, wszystko dokładnie obfotografujcie i spiszcie — powoli wstawał od stołu. — Lucia, może się okazać, że ta uczciwość bardzo ci się opłaci.

— Pocieszasz mnie tylko — starała się ukryć rozczarowanie, słabo się jednak maskowała.

— Nie, złociutka. Jeśli któreś z tych przedmiotów znalazło się w rejestrze rzeczy utraconych, to dotarcie do prawowitego właściciela lub jego spadkobierców nie będzie trudne. Zresztą wkrótce możemy się upewnić co do tożsamości twojego gościa i wtedy szybciutko znajdziemy właścicieli.

— I co? — Olka nagle bardzo się tym zainteresowała.

— Właściciel musi ci wypłacić dziesięć procent znaleźnego, a biorąc pod uwagę, że to nie są szkiełka... — głośno nabrał haust powietrza i dodał pogodnym tonem: — No, złociutka, brakiem pracy już się nie będziesz musiała przejmować. — Minę miał zadowoloną, ale to Lukrecji jakoś nie przekonywało.

— A jeśli nie będzie chciał mi zapłacić? — wciąż się martwiła.

— Nie ma takiej opcji. Jeśli przy oddaniu tego policji w depozyt zgłosisz roszczenie... a zgłosisz — podkreślił zdecydowanie — to wypłata jest obligatoryjna — uspokajał ją.

— A jeśli nie znajdzie się właściciel? — drążyła dalej.

— To po dwóch latach przechodzi to na skarb państwa, niestety — westchnął.

— Tak za darmo!? — Ola wciąż się buntowała. Gotowa była walczyć o prawa Lukrecji do znaleźnego z każdym. Nawet z nią samą.

— Niezupełnie za darmo, ale to już, niestety, nie są takie pieniądze.

— Cholera! Wiedziałam, że to niesprawiedliwe! — Olka dolała sobie do szklaneczki. — Lepiej nikomu o tym nie mówić. Wyjmować po kamieniu i sprzedawać po trochu — miała już gotowy plan i w miarę dolewanej do szklanki metaxy coraz bardziej odważny.

— I cały czas się bać, że w końcu się wyda? — Lukrecja nie była aż tak zdeterminowana. — Tak to ja nie chcę. To już wolę obejść się smakiem.

— Lucia, nie martw się. — Janusz uśmiechał się ze

spokojem. — Znalezienie właścicieli to tylko kwestia czasu. I to całkiem niedługiego — dodał, mrugając do niej.

Proboszcz nic nie mówił, tylko cały czas przysłuchiwał się tym dywagacjom i drapał się palcem po policzku. Spoglądał to na Janusza, to na Olkę, to na Lukrecję. Potem delikatnie dotknął kosztowności i wreszcie przemówił.

— Myślę, że dziadek Michał też chciałby to oddać — pokiwał głową. — Wtedy nie mógł, ale pewnie liczył na to, że ktoś to w końcu zrobi. Może pochował złodzieja w ogrodzie, żeby sprowadzić do ciebie, Luciu, Janusza? Może to, że Janusz pracuje w policji, ma ci pomóc ten przestępczy czyn przemienić w coś dobrego? — Wziął ją za rękę i swoim zwyczajem zaczął poklepywać. — I Janusz ma tego dopilnować, żeby cię nikt nie oszukał? Kto to wie?

— Nici z mojego planu — pomstowała Ola. — Co za czasy! Teraz nawet policjant, jak łapie złodzieja, to mówi: „stój, jesteś aresztowany, paragraf dziesiąty, przykazanie siódme". By to diabli wzięli! — Oli już chyba mocno szumiało w głowie i nie przejmowała się obecnością dobrodzieja. — Zostaw sobie chociaż ten pierścionek — mówiąc to z rozpaczą w głosie, wzięła do ręki pierścień ze sporym brylantem i podetknęła Luci pod nos. Lukrecja uśmiechała się przez łzy.

— Jeszcze rano nawet mi się nie śniło, że mogę wyjść z długów, i nie snułam planów remontowych, a teraz żałuję, że duże pieniądze przechodzą mi koło nosa — powiedziała cicho i westchnęła.

Nie uszło jednak jej uwagi, w jaki sposób proboszcz wypowiadał się o Januszu. „Czyżby go akceptował? Czyżby akceptował związek, w jakim jesteśmy? Bo w spanie na dziadkowym biurku raczej nie uwierzył" — rozważała, uśmiechając się do swoich myśli. To dla Luci było w tej chwili cenniejsze od znaleźnego. Choć o nowym samochodzie marzyła już od dawna.

O planowaniu w świetle świec, o grzybobraniu
i o tym, dlaczego nauczycielki są takie seksowne

— Marcin… mówię ci, to niesprawiedliwe — jeszcze jadąc do domu z Marcinem, wkurzałam się na samą myśl, że Lukrecja może z tego skarbu nic nie mieć.

— Ty jak zwykle wszystko demonizujesz. Dlaczego zawsze i wszystko tak czarno widzisz? — patrzył na mnie zamiast na drogę. Zawsze tak robił, a ja początkowo martwiłam się, że nie dojedziemy do celu. Mało, że nie patrzył przed siebie, to prawą ręką ściskał moją dłoń. Tak było od pierwszej przejażdżki, kiedy odwoził mnie po pewnym biznesowym spotkaniu do domu. Pamiętam, że w pewnym momencie wziął moją lewą dłoń i pocałował czubek mojego kciuka. Patrzył przy tym na mnie tak, że zrobiło mi się gorąco i o mało nie zemdlałam. Jeszcze nigdy tak się nie czułam. I już nigdy nie wypuścił mojej dłoni. Trzyma ją tak od dwudziestu lat.

— Ja? Czarno? — obruszyłam się. — No, mój drogi… gdybym nie była urodzoną optymistką, to pewnie nie jechalibyśmy teraz razem.

— Pewnie nie. Spałabyś teraz z owieczkami Luci albo drałowała pieszo do miasta — zaśmiał się. Zawsze obracał kota ogonem.

— Nie o tym mówię — wkurzyłam się, choć doskonale wiedziałam, że robi to celowo.

— Przecież wiem — złagodniał. — Jeszcze nic nie jest przesądzone. Mam nieodparte wrażenie, że właściciel szybko się znajdzie. — Marcin zawsze był niepoprawnym optymistą. Oby tym razem miał rację. — Sama pomyśl — spojrzał na mnie z boku — nie szukałabyś takiej fortuny, która należała do twojej rodziny?

Jasne, że szukałabym. Wywróciłabym do góry nogami niebo i piekło… chociaż nie. Do nieba pewnie mnie nie wpuszczą. Ale diabłom nie dałabym wydrzeć sobie fortuny. Dałabym im popalić!

— Pewnie masz rację, jak zwykle. W końcu dopiero co zrobiliśmy zdjęcia tym kosztownościom — oparłam głowę o zagłówek, bo siedzenie w aucie obok Marcina zawsze wprowadzało mnie w błogi stan. I zwykle wtedy zasypiałam. Lubię z nim jeździć, czuję się bezpieczna i mam tę pewność, że nie muszę kontrolować drogi. Przynajmniej nie na tak krótkim odcinku. Teraz to jednak raczej zasługa wrażeń i metaxy. A może tylko wrażeń? Na ten drugi czynnik chyba już się uodporniłam. Przymknęłam oczy.

— No właśnie — zreflektował się nagle. — Po co te zdjęcia?

— Janusz kazał zrobić — odpowiedziałam — ale nie powiedział po co. Przypuszczam, że wie, co robi.

Kiedy dotarliśmy do domu, otworzyłam drzwi na taras i pozapalałam wszystkie lampiony; włączyłam też naszą ulubioną muzykę i nalałam sobie jeszcze odrobinę metaxy. Zrobiło się nastrojowo… może to już ostatni ciepły wieczór. Trzeba korzystać z każdej chwili.

— Co zrobiłabyś z taką kasą? — zapytał, kiedy już rozlokował się na drewnianym fotelu. Wyciągnął nogi i przymknął oczy.

— Nigdy nie stanęłam przed takim... dylematem — uśmiechnęłam się na wspomnienie kosztowności i przez ułamek sekundy poczułam ten niepokój i smutek na wspomnienie czasów, kiedy nie miałam pieniędzy i samotnie zmagałam się z biedą. — Ale na pewno bym sobie poradziła. Wiesz przecież, o czy marzę.

— Wciąż o tym samym? — podpytywał.

— Czy twoje niespełnione marzenia gdzieś ulatują? — przyglądałam mu się przez migoczące płomienie świec. Znałam jego marzenia, nie różniły się zbytnio od moich. — Mnie wciąż śni się ten sam dom na wsi, spokojna praca, która pozwala godnie żyć, grono wiernych przyjaciół...

— A ja?

— No, bardzo śmieszne — syknęłam. — Przez te wszystkie lata nieco zweryfikowałam własne zapędy w kwestii marzeń. Wiesz, że zwykle spełniam swoje marzenia, po to właśnie są. A ty? — spojrzałam na niego ze smutkiem. — O tobie już nie marzę, bo na spełnienie tego marzenia nie mam żadnego wpływu. Nie marzę, bo nic więcej w naszym związku nie mogę zrobić. Tu moje zasoby optymizmu dawno się skończyły.

Nie mówiłam tego z wyrzutem i wcale nie miałam mu tego za złe. Tak widocznie musi być. On będzie marzył o naszym wspólnym życiu i to mu wystarczy. Ja marzenia zamieniam w czyn. Z większym czy mniejszym trudem, ale zawsze podejmuję próbę. Jemu wystarczy tylko marzyć.

— Już nie chcesz być ze mną?

— Przecież jestem — dobrze wiedziałam, o co mu chodzi, ale postanowiłam, że nie będę niczego ułatwiać. Niech się pogimnastykuje.

— Wiesz, że myślę o wspólnym życiu we dwoje — podjął próbę.

— Nie udało ci się przez tyle lat, to teraz coś zmienisz? Daj sobie spokój i nie budź we mnie nadziei, Marcin, nie mam już siły — siadłam okrakiem na końcu leżaka, przygniatając mu nogi. — Niech zostanie, tak jak jest, nie chcę żyć złudzeniami. Już stoję mocno na ziemi.

— Chyba siedzisz — spojrzał wymownie na swoje nogi — i to na moich nogach. — Kiedy chciałam się podnieść, powiedział: — Nie, zostań tak. Lubię czuć cię blisko, nawet tak dosłownie.

I tak ostatnio wyglądały rozmowy o naszej przyszłości. On bardzo chciał… ale tylko chciał. Ja bardzo chciałam… a mówiłam, że mi to wisi. Strategia, kiedy bardzo chciałam i o tym mówiłam, nie sprawdziła się, więc przyszedł czas spróbować innej.

*

Nie mogłam uwierzyć, kiedy Lucia powiedziała mi, że Janusz zabrał kosztowności do depozytu policyjnego. Dopilnował jednak, żeby dopełniła czynności roszczeniowych i zażądała znaleźnego. Trzeba to zrobić możliwie szybko, najlepiej zaraz przy depozycie.

— Nie było ci żal? — dopytywałam. Wciąż miałam przed oczami ten stos klejnotów i liczby określające ich potencjalną wartość. Z bardzo wieloma zerami.

— Pewnie — prychnęła. — Ale całą noc nie spałam, wiedząc, że te rzeczy leżą z nami w łóżku.

— Żartujesz — nie wierzyłam własnym uszom i zaraz próbowałam sobie wyobrazić ich razem i zawiniątko ze skarbem w środku. Do tej pory widywałam jako dokładkę do pary jakieś dziecko, które ładuje się między rodziców, albo basseta mojego syna i jego narzeczonej. On też uwielbia rozciągnąć się w ich łóżku, ale na szczęście rzadko mu na to pozwalają. To jeszcze szczeniak, ale za parę miesięcy mógłby wypchnąć ich z łóżka na swoje posłanie. Ale skarb?

— A coś ty myślała? Że zostawię to w kuchni na stole? — rozłożyła ręce. — Żadne miejsce nie było dość bezpieczne. Myślałam, że zbzikuję.

— Nic ci nie zostawił? — spytałam z nadzieją w głosie.

— No coś ty — oburzyła się i już przez moment myślałam, że jednak coś ocaliła. — Pewnie, że wszystko zabrał.

— Cholera!

— Ale właśnie to mi się w nim podoba. Jest taki praworządny… taki prawy. Imponuje mi tym… i to bardzo. Jak filmowy Brudny Harry — minę miała jak rozmarzona pensjonarka. I nie widziałam nawet cienia żalu po oddanej fortunie. Nawet okiem nie mrugnęła. Ja nie mogłam spać pół nocy, a w łóżku miałam jedynie termofor. Marcin musiał wrócić do żony.

— Lucia! Ale cię wzięło — westchnęłam i z niedowierzaniem pokręciłam głową, choć tak naprawdę cieszyłam się z jej szczęścia, bo że jest szczęśliwa, to było pewne. Tylko szczęściem mogłabym osłodzić sobie utratę takiej kasy. Niczym więcej… nie wystarczyłoby mi nawet morze metaxy.

*

Dni mijały jeden za drugim, kończyło się lato i z każdym upływającym dzionkiem Lukrecja traciła nadzieję na znalezienie upragnionej pracy. Ale nie nudziła się w domu. Jeździła rowerem na grzyby, odwiedzała panią Helenkę, czasami zaglądała też do biblioteki, zwłaszcza że zastępca wójta gdzieś zniknął, a jaśnie panujący bez swego przybocznego był dziwnie wyciszony i niewidoczny.

Ola ostatnio wpadała tylko na zajęcia z dzieciakami, czasami zostawała do wieczora na pogaduchach. Narzekała, że mają teraz masę pracy, ale jeszcze trochę i będzie mogła zwolnić. Żeby nie zagoniła się na śmierć, Lukrecja zabrała ją pewnej niedzieli na grzyby i żałowała tego przez co najmniej dwie godziny. Tyle bowiem zeszło jej na szukaniu przyjaciółki, kiedy się zorientowała, że ta zniknęła. Próbowała ściągnąć ją przez telefon, ale Olka tak się zapodziała, że Lukrecja najpierw musiała zadzwonić po Janusza, a potem szukali jej razem. Napędziła im okropnego strachu, zwłaszcza Lukrecji. Janusz śmiał się, że biada temu, kto wejdzie Oli w drogę, nawet jeśli to będą wilki albo sam Lucyfer.

— Gdybym wiedziała, że aż tak kiepsko orientuje się w terenie, określiłabym jej kierunek według słońca. — Lukrecja tłumaczyła się Januszowi, kiedy przyjechał jej na ratunek.

— A skąd miałabyś pewność, że nagle słońce nie zajdzie? Na złość Oli, rzecz jasna — spytał zupełnie spokojny o jej los. — Albo nie pomyli strony prawej z lewą? Bo o stronach świata pewnie nawet nie ma pojęcia?

— No, trochę się gubi.

— Musimy ją znaleźć, bo Marcin mi nie daruje — śmiał się.

Poszukiwania zaczęli od miejsca, w którym przyjaciółki straciły się z pola widzenia. Chodzili po lesie i nawoływali. Kiedy wreszcie ją znaleźli, daleko od wsi, była bardzo zdziwiona i pytała Lukrecję, gdzie jej tak nagle zniknęła. Obecność Janusza jakoś jej nie zaskoczyła. Chwaliła się, że znalazła świetne miejsce. Drzewa były wysokie, nie żadne tam chaszcze, tylko ściółka bez krzewinek jagodowych i innych badyli.

Lukrecja się zdziwiła, bo rzeczywiście Ola miała cały koszyk grzybów. Ona miała ledwo przykryte dno w koszyku. Potem jeszcze całą drogę marudziła, że Lucia wywlokła ją tak daleko w las i teraz bolą ją nogi.

— To nie wiedziałaś, Lucia, że nie wolno jej spuszczać z oka nawet na większym parkingu? — Marcin śmiał się, kiedy po nią przyjechał. — Gubi drogę, jak tylko się dwukrotnie obróci.

— Ha, ha… bardzo śmieszne. Wcale się nie zgubiłam, tylko znalazłam fajne miejsce — broniła się zajadle. — Ale następnym razem, Lucia, lepiej mnie pilnuj.

Wtedy to Lukrecja postanowiła, że nigdy więcej nie weźmie jej do lasu. No, chyba że wcześniej przywiąże jej zwój sznurka, po którym do niej trafi, albo dzwoneczek, jak swoim owieczkom.

Któregoś przedpołudnia zdarzyło się coś bardziej intrygującego. Kiedy Lukrecja krzątała się po podwórku, a jej inwentarz chodził za nią krok w krok, nagle skrzypnęła furtka. Stanęła jak wryta… zza węgła wyłonił się krykliwy Romek. Szedł zgarbiony i wydawał się przez to jeszcze niższy. Biała koszula i krawat aż raziły zdziwioną bibliotekarkę w oczy, mimo słonecznych okularów. Przesunęła je na włosy, bo nie wierzyła własnym oczom. Owieczki zbytnio się nim nie przejęły, ale rudzielec na jego widok wygiął się łuk, syknął przeraźliwie, pokazując wszystkie zęby (dotąd Lucia nawet nie wiedziała, że je ma), zeskoczył z parapetu i czmychnął do kuchni.

— Dzień dobry pani — dziwnie cicho powiedział Romek i wyjął zza pleców pudełko czekoladek. — Przyszedłem panią przeprosić — patrzył w ziemię, jakby widział tam coś ciekawego. Stał dokładnie w tym miejscu, gdzie leżała sterta gratów ze strychu. — Pani wie, za co.

— Nie wiem — skłamała. — Za co?

— Pani Lukrecjo, pani przecież wie, że to ja byłem na pani podwórku i wziąłem kronikę — stał tak z wyciągniętą bombonierką. — Na strychu też byłem. Przepraszam.

Lukrecja nie wiedziała, co ma zrobić. Przez chwilę zastanawiała się, czy wziąć te czekoladki i pokazać, że to nic nie znaczyło, czy pogonić go z podwórka i poszczuć owcami, bo kotem go nie postraszy, sam zwiał przerażony. Patrzyła na niego i czekała, kiedy podniesie na nią wzrok. Kiedy spojrzał, zrobiło się jej go żal. Nie należał do tych najbardziej lotnych i doskonale wiedziała, że go podle wykorzystano. Ale każdy ma swój rozum, nie musiał tego robić.

— Niech pan siądzie na chwilę, panie Romanie — wzięła z jego rąk czekoladki i wskazała na ławkę. Zdjęła folię z pudełka i otworzyła je.

— O, marcepanowe w gorzkiej czekoladzie — pokiwała głową na znak akceptacji. — Lubię takie.

— Wiem, pytałem księdza — powiedział cicho, co w jego przypadku musiało oznaczać nie lada skrępowanie.

Podsunęła mu pod nos otwarte pudełko, wziął czekoladkę, ale chyba bardziej z grzeczności niż z upodobania do słodyczy. Siedział jak gotowy do ucieczki, jakby ławka parzyła go w siedzenie. „Jednak miło, że przyszedł" — pomyślała. Nigdy nie potrafiła się długo gniewać, szczególnie na kogoś, kto został wykorzystany albo przez kogoś podpuszczony. A że Romek był narzędziem w rękach zastępcy, nie ulegało najmniejszej wątpliwości. No i nie ma się co oszukiwać… od Janusza wiedziała, że bardzo im pomógł wyjaśnić pewne sprawy.

— Już nie pracuje pan w urzędzie? — zupełnie nie wiedziała, o czym ma z nim rozmawiać.

— Wywalili mnie, więc im nie darowałem — odpowiedział.

— Wiem, słyszałam. Ale co panu obiecali za pomoc w tej sprawie?

— Nie miałem pracy, a zastępca powiedział, że dadzą mi robotę konserwatora. Płacili mi najniższą stawkę, ale wie pani — wreszcie podniósł na nią wzrok — nikt z mojej rodziny nie pracował w urzędzie, a ja mogłem.

„Też mi nobilitacja — pomyślała. — Ale dla kogoś, kto kiepsko skończył podstawówkę i nigdy nie pracował na etacie, to rzeczywiście mogło być coś". Kątem oka patrzyła na niego, jak trzyma tę czekoladkę w dłoni i nie bardzo wie, co z nią zrobić. Więc mówił dalej:

— Nie powiedział mi, co może być w tej kronice, mówił, że chce poznać historię wsi i gminy, a w takich kronikach zwykle jest dużo wiadomości z przeszłości.

— I miał rację, tylko mógł normalnie o nią poprosić — zauważyła.

— Powiedział, że pani się nie zgodzi, bo zwolnili panią z pracy i chcieli wykurzyć z domu. „Mówi chyba szczerze, bo nie chowa rąk do kieszeni. — Lukrecja notowała w myślach. — Może przez tego cukierka w dłoni?"

— No i pewnie tak by właśnie było. Tę kronikę pisał też mój dziadek i najpierw sama chciałabym ją przeczytać. A tak brakuje kilku stron i nie wiemy, co się wydarzyło.

— Nic — machnął ręką — dlatego kazał mi poszukać drugiej części, myślał, że nadal jest na strychu. Nie znalazłem.

— Ale strachu nam pan napędził — uśmiechnęła się na wspomnienie teraz już zabawnej dla niej sytuacji, kiedy wraz z Olą, uzbrojone w przybory kuchenne, wybierały się na strych. Jednak wtedy, kiedy w środku nocy dobiegły je hałasy ze strychu, nie było im do śmiechu.

— Przepraszam — wymamrotał. — Pójdę już — wstał z ławki i dodał: — Jakby miała pani coś do naprawy, to proszę dać mi znać, naprawię — skierował się do furtki i jeszcze się obrócił. — I przepraszam za kota. Wiem, że pani bardzo go lubi. Do widzenia.

— Do widzenia, panie Romanie.

Kiedy już skrzypnęła furtka, z kuchni wyszło rude nieszczęście. Kot musiał się nieźle wystraszyć wrzaskliwego Romka, bo nawet na swoim parapecie nie czuł się bezpiecznie. Powoli podszedł do Lukrecji i zaczął łasić się do jej nóg. — No, coś takiego! — oburzyła się. — A pójdziesz mi, ty paskudo! — tupnęła na niego nogą. Odskoczył i mijając dużym łukiem pieniek z siekierą, wskoczył znów na parapet. Lukrecja posiedziała jeszcze chwilę na ławce i zastanawiała się, czy Romek przyszedł z własnej woli, czy podpowiedział mu to Janusz, czy może to zadana przez księdza pokuta. Bo że był u niego, to już wiedziała, wygadał się przy czekoladkach. „Ciekawe, jaką mnie ksiądz zada pokutę... już nawet nie chcę myśleć, kogo mi będzie kazał przepraszać. I czekoladki tu pewnie niewiele pomogą" — martwiła się.

*

— Matko kochana, Olka. — Lukrecja wyskoczyła przed dom, gdy tylko zobaczyła jej czarne auto. Przeglądała obrazki Zuzi i nie mogła się doczekać, kiedy koleżanka wreszcie przyjedzie.

— Co się stało? — Ola zaczęła wyjmować z bagażnika jakieś listwy i pudło z farbami. — Trzymaj to — podała jej drewniane „coś" i zdawała się nie zwracać uwagi na podekscytowanie gospodyni. — Trzymaj, trzymaj! To ramy do malowania na jedwabiu. Tylko musiałam je rozkręcić. Obiecałam dzieciom pokazać, jak to się robi. I mów, coś tak wyskoczyła jak kukułka z zegara.

— Ola! Dzwonili do mnie z jednego wydawnictwa. — Lucia aż się trzęsła z emocji. — Chcą wydać moją książeczkę... z rysunkami Zuzi.

— Jasne, są świetne — wcale się nie zdziwiła, podparła się na złożonych ramach, jakby wspierała się na lasce, i rzuciła Lukrecji pełne pewności spojrzenie. — Wiedziałam, że to tylko kwestia czasu. Mówiłaś już małej?

— Nie, dzwonili przed południem, potem piekłam placki — wyliczała.

— Placki? — zdziwiła się Ola.

— Tak na wszelki wypadek. Przecież dziś Święto Edukacji Narodowej — przypomniała jej. — Gdyby dzieci przyszły z kwiatkami, głupio by było tak niczym ich nie podjąć.

— Cholera! Zapomniałam. Jak to łatwo można zapomnieć, mimo takiej traumy — westchnęła, kręcąc głową z niedowierzaniem. Wypakowała resztę przyborów i wręczyła przyjaciółce pozostałe ramy. Sama wzięła karton z farbami, pędzlami i resztą rzeczy.

— Aż tak źle było?

— Nie, skąd... tylko żartowałam — zaśmiała się — ale do szkoły już nie wrócę — dodała zdecydowanie.

Lukrecja się nie myliła. Dzieci przyszły z kwiatkami i z tortem. I choć Olka mówiła o ciężkich przeżyciach w gimnazjum, jej byłym miejscu pracy, to oczy jej się zaszkliły, kiedy co rusz któreś z dzieci, dając kwiatki, wieszało się jej na szyi. Tort podzieliły na kawałki, do tego blacha placka, dzbanek herbaty i cola (o zgrozo!) i uczta była jak się patrzy. Malowanie ograniczyły do minimum. Nie dało się inaczej, bo kiedy tylko Zuzia usłyszała o książce, było po malowaniu. Już nikomu nie dała spokoju. Inne dzieci trochę jej zazdrościły, więc Olka obiecała, że kiedy opanują sztukę malowania na jedwabiu, a według niej nie jest to trudne, to wspólnie namalują obrazki do książki, którą napisze Lukrecja. — A pewnie!

— Lukrecję ucieszył ten pomysł. — Trzeba iść za ciosem.

— Wiesz, już zapomniałam, jak to czasami fajnie jest pracować z dziećmi. — Olka głęboko westchnęła i klapnęła na krzesło w kuchni, kiedy dzieci rozeszły się do domów.

— Rozumiesz mnie więc. — Lucia postawiła na kuchennym stole kubki z kawą i dosiadła się do Olki. — Ja mam to we krwi i nic na to nie poradzę.

— Tak mówisz, bo wiesz, że nauczycielki to najseksowniejsze kobiety na świecie — zerkała znad kubka z kawą.

— Zawsze mówiłaś, że najnudniejsze. — Lucia przypomniała jej własne słowa. — Zmieniłaś zdanie?

— Jedno nie wyklucza drugiego. Nauczycielka ma klasę, okres tylko dwa razy w roku i pieprzy przez czterdzieści pięć minut — mówiła rozbawiona. — Kolega ze szkoły przysłał mi dziś takiego maila — siorbnęła kawę — teraz już wiem dlaczego.

Janusz właśnie wszedł do kuchni i usłyszał ich rozmowę. Zdjął marynarkę, powiesił na krześle i nalał sobie coli.

— A wiecie, co mnie dziś spotkało? Koło komendy podbiegli do mnie dwaj chłopcy i wołali jak nakręceni, że ich nauczyciel i że za rogiem. Strasznie prosili, żeby tam zaraz pójść. Pytam, co się stało, czy ktoś go napadł, a oni na to, że nie, ale źle zaparkował.

— Serio? — Ola zrobiła wielkie oczy.

— Nie, to był kawał. Ale podobał mi się — sam się roześmiał, chyba bardziej z reakcji Oli niż ze swojego dowcipu.

— Jasne — syknęła — bo oddaje uczucia dzieci do nauczycieli.

— Nie jest chyba aż tak źle? — Lukrecja znów próbowała łagodzić jej żal.

— Przecież wiem. Do szkoły chodzą jak do toalety — przyjaciółka spojrzała na nią w oczekiwaniu — bo muszą. Zresztą — machnęła ręką — ze mną w ostatnich tygodniach pracy było podobnie.

— Nie chce mi się wierzyć! — Janusz wyprostował się na krześle. — Taki radosny dzień, a wy tak smęcicie. Dzieci z tortem, kwiaty, wiadomość o książce, a ja mam coś jeszcze.

— Co? — Lucię zaintrygowała jego mina.

— Znaleźli się właściciele kosztowności — mówił to powoli i patrzył, jak się zmienia twarz Lukrecji. — Jeszcze nie wszystkich, ale większej części — oznajmił jak gdyby nigdy nic, a Lucia promieniała.

— I dopiero teraz to mówisz? — Olka poderwała się z krzesła. Zupełnie jakby to ona miała mieć z tego profity. Wstała i zaczęła chodzić po kuchni. — Opowiadaj!

— Co tu opowiadać. Znaleźliśmy tę rubinową broszę w rejestrze rzeczy utraconych i skontaktowaliśmy się z policją w Stanach Zjednoczonych, bo tam zaprowadził nas rejestr, a oni z właścicielem. Podejrzewamy też, kim był ów lwowiak, co znacznie nam ułatwiło dotarcie do poszkodowanych. Właściciel broszy opisał też kilka innych rzeczy, których nie było w rejestrze, ale były w zawiniątku. Pozostałych poszkodowanych jeszcze szukamy.

— I co teraz? — Lucia zaczęła się niecierpliwić. Przebierała palcami, trzymając w dłoniach kubek po kawie.

— Teraz, złociutka — zabrał jej kubek, odstawił, wziął

ją za ręce i pocałował w obie po kolei — będziesz bogata...
i chyba zacznę się do ciebie zalecać.

— To do tej pory co robiłeś? — Ola stanęła na środku
kuchni, podparła się pod boki i przekrzywiła zaczepnie głowę.
Nie usłyszała odpowiedzi, Janusz zrobił tylko bardzo wymow-
ną minę i przewrócił oczami. Ola parsknęła śmiechem.

— Ile może być tej kasy? — to najbardziej Lucię teraz in-
teresowało, bo nie lubiła mieć długów. Dotąd nie przywiązy-
wała dużej wagi do dóbr materialnych, ale stabilizacja, jaką
dotąd osiągnęła, nie wyzwalała w niej żadnych niepokojących
emocji. W momencie utraty pracy zachwiał się w posadach
cały jej świat. I wtedy okazało się, że pieniądze jednak są w życiu bardzo potrzebne.

— Nie wiem dokładnie, ale myślę, że dużo — uśmiechnął
się pod nosem. — Bardzo dużo.

Po tej radosnej informacji Olka zaczęła zbierać się do
domu. Lucia bardzo żałowała, że koleżanka nie chciała dziś
z nią posiedzieć i napić się — ot, cała prawda — a ona musiała... koniecznie! Kiedy Ola pojechała do domu, Lukrecja
rozpaliła ogień w kominku w swoim dawnym pokoju, gdyż
stwierdziła, że w końcu trzeba spalić papiery, których do kubła wyrzucać się nie powinno, po czym siadła w wysłużonym
fotelu i zatopiła się w marzeniach. Nie wiedziała, z czego się
bardziej cieszyć, z książeczki Zuzki, z końca kłopotów finan-
sowych czy z upadku gminnych władz. Bo tego akurat była
pewna dzięki informacjom od Janusza. Jej ukochany czytał
coś czy może szukał czegoś w Internecie, w gabinecie dziadka Michała, pozwalając jej pobujać w obłokach. I choć Olka
zawsze uważała, że u facetów najbardziej cenionymi zdolno-
ściami są zdolności płatnicze, to zdolności śledcze Janusza
bardzo się teraz przydały. „Fajnie mieć gliniarza przy boku

— pomyślała, zerkając na przewieszoną przez oparcie krzesła skórzaną marynarkę Janusza — i to nie tylko dla samego bezpieczeństwa, ale i dla innych atrakcji — zaśmiała się zawstydzona własnymi myślami. — Matko kochana! Muszę zmienić spowiednika, przecież naszego staruszka na taki wstrząs nie narażę".

O pikiecie, o żółtym ortalionie i o zakładach bukmacherskich

Lucia wpadła w sam środek zawieruchy i choć cały czas powtarzała, że sprawy związane z poczynaniami władz gminnych już zupełnie jej nie obchodzą, to coraz bardziej nakręcała się każdą napływającą do niej informacją. Co rusz odbierała jakiś telefon z nowiną w tej sprawie.

— Oj, Lucia, ty teraz masz tu centrum dowodzenia — zaśmiałam się, kiedy przy poobiedniej kawie odebrała już kolejny telefon.

— No coś ty. W ogóle mnie to nie obchodzi — zarzekała się z miną pokerzysty.

— Widzę właśnie.

— Wiesz, może jestem paskudna, ale im gorzej wiedzie się wójtowi, tym ja czuję się lepiej. Zastępca go opuścił, nie wiadomo, gdzie się podział, a ten bez niego jest zupełnie bezradny — mówiła z satysfakcją. — Dzwoniła do mnie koleżanka, że planują pikietę pod urzędem i rozpoczęto zbiórkę podpisów pod wnioskiem o referendum w sprawie odwołania władz gminnych. Może jednak coś z tego będzie?

— Przecież cię to nie obchodzi — przypomniałam jej.

— Nie mogę jednak zupełnie stać z boku — obruszyła się.

— To co? Wybierasz się pokrzyczeć? — rzuciłam raczej retoryczne pytanie.

— Nie... no co ty! — jednak w jej słowach wyczułam wahanie. Nie przyzna się do swoich uczuć, nawet przede mną. Albo raczej nie przyznaje się do nich nawet przed sobą. Emocje są jednak wszechogarniające, sterują naszym życiem i pragnieniami, nie ma sensu ich ukrywać. Nie da się... ja to wiem najlepiej.

Po południu, jeszcze przed zajęciami z dziećmi, do kuchni wszedł Janusz, jakoś dziwnie zadowolony. Pokręcił się po kuchni, ale nie zabierał się do jedzenia, chociaż był po pracy.

— Nie jesteś głodny? — Lucia spojrzała na niego z troską w oczach.

— Może i jestem. Ale muszę ci najpierw coś powiedzieć — odsunął krzesło i usiadł ciężko, jakby był bardzo zmęczony po dniu pracy. — Musiałem wziąć list twojego dziadka, żeby sprawę wyjaśnić do końca. Nikt już nie będzie snuł głupich domysłów na temat Pana Porzeczkowego. Już wiemy, kim był. Bo wiecie, dziewczyny, brak dowodów nie jest jeszcze dowodem na ich brak.

— Co takiego? — teraz ja nic nie zrozumiałam. Zdawało mi się, że to jakiś bełkot.

— Eee, nic. To taka maksyma dochodzeniowców kryminalnych — spojrzał na mnie z rezygnacją. — Ta zagadka jest już wyjaśniona — pogłaskał rudzielca, który nagle zjawił się u jego stóp. — Złociutka... i mamy już prawie wszystkich właścicieli twojego skarbu.

Oczy Luci robiły się coraz bardziej okrągłe i na policzki wypływały jej rumieńce, powoli odsunęła krzesło i wolno się na nie osuwała, nawet nie przepędziła kociska, które w sposób jawny i bezceremonialny zdradzało swoją karmicielkę, łasząc się do Janusza.

— I co teraz?

— Jak to co, mówiłem ci przecież, że będziesz bogata, i okazuje się, że bardziej, niż przypuszczałem — cały czas czochrał po łepku rude kocisko.

— Kiedy? — zapytałam już za nią i tylko z czystej troski, nie z ciekawości.

— Już wkrótce — odpowiedział i zwrócił się do oniemiałej Lukrecji. — Możesz, Luciu, planować inwestycje. Szeroko zakrojone — patrzył na nią z pewną obawą w oczach — bo nawet nie zdawałem sobie sprawy, jak wielkie to będą pieniądze.

Zastanowiła mnie przez moment ta troska w jego spojrzeniu. Czy bał się, że Lucia zwariuje od nadmiaru forsy, czy może obawiał się o swoje przy niej miejsce... Jeśli po głowie kołatała mu się ta druga obawa, to chyba nie wie jeszcze, co Lukrecja do niego czuje. Ja raczej martwiłabym się o to pierwsze.

Tego dnia już nic do Luci nie docierało. Nawet na zajęciach zdawała się nieobecna duchem. Jeszcze kręciła się między dziećmi, ale już była jakby nie z tej planety. Rozmawiała z Januszem o tym, że skoro ksiądz miał udział w tym poszukiwaniu, to i jemu coś się należy. To jednak zależało tylko od jej woli. Znając jednak Lucię, jej podejście do Kościoła i szacunek do swojego plebana, byłam pewna, że odda mu część znaleźnego. Pewnie w nadziei, że uzyska odpust zupełny czy coś tam. A ponieważ miała świadomość, co narozrabiała do tej pory, kwota będzie pokaźna. Pewnie też pomyśli o przyszłości i przeliczy, że rozsądniej będzie załatwić to ryczałtem. Bo w końcu ma spore zaległości i duży apetyt, żeby je nadrobić.

Życie w starej szkole zaczęło przypominać sielankę. Janusz wyjeżdżał do pracy, potem wracał z zakupami, Lucia w tym czasie zbierała warzywa w ogródku i upychała je do słoików. Na grzyby już więcej mnie nie zabrała, zupełnie nie rozumiem dlaczego. Przecież znalazłam świetne miejsce. Ale sama chodziła i czasami obdarowywała mnie sporym koszykiem. Dwa razy w tygodniu szalałyśmy z dziećmi, nie zawsze przy książkach czy przy malowaniu. Ostatnio nawet smażyłyśmy powidła. To dopiero była frajda, a zapach, jaki rozchodził się po domu, był po prostu boski. Tak pewnie pachnie w przedsionku raju, o czym przypuszczalnie się nie przekonam. Chłonę więc ten zapach teraz, na tym ziemskim padole.

— Idziesz jutro na pikietę? — spytałam Lucię, kiedy wróciła z piwnicy, odnosząc ostatni kosz z powidłami.

— Coś ty! Nie chcę widzieć tych… tych… dupków — trudno przechodziło jej to przez gardło.

— Dupka — poprawiłam. — Jednego już nie ma od kilku dni.

— Obojętnie, czy jest pojedynczy, czy dubeltowy — z rozmachem postawiła wiklinowy koszyk za drzwiami — obu mam tak samo dość.

— Ale może być niezła jazda. Nie jesteś ciekawa? — nie chciało mi się wierzyć, że taka akcja może się odbyć bez niej. Po liczbie telefonów widziałam, że mieszkańcy bardzo ją szanowali i współczuli utraty pracy. Wiedzieli już też o odnalezionym skarbie i podziwiali Lucię za jego zwrot. Choć niektórzy stukali się palcem w czoło i twierdzili, że po tym wszystkim, co przeszła, należy jej się rekompensata. O znaleźnym nikomu nie mówiła. I słusznie. Czego oczy nie widzą, tego sercu nie żal. A nie wszyscy przełknęliby spokojnie taką wiadomość. Planowana pikieta pod urzędem podzieliła mieszkańców na trzy grupy. Najliczniejszą, która zapewne jutro stawi się pod budynkiem urzędu, mniej liczną, obojętną na ruchy rewolucyjne w gminie, i tą najmniejszą, w której jeszcze nieliczni krzykacze próbowali na portalach wypisywać pieśni pochwalne ku czci jaśnie panującego. Jednak po liczbie popełnianych błędów i ubogim słownictwie nietrudno było się domyślić, że jest to bardzo mała grupa wciąż tych samych pseudopisarzy. Tylko tyle im zostało, bo pokazanie się ludziom na oczy wymagało już zbyt dużej, jak na nich, odwagi. We wsi przyjmowane były zakłady, czy najpierw wójta posadzą, czy może wywalą z urzędu. Wpadłam na pomysł, żeby na ten czas uruchomić biuro bukmacherskie, bo można na tym nieźle zarobić. Podeszłam do tego dość poważnie, co rozśmieszyło Marcina, ale Janusz, który nie znał mnie jeszcze tak dobrze, lekko spanikował i kategorycznie nam tego zabronił. Szkoda, bo zainteresowanie było ogromne.

*

Nadszedł wielki dzień. Mieszkańcy wybierali się do urzędu z zamiarem złożenia wniosku o referendum. Oj, będzie gorąco. Lukrecja nie chciała czekać do godziny zero, więc w swoim żółtym ortalionie wskoczyła na rower i udała się do biblioteki, żeby zdążyć wrócić przed zapowiadaną pikietą.

— Przyjechałaś na pikietę? — przywitała ją przejęta Beata.

Nadal pracowała w pojedynkę, ale zbytnio się tym nie przejmowała. I choć już uwolniono jej nogę z gipsu, wciąż trzymała ją na krześle.

— Nie, coś ty! Wcale mnie to nie kręci. — Lukrecja udawała obojętność.

— Akurat ci uwierzę. Ja już nie mogę się doczekać. Siadaj — wskazała jej krzesło dla gości — zrobię ci kawę.

Poszła na zaplecze. Lukrecja siedziała na miejscu dla gości i czuła się w bibliotece jak gość. Jakby coś w jej życiu się zmieniło i przepadło bezpowrotnie. Widok regałów z książkami wciąż wzbudzał w niej tęsknotę i dziwne drżenie w okolicach żołądka. — To już nie moja biblioteka — pomyślała. — Teraz siedzę po drugiej stronie.

— Jak ci się teraz pracuje? — spytała Beatę z nadzieją, że wspomni dobre wspólne chwile.

— Dobrze, bo jestem tu sama, źle… bo bez ciebie. Wiesz, co mam na myśli. — Lukrecji ulżyło. Uśmiechnęła się na samo wspomnienie o tym, jak dobrze się z Beatą pracowało. Czasami nie musiały nic mówić, rozumiały się bez słów. A czasem nie rozmawiały wcale, bo nie musiały się porozumiewać, a gadać im się zwyczajnie nie chciało.

— To może nowe władze pozwolą ci kogoś zatrudnić? — spytała z nadzieją w głosie.

— Jasne, etat wciąż jest wolny. — Beata sypała już trzecią łyżeczkę cukru do kawy. — Twój etat, Lucia. I wiesz, że czeka na ciebie.

— Teraz ty jesteś tu szefową — uśmiechnęła się smutno.

— Nie, kochana, tylko czasowo. Jak tylko wójt wyleci, wracaj — powiedziała tonem nieznoszącym sprzeciwu. — Ja tylko pilnuję ci interesu.

— A wyleci?

— Obstawiłam, że jeszcze dziś — zrobiła chytrą minę.

— Żartujesz. — Lukrecja nie wierzyła, że to ta sama Beata. Czy odpowiedzialność za bibliotekę, nowa ważna funkcja i nowe zadania, mogły aż tak zmienić nieco zagubioną Beatkę? Widać… tak.

— Ani trochę. Postawiłam stówę.

Lukrecji miło było ze świadomością, że jest szansa powrotu do ukochanej biblioteki. Ale czy na pewno jeszcze tego chce, po tych wszystkich przejściach? Sama nie wiedziała. Siedziały sobie jak za dawnych czasów i gawędziły o książkach, o nowościach wydawniczych, o Zuzce i o zwykłych sprawach. Nawet nie wiadomo, jak szybko upłynął czas, i kiedy Lukrecja chciała wychodzić, przed urzędem zaczął się gromadzić tłum. Nie schodzili się pojedynczo, nawet nie wiadomo, jak to się stało, że w kilka chwil mały parking przed budynkiem był pełen.

— Nie wyjdę teraz — zdecydowała.

— Pewnie, że nie — zgodziła się szybko Beata. — Ominęłoby cię najlepsze. Chodź, otworzymy okno w czytelni, będziemy miały widok jak z loży dla VIP-ów.

Lukrecja znów była zaskoczona. Zupełnie nie poznawała swojej współpracownicy. Zawsze była pełna wigoru, ale nie tak odważna. Bała się władz i wolała ustąpić niż wchodzić w konflikt ze zwierzchnikiem. Teraz pociągnęła ją do okna i postawiła obok siebie. Centralnie, na widoku. Przed zebrany tłum wystąpił przewodniczący grupy inicjatywnej referendum i głośno, przez tubę odczytał wniosek. Nie musiał jej używać, panowała cisza i skupienie, kiedy czytał punkt po punkcie. Potem rozległy się owacje. Ale wójt do nich nie wyszedł. Tłum zaczął skandować: „Gdzie-masz-honor, wyjdź-do-ludzi!". I nic. Przewodniczący wszedł do urzędu i zaniósł wniosek. Kiedy wyszedł sam, tłum wołał: „Miej-od-wagę, wyjdź-do-ludzi!" — i nadal nic.

Nagle w tłumie Lukrecja zobaczyła Marylkę… bez miotły. Rzadki to widok. Stała z innymi i skandowała. Beata miała coraz większe wypieki i zaczął się jej udzielać entuzjazm tłumu. Zaczęła krzyczeć z innymi. Kilkanaście głów zwróciło się w stronę okna biblioteki i nagle Marylka zaczęła krzyczeć: „Lu-cia-wracaj, Lu-cia-wracaj!", a zgromadzeni ludzie poszli w jej ślady. Lukrecja stała w oknie i łzy napływały jej do oczu, a tłum wołał: „Lu-cia-wracaj!".

I nagle w drzwiach urzędu stanął wójt. Tłum nie przestawał skandować i zdawał się nie zwracać na niego uwagi. Spojrzał w okno czytelni i rzucił Lukrecji wrogie spojrzenie. Stała w żółtym ortalionie, z wysoko podniesioną głową, z przyjaciółką u boku.

— Wójt-do-domu, wójt-do-domu! — zaczęto krzyczeć za wsiadającym szybko do auta włodarzem. Kiedy ruszył, tłum się rozstąpił i pozwolono mu odjechać. Na zawsze. Pomyśleć by można, że zwolnienie kierowniczki biblioteki wyszło mu bokiem i odbiło się rykoszetem, trafiając jeszcze jego zastępcę. O nim już bowiem wszelki słuch zaginął. Tego dnia Beata i Marylka zgarnęły prawie całą pulę z zakładów, zarobiły naprawdę niezłe pieniądze. I wydawać się mogło, że pewność o przebiegu gminnych wydarzeń zdobyły na podstawie czujnych obserwacji z okna czytelni i spojrzeń rzucanych znad miotły. Okazuje się więc, że zarówno otwieranie okna, niekoniecznie na ekranie monitora komputera, jak i zamiatanie ulicy może być bardzo intratnym zajęciem. I pouczającym.

Coś na zakończenie

Lukrecja siedziała przy biurku i wpatrywała się w ekran laptopa. Ostatnie miesiące swojego życia przeżyła bardzo intensywnie. Były chwile, kiedy myślała, że wszystkie te wydarzenia warte były zapisania, jak zrobił to niegdyś jej dziadek Michał. Jego kronika leżała teraz przed nią i co chwilę do niej zerkała. Może warto uwiecznić czasy współczesne dla potomnych? Może warto dopisać dalszą część dziadkowej historii? I choć kronika nie wyjaśniała wszystkiego, bo o zdjęciach pięknych kobiet nie było tam ani słowa, to przecież każdy ma swoje tajemnice, o których nie chce pisać. Jak ona. Teraz za jej plecami leżał rudzielec, któremu wreszcie nadała imię, i mruczał cicho, ogrzewając jej korzonki. Ola stanęła w drzwiach pokoju, podparła się pod boki i zrobiła zdziwioną minę. Potem podeszła do biurka i zaczęła gładzić dłonią rzeźbione liście akantu. Nie potrafiła spokojnie przejść obok starego mebla.

— Mówiłaś, że nie lubisz rudzielca — wskazała ręką na ogon, zawinięty wokół górnej części Lucinego uda — i że będzie ci grzał korzonki.

— No i grzeje — przytaknęła Lucia i dotknęła końcówki kociej kity. — Ale sprawdziłam, że skóra z kota z kotem w środku działa tak samo dobrze — mrugnęła do niej. — Prawda, Jantar? — pogłaskała kota.

— Wiedziałam — uśmiechnęła się Olka z wyraźną ulgą w oczach. — Jantar… — zmrużyła oczy — ładnie. Lepiej niż rudzielec. Napisałaś już coś? — spytała i podeszła, żeby zajrzeć przyjaciółce przez ramię. — Czytaj.

— „Wcale nie tak dawno temu w krainie, której mieszkańcy lubią czekoladę…" Matko kochana, Olka — przerwała Lukrecja i ze zniesmaczoną miną dodała: — żeby to chociaż była prawdziwa czekolada, a nie produkt czekoladopodobny.

— No cóż, moja droga… jaki wójt, taka czekolada — Olka rozłożyła ręce.

— Albo raczej odwrotnie. Jaka czekolada… taki wójt.

— Lukrecja pokiwała głową z politowaniem i wzięła kota na ręce.

*

Wszelkie podobieństwa do zdarzeń i osób są tu absolutnie przypadkowe. Absolutnie!

Spis treści

O bibliotekarce Luci, jej rudym kocie i o tym, jak łatwo
zabrać komuś pracę 6

O malowanych podwórkach, o domu Pani Ja i o tym,
dlaczego trzeba uważać, spoglądając w lustro 27

O przyjaźniach, o ludzkich przywarach i o tym, jaka siła
kryje się w czekoladzie 36

O owcach, o imieninach i o tym, jak można rozumieć
recykling 43

O eksmisji i o tym, co zrobić, by nie mieszkać pod mostem 57

O ogrodowej rewolucji i o tym, co można znaleźć
w krzakach porzeczek 65

O babskich mądrościach, o randkach i o tym, dlaczego warto
mrozić resztki 81

O buszowaniu po strychu, o namiętności i o tym, co facetów
kręci w porno 91

O zapiskach w starej kronice i o tym, jak mężczyznę skłonić
do odchudzania 112

O grze wstępnej i o tym, do czego w sypialni służą
truskawki 125

O plotkach, o znikającym dębie i o nawiedzonym strychu 138

O plebanii, o tolerancji i o boskim smaku żeberek w coli 159

O remontach, o magicznej lampie i o tym, po co kobietom
skrzydła 190

O wyznaniach, o skarbie i o uzdrawiającej mocy księżej
miodówki 218

O marzeniach, o miłości i o męskich deklaracjach 240

O księżym kredensie, o kołatkach i o świętym w czerwonej
szacie 253

O równaniu rachunków, o szachach i o lekarstwie
na wszelkie zahamowania 264

O skrzydłach, o sztuce i o pstrokatym koniu 278

O poszukiwaniu skarbu i o tym, co się robi w deszczowe
popołudnia 285

O planowaniu w świetle świec, o grzybobraniu i o tym,
dlaczego nauczycielki są takie seksowne 308

O pikiecie, o żółtym ortalionie i o zakładach
bukmacherskich 322

Coś na zakończenie 329

Marta Osa

I po cholerę mi to było!

Niemal każdy ma w życiu chwile, w których chciałby zacząć wszystko od nowa. A dlaczego nie? Nie ma uczuć tak zamotanych, żeby ich nie odmotać, nie ma spraw tak zakończonych, żeby nie zmienić im zakończenia. Wszystko da się odkręcić! Jak butelkę metaksy. O tym właśnie jest ta pełna humoru historia.

Olka, znerwicowana nauczycielka plastyczka, zupełnie niechcący zmienia swoje życie. Zaczyna od napaści na księdza katechetę, w efekcie której odchodzi ze szkoły, potem postanawia zająć się swoim ogrodem i… sobą. Dołącza do ekipy ogrodników, jednak nie jako ogrodnik. Przewraca też do góry nogami życie swoich przyjaciół i przeżywa z nimi niecodzienne przygody. Desperacko szuka drugiej połowy, co niesie za sobą całą masę krępujących i zabawnych sytuacji. Nieświadomie wkracza w inny świat, zawiera nowe przyjaźnie i odnajduje stare miłości.

I mimo upływających lat i straconych okazji kieruje przekonaniem, że najlepsze wciąż jeszcze przed nią.

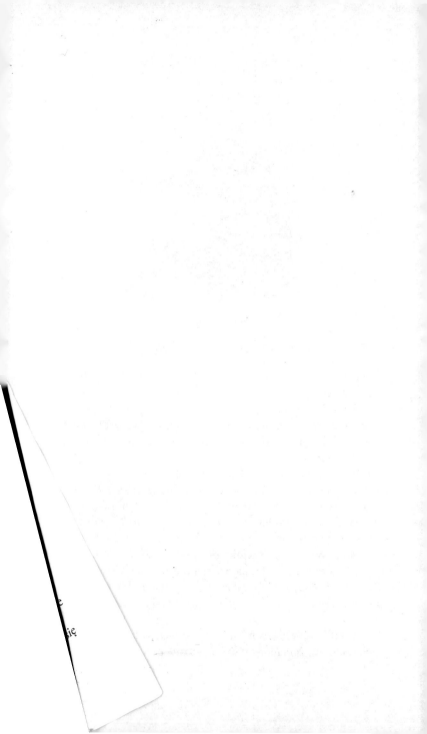